Dagboek van een nanny

Emma McLaughlin en Nicola Kraus

Dagboek van een nanny

Vertaald door Mieke Vastbinder

Vassallucci Amsterdam 2002

Eerste druk: juni 2002
Tweede druk: juli 2002
Derde druk: juli 2002
Vierde druk: augustus 2002
Vijfde druk: augustus 2002
Zesde druk: september 2002

Oorspronkelijke titel: *The Nanny Diaries*
Oorspronkelijke uitgever: St. Martin's Press, New York 2002

Omslagontwerp: René Abbühl, Amsterdam
Foto's omslag: © Herman Estevez Studio
Foto auteurs: © Joan Lanier-Austin
ISBN 90 5000 437 7
NUR 302
http://www.vassallucci.nl

Voor onze ouders, omdat ze altijd ten minste één verhaal
voorlazen (met verschillende stemmetjes) voor het slapen gaan.
Ook al waren ze nog zo moe.

En voor al die geweldige kinderen, die zich dansend,
giechelend en hikkend een plaats veroverden in ons hart.

We blijven voor jullie duimen.

Opmerking voor de lezer

De auteurs hebben af en aan voor dertig families in New York gewerkt, en dit verhaal is geïnspireerd op wat ze in die tijd gezien en meegemaakt hebben. Toch is *Dagboek van een nanny*, met alle namen en karakters, ontsproten aan de fantasie van de auteurs, en geen van de betrokken families heeft een plaats gekregen in dit boek. Enige overeenkomst in gebeurtenissen of personen, levend of dood, berust op louter toeval. In *Dagboek van een nanny* worden sommige bestaande gebouwen in New York – scholen, winkels, galerieën enzovoorts – genoemd, maar het gebruik ervan is in alle gevallen verzonnen door de auteurs.

'U moest mama eens horen over gouvernantes. Mary en ik hebben er, zou ik zo denken, in onze jeugd wel een stuk of tien gehad. De ene helft was onverdraaglijk en de rest belachelijk, en het waren allemaal nachtmerries – nietwaar, mama?'
'Lieveling, praat me niet over gouvernantes. Het woord alleen maakt me al nerveus. Ik heb als een martelaar te lijden gehad onder hun onbekwaamheid en grilligheid. Ik dank de hemel dat ik nu van ze af ben!'

Jane Eyre

Proloog

Het sollicitatiegesprek

Elk seizoen begon mijn carrière als nanny met een reeks sollicitatiegesprekken die zo onwaarschijnlijk veel op elkaar leken dat ik me vaak afvroeg of de moeders een geheim handboek van de Parents League hadden gekregen waarin stond hoe het moest. Die eerste kennismaking kwam altijd weer terug, als een religieus ritueel. Op het moment dat de deur openzwaaide, kwam ik altijd in de verleiding om een knieval te maken of 'Aju paraplu!' te roepen.

Dit gesprek gaf de aard van het werk perfect weer, en altijd weer begon en eindigde het in een lift die mooier was dan het appartement van de meeste New Yorkers.

De cabine met notenhouten wandpanelen hijst me omhoog, als een emmer in een put, omhoog naar potentiële liquiditeit. Als ik bijna op de afgesproken verdieping ben, haal ik diep adem. De deuren schuiven open en ik loop een vestibule in die toegang geeft tot hooguit twee appartementen. Ik druk op de bel. Nannyfeit: ze wacht altijd tot ik aanbel, ook al heeft de beveiliging beneden haar gewaarschuwd dat er iemand aankomt en staat ze waarschijnlijk aan de andere kant van de deur te wachten. En waarschijnlijk staat ze er al sinds ons telefoontje van drie dagen geleden.

In de donkere vestibule, die is behangen met een of ander naargeestig bloemetjesbehang, staat altijd een koperen paraplubak, er hangt een paardenschilderij en een spiegel waarin ik nog even kijk hoe ik eruitzie. Tijdens de metrorit van school naar hier zijn er uit het niets vlekken op mijn rok verschenen, maar voor de rest ziet het er keurig uit – twinset, bloemetjesrok en Gucci-sandalen uit de uitverkoop in de Village.

Het is altijd een klein vrouwtje. Ze heeft dun, steil haar en lijkt altijd in te ademen en nooit uit. Ze heeft altijd een dure kaki broek, ballerina's van Chanel, een Frans streepjesbloesje en een wit vest aan. Meestal een discreet parelsnoertje. In die zeven jaar is de 'ik ben de noncha mama in mijn kaki broek maar heb wel mijn peperdure imponeerschoenen aan' geen spat veranderd. En je kunt het je gewoon niet voorstellen dat ze zoiets onfatsoenlijks zou doen als datgene wat nodig is om zwanger te raken.

Haar ogen schieten meteen naar de viezigheid op mijn rok. Ik bloos. Ik heb mijn mond nog niet open gedaan en de stand is nu al ongelijk.

Ze brengt me naar de hal, een open ruimte met een glanzende marmeren vloer en champignongrijze muren. In het midden staat een ronde tafel met een vaas bloemen die eruitzien alsof ze wel kunnen doodgaan maar niet durven te verwelken.

Dit is mijn eerste indruk van het Appartement en ik vind het net een hotelsuite. Zelfs het eenzame vingerverfwerkstuk dat in elk Appartement met plakband op de koelkastdeur is geplakt, ziet eruit alsof het van een postorderbedrijf komt. (Op koelkastdeuren in de kleur van je keuken blijven magneten niet plakken.)

Ze vraagt of ze mijn vest kan aannemen, kijkt afkeurend naar de haren die mijn kat er als afscheidsgroet aan af heeft gewreven en biedt me iets te drinken aan.

Ik word verondersteld te zeggen: 'Een glaasje water, graag,' maar heb vaak zin om te vragen om een whisky, gewoon om te zien hoe ze reageert. Dan mag ik de huiskamer in, waar ik word begroet door een interieur dat varieert van aristocratische weelde tot iets Ethan Allen-achtigs, afhankelijk van hoe oud het geld is. Ze gebaart dat ik op de bank mag gaan zitten, waar ik prompt een halve meter wegzak in de kussens en me een dwerg voel tussen bergen van chintz. Ze torent boven me uit, kaarsrecht in een erg ongemakkelijk uitziende stoel met haar benen over elkaar geslagen en een gespannen glimlach.

Nu gaat het echte gesprek beginnen. Ik zet mijn met condens bedauwde glas water voorzichtig op de onderzetter, die eruitziet alsof hij zelf een onderzetter kan gebruiken. Ze is duidelijk in de wolken met mijn lelieblanke uiterlijk.

'Zo,' begint ze opgewekt, 'hoe ben je bij de Parents League terechtgekomen?'

Dit is het enige onderdeel van het Gesprek dat op een beroepsmatige uitwisseling lijkt. We omzeilen woorden als 'nanny' en 'zorg' omdat het niet kies is het daarover te hebben, en we spreken het nooit, maar dan ook nooit uit dat ik voor haar werk. Dat is het Heilige Beginsel van de moeder/nanny-relatie: het is een voorrecht, géén baan. We praten alleen 'om elkaar te leren kennen,' zo ongeveer als ik me voorstel dat een man iets met een prostituee bespreekt zonder de stemming te bederven.

De beste benadering van de mogelijkheid dat ik dit misschien wel eens voor geld zou kunnen doen is het onderwerp van mijn ervaring op het gebied van babysitten. Ik beschrijf het als een liefhebberij, zoiets als blindengeleidehonden africhten. In de loop van het gesprek ontpop ik me als ontwikkelingsdeskundige – waarbij ik zowel haar als mezelf overtuig van mijn verlangen om een kind op te voeden en getuige te zijn van al zijn of haar ontwikkelingsstadia. Een eenvoudig uitstapje naar het park of museum wordt een belevenis om nooit te vergeten. Ik vertel grappige gebeurtenissen van mijn vorige baantjes en noem de kinderen bij naam – 'Het was fantastisch om te zien hoe de cognitieve vaardigheden van Constance onder het spelen in de zandbak zienderogen vooruitgingen.' Ik voel mijn ogen glinsteren en stel me voor dat ik een paraplu in mijn hand laat draaien alsof ik Mary Poppins ben. We blijven even zwijgen terwijl we ons mijn flatje voorstellen dat vol hangt met vingerverfwerkjes en diploma's van Stanford.

Ze kijkt me vol verwachting aan, en verwacht de inkopper. 'Ik ben dól op kinderen! Ik hou van die kleine handjes en schoentjes en van pindakaas in mijn haar en Elmo – ik ben dól op Elmo – en zand in mijn tas en de 'Hockey-Pockey' – ik kan er geen genoeg van krijgen! – en sojamelk en knuffellapjes en al die vragen waar niemand het antwoord op weet, ik bedoel van: waarom is de lucht blauw? Weet u het. En Disney! Ik ken Disney als mijn broekzak!'

Op het moment dat we op de achtergrond 'A Whole New World' langzaam horen aanzwellen, vertel ik eerlijk dat ik het werkelijk een voorrecht zou vinden om voor haar kind te mogen zorgen – sterker nog, ik zou het als een avontuur beschouwen.

Ze heeft een lichte kleur maar is toch nog op haar hoede. Nu wil ze weten waaróm. Als ik zo'n ideaal mens ben, waarom zou ik dan op haar kind willen passen? Stel je voor, zij heeft het gebaard en zelfs zij wil er niet voor zorgen, dus waarom zou ik het dan willen? Probeer ik soms een abortus te compenseren? Een linkse groepering te financieren? Waarom heeft zij zo veel geluk? Ze wil weten wat ik studeer, wat ik in de toekomst van plan ben, wat ik van de particuliere scholen in Manhattan vind, wat mijn ouders doen. Ik laveer zo elegant en argeloos mogelijk tussen alle obstakels door, hou mijn hoofd een beetje schuin, net als Sneeuwwitje die naar de vogeltjes staat te luisteren. Zij nijgt meer naar Diane Sawyer die speurt naar antwoorden die bevestigen dat ik er niet op uit ben haar man in te pikken, of haar sieraden, vrienden of kind. In die volgorde.

Nannyfeit: tijdens het gesprek worden referenties nooit ingekeken. Ik ben blank. Ik spreek Frans. Mijn ouders zijn academisch opgeleid. Ik heb geen zichtbare piercings en ben de afgelopen twee maanden ten minste één keer naar het Lincoln Center geweest. Ik ben aangenomen.

Met frisse hoop staat ze op. 'Ik zal je even rondleiden...' Hoewel we elkaar al hebben ontmoet, is het nu de beurt aan het Appartement om zíjn beste beentje voor te zetten. Terwijl we door de kamers lopen, lijkt elke kamer zijn kussens op te kloppen en zijn meubelen te laten glanzen om het al oogverblindend blinkende interieur nog meer luister bij te zetten. Dit Appartement is gemaakt om mensen in rond te leiden. Het ene gigantische vertrek volgt op het andere, met elkaar verbonden door een gangetje dat precies groot genoeg is om een ingelijst origineel van schilder zus-en-zo op te hangen.

Ongeacht of ze nu een peuter of een tiener heeft – er is nooit ook maar een spoor te bekennen van kinderen, van wie dan ook – nergens staan gezinsfoto's. Later ontdek ik dan dat die allemaal discreet weggemoffeld in zilveren Tiffany-lijstjes kunstig in een hoekje van de studeerkamer staan opgesteld.

Op de een of andere manier is het door de afwezigheid van rondslingerende schoenen of een opengescheurde envelop moeilijk te geloven dat het tafereel waar ik doorheen word geleid driedimensionaal is. Het is net een museum. Ik voel me dan ook onhandig en weet niet zeker hoe ik het ontzag dat van me wordt verwacht moet laten blijken, zonder te vervallen in: 'Ja, m'vrouw, t'is heul mooi hier,' en er een revérence bij te maken.

Gelukkig is ze een en al beweging en doet de gelegenheid zich niet voor. Ze zweeft geruisloos voor me uit en het valt me op hoe klein ze lijkt tussen al die meubelen. Ik staar naar haar rug terwijl ze van de ene kamer naar de andere loopt, en in elke kamer even stilstaat om met een armgebaar de naam van de kamer te zeggen, waarop ik dan knik om te bevestigen dat dit inderdaad de eetkamer is.

Tijdens deze Rondleiding is het de bedoeling dat de volgende twee dingen tot me doordringen: (1) Ik kom uit een heel andere, mindere wereld, en (2) ik zal maximale veiligheidsmaatregelen in acht nemen om ervoor te zorgen dat haar kind, dat ook uit een heel andere wereld komt, nergens in het appartement butsen of krassen maakt of met drinken morst. De geheimtaal hiervoor luidt als volgt: zij draait zich om en zegt 'nog even' dat er echt geen huishoudelijk werk bij komt kijken en dat Hutchinson echt het liefst in zijn kamer speelt. Als er gerechtigheid in deze wereld zou zijn, zouden aan alle nanny's op dit moment wegversperringen en verdovingspistolen worden verstrekt. Deze kamers worden hier het blok aan mijn been. Van nu af aan is vijfennegentig procent van dit appartement de achtergrond voor de jacht op het kind, dat ik verleid of gewoonweg smeek om zijn chocolademelk toch maar neer te zetten. Ik ga nu ook kennismaken met meer soorten schoonmaakmiddel dan er soorten vuil bestaan. In haar voorraadkast ontdek ik dat er mensen zijn die hun wc-reiniger, hoog boven de was/droogcombinatie opgeborgen, uit Europa importeren. We komen in de keuken terecht. Hij is enorm. Met een paar tussenmuren erin zou er makkelijk een gezin met twee kinderen in kunnen wonen. Ze staat stil, legt een gemanicuurde hand op het aanrecht en neemt een vertrouwde houding aan, die van een kapitein aan het stuurwiel die zijn bemanning gaat toespreken. Maar ik weet dat als ik haar zou vragen waar de bloem staat, ze een halfuur tussen ongebruikt kookgerei zou moeten zoeken.

Nannyfeit: ze mag in deze keuken dan liters Perrier inschenken, maar ze eet hier nooit. Eigenlijk zie ik haar in de loop van mijn dienstbetrekking nooit eten. Ze kan me niet vertellen waar de bloem staat, maar weet de laxeermiddelen in haar medicijnkastje blindelings te vinden.

De koelkast is volgepropt met kilo's vlijtig in blokjes gesneden vers fruit dat in afzonderlijke Tupperware-bakjes klaarstaat en minstens twee verpakkingen verse kaastortellini die haar kind het liefst zonder saus eet. (Wat wil zeggen dat er voor mij nooit wat in huis is.) Ook staat er altijd de verplichte plantaardige melk, een verlaten fles Lillet-Bordeaux en Grootmoeders jam, en veel ingevroren ginkgo biloba (voor papa's geheugen). In de vriezer ligt mama's kleine geheimpje: kipnuggets en ijsjes. Een blik in de koelkast leert dat eten voor het kind is; delicatessen zijn voor volwassenen. Ik stel me dan altijd voor dat als het gezin aan tafel zit, de ouders plichtmatig met tandenstokers in zongedroogde tomaten prikken en het kind zich tegoed doet aan een berg vers fruit en diepvriesmaaltijden.

'De Brandford-maaltijden zijn heel makkelijk,' zegt ze met een gebaar naar het diepvrieseten voordat ze de deur van de diepvries dicht doet. Vertaling: zij kunnen hem in het weekend deze troep met een schoon geweten geven omdat ik door de week macrobiotische viergangen-maaltijden voor hem klaarmaak. Er komt een dag dat ik watertandend naar de kleurige verpakkingen in de vriezer kijk terwijl ik wilde rijst uit Costa Rica sta te stomen omdat dat het beste is voor de spijsvertering van de kleuter.

Ze zwaait de deur van de voorraadkast open (die groot genoeg is om door te gaan voor het vakantiehuisje voor het gezin met twee kinderen dat in de keuken kon wonen) en laat een voedselvoorraad zien waar je twee wereldoorlogen mee doorkomt, alsof de stad voortdurend gevaar loopt te worden geplunderd door een rondtrekkende bende gezond-heidsfreaks van kleuterleeftijd. Hij puilt uit met alle soorten vruchtensap, sojamelk, rijstemelk, biologisch-dynamische chips, verantwoorde mueslirepen en onbespoten rozijnen die de geraadpleegde diëtist kon bedenken. Het enige waar kleur-, geur- en smaakstoffen in zitten is een plank Goldfish-artikelen, waaronder die met een laag zoutgehalte en de niet zo populaire uiensmaak.

In de hele keuken is nog niet genoeg eten te zien om een hand te vullen. Ondanks de mythische uitspraak 'pak maar wat je lekker vindt' zal ik pas na een paar hongerige avonden op rozijndieet DE BOVENSTE PLANK ontdekken, die lijkt te zijn uitgerust met schrikdraad en is bedekt met stof, maar waar de fel begeerde lekkernijen staan die zijn achtergelaten door vrouwen die chocolade als een bom uit de doos van Pandora zien. Chocoladerozijnen van Barney's, truffels van Saks, fudge uit Martha's Vinyard, die ik allemaal als een cocaïneverslaafde op de badkamer verslind om te voorkomen dat het misdrijf wordt opgenomen door een eventuele verborgen camera. Ik stel me al voor: de film wordt afgespeeld in *Hard Copy*. 'Nanny op heterdaad betrapt – gerustgesteld door de gegeven toestemming – scheurt de verpakking van luxe paaseitjes uit 1992 open.'

Op dat moment begint ze over de Regels. Voor alle moeders is dit een fijn moment omdat het een gelegenheid is om te laten zien hoeveel denkwerk en energie er in is gaan zitten om het kind tot op dat moment in leven te houden. Ze praat met een zeldzame mengeling van enthousiasme, zelfvertrouwen en ontzagwekkende overtuiging – ze weet dat het allemaal waar is. Op mijn beurt trek ik mijn meest leergierige en toch medelevende gezicht waaruit spreekt: 'Ja, ik wil het allemaal weten – ik hang aan uw lippen' en 'Wat moet het afschuwelijk voor u zijn een kind te hebben dat allergisch is voor lucht.' De Lijst begint met:

Allergisch voor zuivelproducten
Allergisch voor pinda's
Allergisch voor aardbeien
Allergisch voor lak op propaanbasis
Het een of andere graansoort
Eet geen bramen
Eet alleen bramen – in plakjes gesneden
Boterhammen moeten horizontaal doorgesneden worden met korst
Boterhammen moeten in vieren worden gesneden ZONDER korst
Boterhammen moeten met het gezicht naar het oosten worden klaargemaakt
Ze is dol op rijstemelk
Hij eet niets wat met een M begint
Alle porties moeten worden afgewogen – hij mag geen gram meer krijgen
Vruchtensap moet worden aangelengd met water en uit een glas boven de gootsteen of in de badkuip worden gedronken (liefst tot het kind achttien is)
Eten altijd op plastic placemat met een servetje eronder, en altijd met een slab om.
'Het zou perfect zijn als je Lucien zich liet uitkleden en haar na het eten met de tuinslang kon schoonspuiten'
GEEN eten of drinken binnen twee uur voor het slapen gaan
GEEN kleur- of geurstoffen
GEEN conserveermiddelen

GEEN pompoenzaden
GEEN vel, van wat voor dier dan ook
GEEN rauw eten
GEEN gekookt of gebakken eten
GEEN Amerikaans eten

en... (ze praat nu zo zacht dat alleen walvissen het kunnen horen)

GEEN ETEN BUITEN DE KEUKEN!

Ik knik ernstig en instemmend. Het is allemaal heel logisch. 'Maar natuurlijk, dat spreekt voor zich,' hoor ik mezelf zeggen.

Dit is het stadium waarin ik op dreef raak, waarin ik de illusie van een heimelijke verstandhouding creëer. 'We staan er samen voor! Kleine Elspeth is ons gezamenlijk project! En we gaan haar alleen maar mungbonen te eten geven!' Ik voel me alsof ik negen maanden zwanger ben en net heb ontdekt dat mijn man van plan is het kind binnen een sekte op te voeden. Maar ergens ben ik ook gevleid dat ik ben uitverkoren om aan dit project deel te nemen. Afsluiting stadium I: ik val voor de glans van perfectie.

De rondleiding wordt voortgezet naar de kamer die het verst weg ligt. De afstand van de kamer van het kind naar die van de ouders varieert van ver weg tot mijlenver weg. Als er een andere verdieping is, dan ligt de kamer daar. Je krijgt het beeld van de arme peuter die wakker wordt door een nare droom en met valhelm en zaklantaarn op zoek gaat naar de kamer van zijn ouders, met slechts een kompas en onverzettelijke vastberadenheid als wapen.

De andere duidelijke aanwijzing dat je je in de Kinderzone begeeft, is de kleurverandering van matte, zogenaamde Indiakleuren naar een Mondriaan-palet van felle Oilily-kleuren en Kennedy-pastels. Maar het effect is eigenaardig vervreemdend; het is zo duidelijk de visie van een volwassene op de kinderkamer. Dat zie je aan alle gesigneerde eerste edities van Babar-posters die een meter boven kinderhoogte aan de muur hangen.

Nu ik de Regels weet, zet ik me schrap voor een ontmoeting met het zorgenkindje. Ik verwacht een hele intensive care-afdeling te zien compleet met Louis Vuitton IV-uitvoering van de monitor. Je kunt je voorstellen hoe erg ik schrik van de kluwen van beweging die door de kamer op ons af raast. Als het een jongen is, doet de beweging denken aan de Power Rangers, en een meisje komt meestal in volledige Mousketeer-uitrusting op ons af, compleet met twee pirouettes en een grand jeté. Het kind wordt tot deze act aangespoord door een soort Pavlov-reactie op het parfum van de moeder die de hoek om komt. De kennismaking gaat als volgt: (1) kind (tot in de puntjes verzorgd) vliegt op moeders been af. (2) Precies op het moment dat de kinderarmpjes zich om haar bovenbeen slaan pakt de moeder het kind snel bij de polsen. (3) Tegelijkertijd stapt ze uit de omhelzing, en laat de handjes voor het neusje van het kind tegen elkaar klappen. Ze buigt zich voorover om hallo te zeggen en draait het hoofdje van het kind naar mij toe. Voilà. Dat is dus de eerste in een hele reeks uitvoeringen van wat ik de 'Plukreflex' noem. Het is zo goed getimed en zo elegant uitgevoerd dat ik de indruk krijg dat ik moet klappen, maar, aangemoedigd door hun verwachtingsvolle gezicht reageer ik met mijn eigen Pavlov-reactie. Ik laat me op mijn knieën vallen.

'Leren jullie elkaar maar een beetje kennen...' Dat is het teken voor het Speel-met-kind deel van de auditie. Ondanks het feit dat we allemaal weten dat de mening van het kind er niet toe doet, word ik ineens opgewekt op het psychotische af. Ik speel alsof mijn leven ervan afhangt en daarna nog wat tot het kind is opgezweept tot een bruisende interactie, met als extra stimulus de zeldzame aanwezigheid van moeder. Het kind is met de Montessori-visie op pret maken opgevoed – er mag maar één speeltje tegelijk uit het walnoten kastje worden gehaald. Ik compenseer de normale kinderchaos door een voorstelling te geven van stemmetjes, danspasjes en een deskundig gesprek over Pokémon. Binnen de minuut vraagt het kind of we naar de dierentuin gaan, of ik blijf slapen of ik bij hem of haar kom wonen. Dat is het teken voor moeder om tussenbeide te komen vanaf haar plekje op het bed waar ze in gedachten vaardigheden heeft zitten afstrepen en scores bijgehouden heeft. Ze kondigt aan dat het tijd is om dag tegen nanny te zeggen. 'Dat zal leuk zijn om de volgende keer weer met Nanny te spelen, hè?'

De huishoudster, die de hele tijd in een kinderschommelstoel opgevouwen heeft gezeten, komt met een sprookjesboek aan zetten in een flauwe poging om te wedijveren met mijn vuurwerk van spelletjes en pret om de onvermijdelijke uitbarsting uit te stellen. In een paar seconden volgt er een iets uitgekookter versie van de plukreflex, deze keer behelst hij het naar buiten manoeuvreren van de moeder en mij, met als afsluiting een dichtvallende deur, dit alles in één vloeiende beweging. Ze haalt haar handen door haar haar en brengt me met een lang, ademloos 'Nou...' weer naar de stilte van het appartement.

Ze geeft me mijn tas terug en dan sta ik minstens een halfuur met haar in de hal te wachten tot ze zegt dat ik kan gaan.

'En, heb je een vriendje?' Dit is het teken voor het Speel-met-Moeder deel van de auditie. Zij kan er wel een avondje tegenaan – er is niets gezegd over een man die thuiskomt of plannen voor het eten. Ik hoor het verhaal van haar zwangerschap, het yogaklasje, de laatste ouderavond, de niet-te-genieten huishoudster (die halfdood in de Kinderzone is aangetroffen), de listige binnenhuisarchitect, de reeks rampzalige nanny's vóór mij en de nachtmerrie van het kinderdagverblijf. Afsluiting stadium II: ik ben echt dolblij dat ik niet alleen een engelachtig kind krijg om mee te spelen, ik krijg er ook een nieuwe boezemvriendin bij!

Ik laat me ook van mijn beste kant zien. Ik hoor mezelf praten – om het beeld te scheppen van mij als vrouw van de wereld: ik noem namen van beroemdheden, beroemde merken, beroemde plaatsen. Daarna relativeer ik het bescheiden en met veel humor om haar niet te intimideren. Ik word me ervan bewust dat ik veel te veel praat. Ik klets over de reden dat ik van Brown College af ging, waarom ik een eind maakte aan mijn vorige relatie – niet dat ik geen dingen kan volhouden, nee, nee! Als ik voor iets kies, dan blijf ik erbij! Jazeker! Heb ik u al over mijn scriptie verteld? Ik snij onderwerpen aan die de komende maanden herhaaldelijk zullen worden aangeroerd bij wijze van onhandige poging tot conversatie. Al gauw sta ik te knikken en 'Okééé! te zeggen terwijl ik blindelings naar de deurknop graai. Eindelijk bedankt ze me voor mijn bezoek, doet de deur open en laat me op de knop van de lift drukken.

Midden in een zin beginnen de liftdeuren dicht te schuiven, zodat ik mijn tas voor het elektronisch oog moet houden om een diepzinnige opmerking over het huwelijk van mijn ouders af te maken. We blijven als een stel robots naar elkaar glimlachen en knikken tot de deur godzijdank dicht glijdt. Ik zak tegen de deuren in elkaar en adem voor het eerst in een uur uit.

Een paar minuten later rammelt de metro onder Lexington door, terug naar school en het ritme van mijn eigen leven. Ik plof op de plastic stoel neer terwijl de beelden van het smetteloze appartement door mijn hoofd spelen. Deze beelden worden af en toe afgewisseld door een man of vrouw, en soms allebei, die door de wagon schuifelt en om kleingeld bedelt terwijl hij of zij alle aardse bezittingen in een half vergane plastic tas met zich meedraagt. Ik trek mijn rugzak op schoot. De adrenaline van mijn optreden ebt uit me weg en er beginnen vragen in me op te komen.

Hoe komt het dat een intelligente, volwassen vrouw iemand wordt wier hele steriele koninkrijk is gereduceerd tot alfabetisch gerangschikte lingerieladen en uit Frankrijk geïmporteerde nepzuivel? Waar is het kind in dit huis? Waar is de vrouw in deze moeder?

En hoe pas ik in het geheel? Bij elke baan kwam er onvermijdelijk een moment waarop het leek alsof het kind en ik de enige mensen van vlees en bloed waren die over de marmeren zwart-witte schaakborden in die appartementen renden. Wat er altijd weer op uit draaide dat er koppen rolden.

Achteraf moest het wel zo lopen. Zij willen jou, jij wilt de baan.

Maar als je het goed doet, raak je je baan kwijt.

Aju paraplu!

Deel een

Herfst

Toen, met een lange, luide snuif die leek te betekenen dat ze een besluit had genomen, zei ze: 'Ik neem de baan.'

'Ik kreeg toch sterk de indruk,' zei Mrs Banks later tegen haar man, 'dat het een eer voor ons was.'

Mary Poppins

Een

Nanny te koop

'Hoi, met Alexis van de Parents League. Ik bel even over de voorschriften voor de uniformen die we hebben gestuurd...' De blonde vrouw die achter de receptiebalie zit steekt een beringde vinger omhoog om me te vragen even te wachten tot ze klaar is met bellen. 'Ja, nou, dit jaar willen we echt graag al uw meisjes in langere rokken zien, ten minste tweeënhalve decimeter langer. We krijgen nog steeds klachten van de moeders van de jongensschool in de buurt... Mooi. Blij dat te horen. Dag.' Met een zwierig gebaar streept ze het woord *Spence* op haar lijstje van drie onderwerpen door.

Ze richt zich tot mij. 'Sorry dat u moest wachten. Aan het begin van het schooljaar werken we ons altijd te pletter.' Ze tekent een grote cirkel om het tweede onderwerp op haar lijstje: papieren handdoeken. 'Kan ik iets voor u doen?'

'Ik kom een advertentie voor een nanny ophangen, maar volgens mij is het prikbord verplaatst,' zeg ik, enigszins verward omdat ik hier al sinds mijn dertiende advertenties ophang.

'Het moest van de muur omdat de hal werd geschilderd. Het is er nog niet van gekomen om het weer op te hangen. Hier, ik zal u wijzen waar het hangt.' Ze loopt langs haar bureau naar de grote zaal, waar moeders aan designbureaus zitten en onderzoeken over particuliere scholen doorlezen. Daar zit de dwarsdoorsnede van de Upper East Side – de ene helft van de vrouwen draagt een Chanel-pakje en Manolo Blahnik-schoenen en de andere helft draagt een gewatteerd jasje van zeshonderd dollar, en ziet eruit alsof ze een opdracht verwachten om een Aqua Scutum-tent op te zetten.

Alexis gebaart naar het prikbord dat een Mary Cassatt die tegen de muur stond van zijn plaats heeft verdreven. 'Het is op het moment een rommeltje,' zegt ze, terwijl er een andere vrouw opkijkt van het bloemstuk dat ze vlakbij aan het herschikken is. 'Maar maakt u zich geen zorgen. Er komen hier massa's lieve meisjes naar werk zoeken, dus ik denk niet dat u een probleem zult hebben er eentje te vinden.' Ze brengt haar hand naar haar parelsnoertje. 'Heeft u geen zoon op Buckley? U komt me zo bekend voor. Ik ben Alexis...'

'Hallo,' zeg ik. 'Ik ben Nan. Ik heb voor de meisjes van Gleason gezorgd. Volgens mij wonen die naast u.'

Ze trekt haar wenkbrauwen op en bekijkt me eens goed. 'O... o, nanny, ja,' bevestigt ze voor zichzelf, alvorens zich achter haar bureau terug te trekken.

Ik sluit me af voor het luchtige, beschaafde gebabbel van de vrouwen achter me en lees de advertenties die zijn opgehangen door andere nanny's die ook op zoek zijn naar werk.

Babysitter zoek kinderen
ben dol kinderen
stofzuigt
ik zorg uw kinderen
veel jaren werk
u bel me

Het prikbord hangt al zo vol met papiertjes dat ik uiteindelijk met enig schuldgevoel mijn advertentie maar over die van een vrouw prik die haar roze advertentie heeft versierd met bloemetjes die met krijt zijn getekend, maar ik neem wel even de tijd om ervoor te zorgen dat de mijne alleen madeliefjes bedekt en geen essentiële informatie.

Ik wou dat ik die vrouwen kon vertellen dat het geheim van nanny-advertenties niet in de bloemetjes zit, maar in de interpunctie – het zit hem in de uitroeptekens. Mijn advertentie is weliswaar een minimalistisch kaartje van tien bij vijftien en er staat nog geen lachend gezichtje op, maar ik ben kwistig met uitroeptekens. Alle wenselijke vaardigheden worden bekroond door de belofte van een stralende glimlach en een oneindig positieve inzet.

Nanny per direct beschikbaar!
Student aan Chapin School, kan door de week parttime werken!
Voortreffelijke referenties!
Diploma Kinderstudies aan NYU!

Het enige wat ik niet heb is een paraplu waarmee ik kan vliegen.

Ik controleer nog een laatste keer op spelfouten, rits mijn rugzak dicht, neem afscheid van Alexis en ren de marmeren trap af, de zinderende hitte in.

Als ik langs Park Avenue loop, staat de zon nog zo laag dat de buggyparade nog in volle gang is. Ik kom langs allemaal verhitte kleine mensjes, die er beslist ongemakkelijk bij zitten in hun zweterige stoeltjes. Ze hebben het zelfs te warm om hun vertrouwde reisgenootjes vast te houden – knuffellapjes en beren die in de zak van de buggy zijn gestopt. Ik grinnik in mezelf om een kind dat een aangeboden pakje vruchtensap wegslaat en het hoofd afwendt met een ruk die wil zeggen: 'Ik heb nu helemaal geen zin om te drinken.'

Ik sta voor een stoplicht en kijk op naar de grote ruiten die de ogen van Park Avenue zijn. Wat bevolkingsdichtheid betreft, is dit het middenwesten van Manhattan. Daar hoog boven mij bevinden zich kamers, kamers en nog eens kamers. Lege kamers. Het zijn make-upkamers, kleedkamers, pianokamers, logeerkamers, en ergens boven mijn hoofd, ik zal niet zeggen waar, heeft een konijn dat Arthur heet, zo'n honderdvijftig vierkante meter tot zijn beschikking.

Ik steek de 72nd Street over, loop in de schaduw van de blauwe jaloezieën van het Polo, en loop Central Park in. Ik sta stil bij de speeltuin, waar een paar volhardende kinderen ondanks de hitte hun best doen, en zoek in mijn rugzak naar een flesje water, en op dat moment vliegt er iets tegen mijn benen aan. Ik kijk omlaag en hou het ding vast. Het is een ouderwetse houten hoepel.

'Hé, die is van mij!' Een jongetje van een jaar of vier stormt de heuvel af, waar hij met zijn ouders voor een gezinsfoto heeft staan poseren. Zijn matrozenpet valt onder het rennen in het droge gras. 'Dat is mijn hoepel,' zegt hij.

'Zeker weten?' vraag ik. Hij kijkt verbijsterd. 'Misschien is het wel een wiel van een wagen.' Ik hou het ding op zijn kant. 'Of een stralenkransje van een engel?' Ik hou de hoepel boven zijn blonde hoofd. 'Of misschien gewoon een grote pizza?' Ik steek hem het ding toe, zodat hij hem kan aanpakken. Hij glimlacht breed naar me terwijl hij de hoepel met beide handen aanpakt.

'Gekkie!' Hij sleept het ding de heuvel op, en komt langs zijn moeder, die de heuvel af wandelt om de pet op te rapen.

'Sorry, hoor,' zegt ze. Terwijl ze het stof van de gestreepte rand veegt, loopt ze naar me toe. 'Hopelijk heb je geen last van hem gehad.' Ze houdt haar hand boven haar lichtblauwe ogen om ze tegen de zon te beschermen.

'Nee, helemaal niet.'

'O, je rok...' Ze kijkt omlaag.

'Geeft niet,' lach ik, en ik veeg het zand dat aan de hoepel heeft gezeten van de stof. 'Ik werk met kinderen, dus ik ben wel wat gewend.'

'Werkelijk?' Ze gaat zo staan dat haar rug naar haar man en een blonde vrouw is gekeerd die het jongetje een pakje sap voorhoudt. Zijn nanny waarschijnlijk. 'Hier in de buurt?'

'Nou ja, het gezin is deze zomer naar Londen verhuisd, dus...'

'We zijn klaar!' roept de vader ongeduldig.

'Kom eraan!' roept ze opgewekt terug. Ze draait zich weer naar me om en wendt haar fijn gesneden gezicht van hem af. Ze praat zacht. 'Nou, wij zijn eigenlijk op zoek naar iemand die ons parttime uit de brand kan helpen.'

'Meent u dat? Parttime zou perfect zijn, want ik heb een vol rooster dit semester...'

'Hoe kunnen we je bereiken?'

Ik rommel in mijn rugzak op zoek naar een pen en een stukje papier om mijn gegevens neer te krabbelen. 'Alstublieft.' Ik geef haar het papiertje en ze laat het discreet in de zak van haar jurk glijden. Dan schuift ze de haarband in haar lange, zwarte haar op zijn plaats.

'Prachtig.' Ze glimlacht innemend. 'Nou, het was me een genoegen. Ik laat wel van me horen.' Ze doet een paar stappen de heuvel op en draait zich dan om. 'O, wat dom van me. Ik ben Mrs X.'

Ik glimlach naar haar, en ze loopt terug om haar plaats in de compositie in te nemen. Het zonlicht valt tussen de bladeren door en strooit lichtvlekjes over de drie figuren. Haar man draagt een wit seersucker-pak aan en staat in het midden. Zijn hand ligt op het hoofd van de jongen, en zij komt met een glimlach soepel naast hem staan.

De blonde vrouw komt met een kam naar voren en het jongetje

zwaait naar me, waarop zij zich omdraait om te zien waar hij naar kijkt. Als ze haar hand boven haar ogen houdt om beter te kunnen kijken, draai ik me om en loop verder het park in.

Mijn oma staat me in de deuropening op te wachten, gekleed in een linnen Mao-pakje en met een parelsnoer om haar hals. 'Schat! kom binnen. Ik ben net klaar met tai-chi.' Ze kust me op beide wangen en omhelst me ook nog eens stevig. 'Schatje, je bent helemaal klam. Wil je even douchen?' Er kan niets op tegen oma's goede zorgen.

'Misschien alleen een koude washand?'

'Ik weet wat je moet hebben.' Ze pakt mijn hand, strengelt haar vingers tussen de mijne en brengt me naar de gastenbadkamer. Ik heb het altijd prachtig gevonden hoe de antieke kristallen kroonluchter het diepe roze van het chintz bescheen. Maar het mooiste zijn nog de kartonnen aankleedpoppen uit Frankrijk. Toen ik klein was richtte ik onder de wastafel altijd een salon in, waar oma dan echte thee kwam brengen en bedacht waar ik het dan met mijn elegante Franse gasten over zou hebben.

Ze houdt mijn handen onder de kraan en laat koud water over mijn polsen lopen. 'Drukpunten voor de verdeling van warmte,' zegt ze en ze gaat in kleermakerszit op het toiletdeksel zitten. Ze heeft gelijk; ik koel onmiddellijk af.

'Heb je gegeten?'

'Ik heb ontbeten.'

'En lunch?'

'Het is pas elf uur, oma.'

'O ja? Ik was al om vier uur op. Goddank dat Europa er is, anders zou ik tot acht uur niemand hebben om mee te praten.'

Ik glimlach. 'Hoe is het met je?'

'Ik ben nu twee maanden tweeënzeventig, zo is het met me.' Ze strekt haar tenen als een balletdanseres en trekt de zoom van haar broek een klein stukje op. 'Het heet Sappho – ik heb ze vanochtend bij Arden's laten doen. Wat vind je ervan? Een beetje te?' Ze wriemelt met haar koraalrode tenen.

'Prachtig, heel sexy. Oké, ik zou het zalig vinden om de hele dag te blijven, maar ik moet naar de stad om me aan de genade van de inschrijvingsgoden over te leveren.' Ik draai de kraan dicht en schud mijn handen dramatisch boven de wastafel uit.

Ze geeft me een handdoek. 'Weet je, ik kan me niet herinneren dat ik op Vassar ooit gesprekken heb gevoerd zoals jij ze beschrijft.' Ze heeft het over de eeuwige onderonsjes die ik met de administratieve afdeling van de NYU heb.

Ik loop achter haar aan naar de keuken. 'Vandaag ben ik goed voorbereid. Ik heb mijn verzekeringskaart, mijn rijbewijs, mijn paspoort, een kopie van mijn geboortecertificaat, alle brieven die ik ooit van de universiteit heb gehad en de brief waarin staat dat ik toegelaten ben. Deze keer laat ik me niet wijsmaken dat ik niet ben ingeschreven, dat ik het laatste semester niet heb afgemaakt, dat ik vorige jaar mijn collegegeld niet heb betaald, dat ik het bibliotheekgeld niet heb betaald, dat ik geen goed legitimatienummer heb, geen geldig sofi-nummer, geen bewijs van mijn woonadres, de juiste formulieren niet heb, of dat ik gewoon niet besta.'

'Lieve help.' Ze trek de koelkast open. 'Bourbon?'

'Liever sinaasappelsap.'

'Kinderen.' Ze rolt met haar ogen en wijst naar haar oude airconditioningapparaat dat op de grond staat. 'Lieverd, zal ik de portier even halen, dan kan hij je helpen dragen.'

'Nee, oma. Dat gaat wel,' zeg ik, en ik doe een dappere poging het ding op te tillen, om hem meteen weer met een bons neer te zetten. 'Oké, ik denk dat ik later nog even met Josh terugkom om hem op te halen.'

'Joshua?' vraagt ze met een opgetrokken wenkbrauw. 'Je kleine vriendje met dat zwarte haar? Die weegt drie kilo als hij nat is.'

'Nou, ik wil niet dat papa weer door zijn rug gaat, en verder heb ik op het gebied van mannen niet zo veel keus.'

'Ik steek elke morgen een kaarsje voor je op, lieverd,' zegt ze en pakt een glas. 'Kom, ik zal een Eggs Benedict voor je kloppen.'

Ik werp een blik op de oude Nelson-klok aan de muur. 'Ik wou dat ik daar tijd voor had, maar ik moet echt gaan, anders is de rij niet te overzien.'

Ze geeft me op elke wang een kus. 'Nou, kom om zeven uur maar langs met die Joshua van je, dan kook ik een fatsoenlijk maal voor jullie – straks verdwijn je nog!'

Josh kreunt. Op de plaats waar hij is ingestort, na de airconditioner voor mijn deur te hebben neergeploft, rolt hij langzaam op zijn rug.

'Je hebt gelogen,' zegt hij met gierende ademhaling. 'Je zei dat het op de derde verdieping was.'

'O ja?' zeg ik, terwijl ik mijn onderarmen losschud en tegen de trap leun.

Hij tilt zijn hoofd twee centimeter op. 'Nan, dat waren zes trappen. Twee trappen per verdieping, dus technisch gesproken is het de zesde verdieping.'

'Je hebt me ook van de campus helpen verhuizen...'

'Ja, en weet je waarom? O ja, omdat ze daar een líft hadden.'

'Nou ja, ik elk geval ben ik niet van plan hier ooit weg te gaan. Dit is perfect. Als je oud en grijs bent, kom je me nog maar eens opzoeken.' Ik wis het zweet van mijn voorhoofd.

'Dat kun je wel vergeten. Ik lig dan met de rest van de zwarthaarclan bij je op de stoep.' Hij laat zijn hoofd weer vallen.

'Kom.' Ik trek mezelf op aan de balustrade. 'Er staan koude biertjes op ons te wachten.' Ik draai alle drie de sloten open en doe de deur open. Het appartement lijkt net een auto die in de hete zon heeft gestaan, en we doen een stap achteruit om de zinderende lucht de gang op te laten stromen.

'Volgens mij heeft Charlene de ramen vanochtend dicht gedaan voor ze wegging,' zeg ik.

'En de oven aangelaten,' voegt hij eraan toe, en hij komt achter me aan de piepkleine hal in die tegelijk dienst doet als keuken.

'Welkom in mijn volledig gemeubileerde kast. Zal ik een bagel voor je roosteren?' Ik laat mijn sleutels naast het tweepits gasstel vallen.

'Wat betaal je hiervoor?' vraagt hij.

'Dat wil je niet weten,' zeg ik, terwijl we de airconditioner met kleine rukjes door de kamer schuiven.

'Waar is je knappe huisgenote nou?' vraagt hij.

'Josh, niet alle stewardessen zijn knap. Je hebt er ook van die moederlijke types tussen zitten.'

'Is zij er zo eentje?' Hij staat stil.

'Niet stilstaan.' We schuiven verder. 'Nee, ze is heel knap, maar ik wil niet dat jij gewoon aanneemt dat ze knap is. Ze is vanochtend naar Frankrijk of Spanje vertrokken,' puf ik, en we komen de hoek om, in mijn hoek van het L-vormige appartement.

'George!' roept Josh als hij mijn kat begroet, die mismoedig op de warme houten vloer ligt uitgespreid. Hij tilt zijn grijze pluizenkop een centimeter op en mauwt klaaglijk. Josh komt overeind en wist zijn voorhoofd met de onderkant van zijn T-shirt af. 'Waar wil je dit onding hebben?'

Ik wijs naar de bovenkant van het raam.

'Watte? Je bent gek, dame.'

'Dat is een truc die ik op de Avenue heb geleerd. "Om het uitzicht niet te bederven." Mensen zonder centrale airconditioning doen alles om dat niet te laten merken, lieverd,' leg ik uit terwijl ik mijn sandalen uitschop.

'Welk uitzicht?'

'Als je je neus tegen het raam drukt en naar links kijkt, kun je de rivier zien.'

'Hé, je hebt nog gelijk ook.' Hij trekt zijn neus van het glas. 'Luister, het "Josh hijst het loodzware ding wel even omhoog naar het glazen plankje," dat zit er dus niet in, Nan. Ik ga een biertje pakken. Kom, George.'

Hij loopt terug naar de 'keuken' en George rekt zich uit om met hem mee te lopen. Ik maak van de gelegenheid gebruik om een schoon T-shirtje uit een open doos te grissen en mijn klamme shirt uit te trekken. Als ik gehurkt achter de dozen zit om me om te kleden, vang ik een glimp op van het rode lampje van mijn antwoordapparaat, dat furieus staat te knipperen. Het woord 'vol' licht boos op.

'Doe je weer een babbelboxnummer?' Josh hangt zijn arm over de doos en geeft me een Corona.

'Dat kun je wel zeggen. Ik heb vandaag een advertentie opgehangen en de mammies komen weer tot leven.' Ik neem een slok van mijn bier en laat me tegen de dozen omlaag glijden om op de knop 'afspelen' te drukken.

De kamer wordt gevuld met een vrouwenstem: 'Hoi, met Mimi van Owen. Ik heb je bij de Parents League gezien. Ik zoek iemand die me kan helpen voor mijn zoon te zorgen. Parttime, snap je. Misschien twee, drie, vier dagen in de week, halve dagen of langer en soms een avond of een dag in het weekend, of allebei! Als je tijd hebt. Ik wil alleen maar laten weten dat ik serieuze belangstelling heb.'

'Nou, dat komt wel over, Mimi,' zegt Josh, die naast me op de grond glijdt.

'HoimetAnnSmithikzoekiemandomvoormijnzoontjevanvijftezorgen. Hijisheelmakkelijkenhetisbijonsheelrelaxed...'

'Jemig. 'Josh steekt in een afwerend gebaar een hand op, en ik spoel verder naar de volgende boodschap.

'Hoi, met Betty Potter. Ik zag je bij de Parents League. Ik heb een dochter van vijf, Stanton, een zoontje van drie, Tinford en een baby van tien maanden, Jace, en ik zoek iemand die me kan helpen omdat ik weer zwanger ben. Je hebt het in je advertentie niet over betaling, maar de vorige betaalde ik zes dollar.'

'Zes Amerikaanse dollars?' vraag ik het apparaat ongelovig.

'Hé Betty, ik weet een cocaïnehoertje in Washington Square Park die het voor een 25 cent doet.' Josh drinkt zijn bier op.

'Hallo, met Mrs X. We hebben elkaar vanochtend in het park ontmoet. Bel eens als je tijd hebt. Ik wil het hebben over het type baan waarnaar je op zoek bent. We hebben nu een meisje, Caitlin, maar die wil minder uren gaan werken en jij hebt nogal een indruk op onze zoon Grayer gemaakt. Ik verheug me erop met je te praten. Dag.'

'Die klinkt normaal. Bel maar.'

'Vind je?' vraag ik en op dat moment gaat de telefoon zodat we allebei schrikken. Ik neem op. 'Hallo,' zeg ik, onmiddellijk overschakelend op nanny-modus. In die twee lettergrepen probeer ik de indruk te wekken het fatsoen zelf te zijn.

'Hallo,' doet mijn moeder mijn donkere, beschaafde stemgeluid na. 'Hoe is het gegaan met de airco?'

'Hoi.' Ik ontspan me. 'Goed hoor...'

'Wacht even.' Ik hoor geschuifel. 'Ik moet Sophie steeds wegduwen, die wil per se een halve decimeter van de airco af zitten.' Met een glimlach stel ik me voor hoe onze Springer Spaniël van veertien jaar als de Rode Baron met wapperende oren voor de airco zit. 'Opzij, Soof, en nu zit ze op het onderzoek voor de subsidieaanvraag.'

Ik neem een slok bier. 'Hoe gaat het daarmee?'

'Bah, daar word ik chagrijnig van, vertel eens iets opwekkends.' Sinds de Republikeinen aan de macht zijn, krijgt mijn moeders Coalitie voor Vrouwenhuizen nog minder geld dan voorheen.

'Ik heb maffe boodschappen van mammie's in nood,' probeer ik.

'Ik dacht dat we het daarover hadden gehad.' Haar advocatenstem is weer terug. 'Nan, zodra je weer zo'n baantje neemt, loop je je om drie uur 's morgens weer druk te maken of de kleine prinses vandaag nu tapdansles of een jamsessie met de Dalai Lama heeft...'

'Mam. Ma-ham, ik heb nog niet eens een gesprek gehad. Trouwens, ik ga dit jaar niet zo veel uur werken, want ik moet mijn scriptie schrijven.'

'Juist! Dat is nu precies wat ik bedoel. Je moet je scriptie schrijven, net als je vorig jaar je assistentschap had, en het jaar daarvoor je stage moest lopen. Ik snap niet waarom je geen academisch baantje wilt nemen. Vraag je scriptiebegeleider of je hem kunt helpen. Of je kunt in de universiteitsbibliotheek gaan werken!'

'Daar hebben we het al miljoenen keren over gehad.' Ik rol met mijn ogen naar Josh. 'Die baantjes zijn moeilijk te krijgen. Clarkson heeft een postdoctoraal student die met een volledige beurs voor hem werkt. Bovendien betaalt dat maar zes dollar per uur, bruto. Mam, niets wat ik met kleren aan doe, betaalt zo goed als dit, tot ik mijn doctoraal heb.' Josh danst en doet een denkbeeldige beha uit.

Mijn moeder had geluk met een onderzoekersbaan die ze haar hele studie heeft gehouden. Maar dat was in de tijd dat een appartement ongeveer net zo duur was als schrijfgerei tegenwoordig. 'Moet ik je weer iets over huur en zo uitleggen?'

'Neem dan een baantje als make-upmeisje bij Bloomingdale's. Inklokken, mooi zijn, lief glimlachen en incasseren maar.' Ze kan zich niet voorstellen dat je om drie uur 's morgens wakker kunt worden en je afvraagt of de 'lading olievrije tonic' niet is vergeten een luierbroekje aan te doen.

'Mám, ik vind werken met kinderen leuk. Luister, het is te heet om te kibbelen.'

'Beloof je me dat je deze keer nadenkt voordat je een baan neemt. Ik wil niet dat je aan de valium raakt omdat de een of andere vrouw met meer geld dan ze kan uitgeven haar kind bij jou achterlaat als zij er tussenuit knijpt naar Cannes.'

En ik denk inderdaad na, terwijl Josh en ik nog eens naar alle boodschappen luisteren om de moeder ertussenuit te pikken die dat niet zal doen.

***

De maandag daarop duik ik onderweg naar mijn afspraak met Mrs X even mijn vaste kantoorboekhandel in om mijn voorraad Post-its aan te vullen. Vandaag zitten er maar twee Post-its in mijn agenda: een kleine roze die me met klem verzoekt: 'Post-its kopen' en een groene die me eraan herinnert dat ik koffie drink met 'Mrs X, 11.15 uur.' Ik trek de roze los, laat hem in de prullenbak vallen en loop verder richting La Pâtisserie Goût du Mois, waar we hebben afgesproken. Onderweg in het park loop ik langs chique vrouwtjes in mantelpak met briefpapier met monogram in hun met juwelen getooide handen. Naast elke vrouw loopt een kleinere, donkere vrouw, die nadrukkelijk terug knikt.

'Bállét? Begrijp je me?!' gilt de vrouw naast me naar haar knikkende metgezel terwijl we bij het stoplicht staan. 'Op maandag heeft Josephine báállèèt!'

Ik glimlach medelevend naar de vrouw in uniform om me solidair te tonen. Zonder gekheid, ingewerkt worden is een ramp. En het kan nog erger, afhankelijk voor wie je werkt.

Er zijn ruwweg drie types nanny-werk. Type A: ik ben er om het stel dat de hele week werkt en 's avonds vaak voor het kind zorgt een paar avonden per week 'tijd voor elkaar' te geven. Type B: ik ben er om een vrouw die dag en nacht voor de kinderen zorgt 'tijd om adem te halen' te geven. Type C: ik ben net als al het andere personeel aangenomen om met z'n allen vierentwintig uur per dag, zeven dagen per week te zorgen voor 'tijd voor mezelf' voor een vrouw die niet werkt en niet voor de kinderen zorgt en wier tijdsbesteding voor ons allemaal een mysterie blijft.

'Het bureau zei dat je kon koken. Is dat zo? Koken?' vraagt een in Pucci gestoken moeder bij de volgende hoek.

Moeder type A werkt zelf ook en zal me als een beroepskracht en met respect behandelen. Ze weet dat ik mijn werk kom doen en na een grondige rondleiding zal ze me de lange lijst noodtelefoonnummers geven en zich uit de voeten maken. Dat is het beste begin waar je als nanny op kunt hopen. Het kind blijft hooguit een kwartier snikken en voor je het weet hebben we dikke pret met de Play-Doh.

Moeder type B werkt misschien niet in een kantoor, maar brengt genoeg tijd met haar kind door om te weten wat voor werk het is, en na een middag samen in het appartement spelen, vragen de kinderen al wanneer ik weer kom.

'Daar staat het nummer van de stomerij, de bloemist en de cateraar.'

'En de dokter voor de kinderen?' vraagt de Mexicaanse vrouw naast me zacht.

'O. Dat geef ik je volgende week wel.'

Laat ik zeggen dat de nukken erger worden naarmate je dichter bij type C komt. Het enige waar je in het begin bij moeder C zeker van kunt zijn, is dat haar enorme onzekerheid iedereen dwingt tot de langste inwerktijd die maar mogelijk is.

Ik duw de dikke glazen deur van de patisserie open en zie Mrs X, die er al zit en haar eigen lijst doorneemt. Ze staat op en ik zie dat ze een knielang lavendelblauw rokje aan heeft dat precies past bij het vest dat om haar schouders hangt. Nu ze haar jeugdige, witte zomerjurk niet meer aan heeft, ziet ze er ouder uit dan in het park. Ondanks haar meisjesachtige paardenstaart vermoed ik dat ze voor in de veertig is.

'Ha, Nanny. Fantastisch dat je vroeg kon komen. Wil je koffie?'

'Dat klinkt prima, dank u,' zeg ik, terwijl ik met mijn rug naar de houten lambrisering ga zitten en een damast servet over mijn knieën uitvouw.

'Kelner, nog een café au lait en kun je ons een mand brood brengen?'

'O, dat hoeft echt niet,' zeg ik.

'Ja, ja, ze hebben hier zalig brood. Zo kun je kiezen wat je wilt.' De kelner brengt een Pierre Deux-mand vol broodjes en potjes jam. Ik neem een brioche.

'Ze hebben hier ook fantastisch gebak,' zegt ze, terwijl ze een croissant pakt. 'Wat me eraan herinnert, ik heb liever niet dat Grayer dingen van witte bloem eet.'

'Natuurlijk niet,' mompel ik met mijn mond vol.

'Heb je een leuk weekend gehad?'

Snel slik ik mijn brood door. 'Sarah, mijn beste vriendin van Chapin, gaf gisteren een afscheidsfeestje voordat iedereen weer met zijn colleges begint. Nu zijn alleen de mensen in Californië en ik over, we hebben tot oktober vrij! Zeg tegen Grayer dat hij aan Stanford moet gaan studeren,' lach ik.

Ze glimlacht.

'Waarom ben je van Brown overgestapt?' vraagt ze, een stuk van haar croissant trekkend.

'Aan de NYU hadden ze meer keuze in de richting kinderstudies,' zeg ik. Ik ben op mijn hoede, voor het geval ik met een fervent Brown-alumnus te maken heb en praat liever niet over de menselijke uitwerpselen in de huiskamer naast de mijne of over de reeks onderhoudende anekdotes die ik over Brown kan vertellen.

'Ik wilde dolgraag naar Brown,' zegt ze.

'O ja?'

'Maar ik had een beurs voor Connecticut gewonnen.' Ze laat de croissant vallen en speelt met het diamanten hart dat aan haar ketting bungelt.

'Goed zeg,' zeg ik, en probeer me voor te stellen wanneer zij ooit een beurs nodig gehad kan hebben om iets te doen.

'Nou, ik kom uit Connecticut, dus...'

'Prachtige staat,' zeg ik.

Ze werpt een blik op haar bord. 'Ik zat in New London... Nou ja, toen ik was afgestudeerd ben ik hier bij Gagosian gaan werken, de kunstgalerie.' Ze glimlacht weer.

'Jee, dat was vast geweldig.'

'Het was lachen, ja,' zegt ze knikkend, 'maar als je een kind hebt, kan het echt niet. Het is fulltime, feestjes, reisjes, veel netwerken, vaak laat thuis...'

Een vrouw met een donkere Jackie O-zonnebril stoot in het voorbijgaan per ongeluk tegen onze tafel, waardoor de porseleinen schoteltjes gevaarlijk over het marmer rinkelen.

'Binky?' vraagt Mrs X en ze raakt de arm van de vrouw aan, terwijl ik de kopjes stilzet.

'Mijn god, hoi. Ik zag je niet eens,' zegt de vrouw, die haar donkere bril laat zakken. Haar ogen zijn gezwollen en vochtig van het huilen. 'Het spijt me dat ik niet naar Grayers verjaardagsfeestje kon komen. Consuela zei dat het super was.'

'Ik wilde je nog bellen,' zegt Mrs X. 'Kan ik iets voor je doen?'

'Nee, tenzij je een scherpschutter kent.' Ze trekt een zakdoek uit haar trendy tasje en snuit haar neus. 'Die advocaat die Gina Zuckermann heeft aanbevolen, daar had ik niets aan. Het blijkt dat al onze bezittingen op naam van Marks zaak staan. Hij krijgt het appartement, het jacht, het huis in East Hampton. Ik krijg maar vierhonderdduizend, meer niet.' Mrs X slikt en Binky vertelt met tranen in haar ogen verder. 'En voor iedere cent alimentatie moet ik volledig ingevulde bonnen indienen. Bespottelijk. Moet ik soms mijn gezichtsbehandeling bij Baby Gap laten doen?'

'Wat afschuwelijk.'

'En toen had de rechter ook nog het lef om te zeggen dat ik weer moest gaan werken! Hij heeft geen flauw idee wat het is om moeder te zijn.'

'Dat hebben ze geen van allen,' zegt Mrs X, en om dat te benadrukken tikte ze op haar lijst, terwijl ik stug naar mijn brioche blijf kijken.

'Als ik had geweten dat hij het zo gemeen wilde spelen, dan had ik gewoon een oogje...' Binky's stem hapert en ze perst haar glanzende lippen op elkaar om haar keel te schrapen. 'Nou, ik moet ervandoor. Consuela heeft weer zo'n afspraak voor haar nieuwe heup.' Het venijn druipt eraf. 'Echt, het is al de derde keer deze maand. Ik begin mijn geduld te verliezen met haar. Maar goed, leuk je weer eens te zien.' Ze duwt haar zonnebril weer op zijn plaats en verdwijnt met een luchtzoen in de menigte die op een tafeltje staat te wachten.

'Nou...' Mrs X kijkt haar na en trekt even een gezicht voordat ze mij weer aankijkt. 'Nou, laten we de week maar eens doornemen. Ik heb het allemaal voor je uitgetypt, zodat je het later nog eens kunt doorlezen. We lopen zo naar school, zodat Grayer ons samen kan zien en voelt dat ik hem aan jou toevertrouw. Dat stelt hem wel gerust. Hij heeft om half twee een speelafspraak, dus dan heb je net genoeg tijd om een hapje in het park te eten zonder hem te overrompelen. Morgen kunnen Caitlin en jij de middag met hem doorbrengen, zodat je een idee krijgt van zijn ritme en hij kan zien dat jullie allebei nanny zijn. Ik zou het op prijs stellen als je de overgang nog niet met haar bespreekt.'

'Dat is goed, hoor,' zeg ik terwijl ik probeer het allemaal te bevatten, de brioches, de lijst, Binky. 'Bedankt voor het ontbijt.'

'Geen dank.' Ze staat op en trekt een blauwe map met 'Nanny' erop uit haar Hermès-tas en schuift die over de tafel naar me toe. 'Ik ben zo blij dat de dinsdag en donderdag in je rooster passen. Ik denk dat het leuk voor Grayer is om een jong en levendig iemand te hebben om mee te spelen. Hij zal zijn saaie, oude moeder wel zat zijn!'

'Grayer lijkt me een ontzettend leuk joch,' zei ik, denkend aan zijn gegiechel in het park.

'Nou ja, hij heeft zo zijn grillen, net als alle kinderen, denk ik.'

Ik pak mijn tas, kijk omlaag en zie haar lavendelblauwe zijden pumps voor het eerst. 'Wat een geweldige schoenen. Zijn het Prada's?' vraag ik als ik het zilveren gespje zie.

'O, dank je.' Ze draait haar enkel. 'Prada, ja. Vind je ze echt mooi?' Ik knik. 'Vind je ze niet te... opzichtig?'

'Welnee,' zeg ik als ik achter haar aan het café uit loop.

'Mijn beste vriendin heeft net een kind gekregen en haar voeten zijn een hele maat groter geworden. Ik mocht uitzoeken wat ik mooi vond, maar ik... ik weet het niet.' Bij het stoplicht werpt ze een ongeruste blik op haar schoenen. 'Ik ben gewoon gewend om ballerina's te dragen.'

'Nee, ze zijn prachtig. U moet ze echt houden.'

Ze glimlacht opgewekt en zet haar zonnebril op.

Mrs Butters, Grayers onderwijzeres, glimlacht naar me en schudt mijn hand. 'Leuk kennis te maken.' Ze kijkt vertederd omlaag. 'Je zult Grayer een schatje vinden, het is een bijzonder jochie.' Ze klopt op haar corduroy overgooier die losjes over haar bloes met pofmouwen zit. Met haar ronde wangen met kuiltjes en haar dikke handen, waar ook kuiltjes in zitten, lijkt ze zelf ook wel een meisje van vier.

'Ha, Grayer!' zeg ik glimlachend naar zijn blonde hoofd. Hij heeft een wit poloshirt aan dat aan een kant uit zijn broek hangt, als bewijs dat hij die ochtend hard heeft gewerkt: vingerverf, iets wat op lijm lijkt en een eenzaam macaronischelpje. 'Hoe was het vandaag op school?'

'Grayer, weet je nog wie Nanny is? Jullie gaan samen een boterham bij de speeltuin eten!' zegt zijn moeder om een reactie van hem te krijgen.

Hij leunt tegen haar been aan en kijkt me boos aan. 'Ga weg.'

'Schatje, we kunnen samen even iets lekkers eten, maar mammie heeft een afspraak. Jullie gaan samen veel plezier maken! Spring maar in de buggy, dan geeft Nanny je iets lekkers.'

Op weg naar de speeltuin luisteren hij en ik aandachtig naar de lange lijst van wat Grayer wel en niet leuk vindt. 'Hij is gek op de glijbaan, maar is uitgekeken op het klimrek. Laat hem niets van de grond oprapen – dat doet hij graag. En laat hem alsjeblieft niet uit de fontein bij de klok drinken.'

'Eh, wat moet ik doen als hij moet plassen? Waar moet hij dan heen?' vraag ik als we onder de stoffige, houten poorten van de speeltuin bij de 66th Street door lopen.

'O, dat maakt niet uit.'

Net als ik om een duidelijker antwoord omtrent het plassen wil vragen, gaat haar mobieltje.

'Oké, mama moet gaan,' zegt ze terwijl ze haar hightech telefoontje dichtklapt. Haar vertrek heeft veel van de anti-zelfmoordinstructies die we met gym kregen. Elke keer dat ze een meter verder weg gaat, huilt Grayer en komt ze snel terug om hem toe te spreken. 'Kom, laat eens zien dat je een grote jongen bent.' Pas als Grayer helemaal hysterisch is, kijkt ze op haar horloge, zegt: 'Straks komt mammie nog te laat,' en is ze verdwenen.

We zitten op de enige lege bank in de schaduw. Hij snuft nog na en we eten onze boterhammen op. Er zit een soort vegetarisch smeersel op, volgens mij. Hij tilt zijn arm op om zijn neus aan zijn mouw af te vegen, en ik zie voor het eerst iets wat op een visitekaartje lijkt aan een riemlus hangen.

Ik steek mijn hand uit. 'Grayer, wat is—'

'Hé!' Hij slaat mijn hand weg. 'Dat kaartje is van mij.' Het is vies en gekreukeld en duidelijk veel gebruikt, maar in de vervaagde letters denk ik de naam van Mr X te herkennen.

'Van wie is dat kaartje, Grayer?'

'Dat weet je toch wel.' Hij slaat zich tegen het voorhoofd, verbijsterd om mijn onwetendheid. 'Van mij. Jee. Jij moet me duwen op de schommel!'

Tegen de tijd dat we klaar zijn met eten en ik hem een paar keer op de schommel heb geduwd, moeten we al naar zijn speelafspraak. Als hij het appartement in rent, zwaai ik hem na. 'Nou, dag, Grayer! Tot morgen!' Hij staat abrupt stil, draait zich om, steekt zijn tong uit en rent dan weg. 'Veel plezier!' Ik glimlach naar de andere nanny alsof ik wil zeggen: 'Dat is gewoon ons tongspelletje!'

In de metro naar school haal ik de blauwe map te voorschijn, waar mijn geldenvelop met een paperclip aan zit geklemd.

Mrs X
721 Park Avenue, App. 9B
New York, N.Y. 10021

Beste Nanny,
Welkom! Hierbij een kopie van het rooster van Grayers naschoolse activiteiten. Caitlin zal je wel wegwijs maken, maar je bent vast al vaker naar dit soort dingen geweest! Als je vragen hebt, hoor ik ze graag.
Bedankt,
Mrs X
PS Ik heb er ook een lijst bijgedaan van dingen die leuk zijn om te doen.
PPS Ik heb liever niet dat Grayer 's middags een slaapje doet.

Ik werp een blik op het rooster en ze heeft gelijk, ik kan de activiteiten op de lijst wel dromen.

Maandag
14.00-14.45: Muziekles, Diller Quaile, 95th Street tussen Park en Madison
(Ouders betalen een astronomisch bedrag voor deze prestigieuze muziekschool, waar kinderen van vier in een kring doodstil zitten te luisteren naar hun verzorgers die kinderliedjes zingen.)

17.00-17.45: Mammie & ik, 92nd Street Y bij Lexington
(Zoals de naam al aangeeft, worden moeders geacht te gaan. Maar de helft van de groep bestaat uit nanny's.)

Dinsdag
16.00-17.00: Zwemles in Asphalt Green, 90th Street en East End Avenue
(Een uitgemergelde vrouw in een Chanel-badpak en vijf nanny's in wijde jurken die de dreumesen smeken het water in te gaan.)

Woensdag
14.00-15.00: Lichamelijke opvoeding bij CATS, Park Avenue bij 64th Street
(Diep in het binnenste van een koude, vochtige kerk die naar voeten ruikt, grondig geregisseerde spelletjes voor de kniehoge atleet.)

17.00-17.45: Karate, 92nd Street Y aan Lexington
(Kinderen die het in hun broek doen van angst moeten bij wijze van warming-up vijftig push-ups op hun knokkels doen. De enige les waar papa bij is.)

Donderdag
14.00-14.45: Pianoles thuis met Ms Schrade
(Muzikale marteling.)

17.00-18.00: Franse les, Alliance Française, 60th Street tussen Madison en Park
(Wat kinderen altijd na school doen, maar dan in een andere taal.)

Vrijdag
13.00-13.40: Schaatsen, The Ice Studio, Lexington tussen 73rd en 74th Street
(Koud als de hel, en vochtig. Een half uur durende worsteling tussen rondvliegende,

messcherpe ijzers tijdens het schaatsen aan doen, zodat de kinderen veertig minuten kunnen schaatsen, waarna het schaatsen uittrekken kan beginnen.)

Ik laat het je wel weten wanneer hij een afspraak heeft bij de:

Oogarts
Orthodontist
Orthopeed
Fysiotherapeut
Ayurvedisch therapeut

Als er een les niet doorgaat, mogen de volgende niet-gestructureerde dingen worden gedaan:

Het Frick
Het Metropolitan
Het Guggenheim Museum
De Morgan-bibliotheek
Het Franse Culinaire Instituut
Het Zweedse Consulaat
Orchideeënafdeling van de botanische tuin
De beursvloer van de aandelenbeurs
De Angelika-bioscoop *(Liefst de Duitse Expressionistische serie, als het maar ondertiteld is.)*

Ik haal mijn schouders op, scheur de envelop open en ontdek verheugd dat ze me voor de hele dag heeft betaald, ondanks het feit dat het maar twee werkuren waren. De Envelop is een grote opkikker van het nannyschap. Van oudsher worden we buiten de boeken gehouden en altijd contant betaald, waardoor ik altijd blijf hopen dat ze er een extra twintigje bij stopt. Een meisje dat ik heb gekend, woonde bij een gezin in waarvan de vader een paar honderd dollar onder de deur door schoof als zijn vrouw te veel had gedronken en een scène had gemaakt. Het is net als in de horeca: je weet nooit wanneer de klant ineens wordt overspoeld door dankbaarheid.

***

'Hoi Caitlin, ik ben Nanny,' zeg ik. Mrs X heeft gezegd dat mijn collega blond is en uit Australië komt, wat het makkelijk maakt haar te herkennen in de zee van gezichten van mensen die werk laten doen en van mensen die dat werk doen. Ik herken haar van de fotosessie in het park.

Ze kijkt op van haar plaatsje op de trap van de school, is praktisch gekleed in een spijkerbroek en T-shirt van Izod en heeft een sweatshirt om haar middel geknoopt. In haar rechterhand heeft ze Grayers appelsap al klaar met het rietje erin. Ik ben onder de indruk.

Op het moment dat ze opstaat om me te begroeten, wordt onze pupil met zijn klasgenootjes naar buiten gelaten, en onmiddellijk is het schoolplein druk bevolkt. Grayer komt naar Caitlin toe gerend, maar remt meteen af als hij mij ziet. Zijn enthousiasme lekt door zijn merkgympen weg.

'Grayer, Nanny gaat vandaag met ons mee naar het park, leuk hè?' Ik hoor aan haar stem dat ze niet zeker weet of het dikke pret wordt. 'Hij is altijd een beetje chagrijnig als de school uitgaat, maar als hij zijn eten heeft gehad, is het zo over.'

'Dat zal wel.'

Om ons heen is het een chaos van kinderen die te eten krijgen en intussen worden er speelafspraken gemaakt. Ik ben onder de indruk van de finesse waarmee ze Grayer te eten geeft, hem de buggy in krijgt en afscheid neemt. Terwijl hij zijn sweater aan krijgt, zijn boterhamzakje wordt opengemaakt, zijn huiswerkbriefje van zijn jas wordt gehaald en in de buggy wordt gegespt heeft hij een schreeuwende conversatie met drie klasgenootjes. Caitlin is net een poppenspeler, die het spel gaande houdt. Ik overweeg aantekeningen te maken. 'Rechterhand op buggy, met linkerhand sweater omlaag trekken, twee stappen naar links en bukken.'

We lopen naar het park en ze kletsen vrolijk met elkaar. Ze duwt hem met gemak voort, hoewel het niet echt licht zal zijn, met al die zandbakspeeltjes, schoolspullen en reserve-eten.

'Grayer, wie is je beste vriend op school?' vraag ik.

'Hou je mond, stomkop,' zegt hij en hij schopt in de richting van mijn schenen. Ik loop de rest van de weg daar waar hij mij vanuit de buggy niet kan zien.

Na het eten neemt Caitlin me mee op een rondje langs andere nanny's in de speeltuin. De meesten zijn Iers, Jamaicaans of Filippijns. Ze bekijken me met een snelle, koele blik en ik krijg het idee dat ik hier niet zo veel nieuwe vriendinnen zal maken.

'Wat doe je doordeweeks?' vraagt ze argwanend.

'Ik studeer aan de NYU,' zeg ik.

'Ik snapte niet hoe ze iemand heeft gevonden die alleen in het weekend wil werken.' Weekend? Hoezo weekend?

Terwijl ze een nieuwe paardenstaart in doet, vertelt ze: 'Ik zou het wel doen, maar ik werk in het weekend in de bediening, bovendien ben je op vrijdag wel toe aan iets anders. Ik dacht dat ze bij hun tweede huis een meisje hadden dat in het weekend werkte, maar dat ging misschien niet zo goed. Ga jij op vrijdagavond met ze mee of neem je de trein?' Ze kijkt me scherp aan terwijl ik verward terug kijk.

Plotseling wordt het ons duidelijk dat het niet de bedoeling is dat we de 'overgang' bespreken. Ik ben niet iemand die de gaten opvult. Ik kom haar vervangen. Er trekt een verdrietige uitdrukking over haar gezicht.

Ik probeer van onderwerp te veranderen. 'Hoe zit dat met dat visitekaartje?'

'O, dat vieze, oude ding.' Ze slikt. 'Hij neemt het overal mee naar toe. Hij wil het aan zijn broek hebben, en aan zijn pyjama. Ze wordt er gek van, maar zonder dat ding weigert hij ook maar een onderbroek aan te trekken.' Ze knippert met haar ogen en kijkt de andere kant op.

We lopen weer terug naar de zandbak, waar nog een gezin aan het spelen is. Te oordelen aan hun identieke trainingspakken en hun enthousiasme zijn het toeristen.

'Wat een schatje. Is hij uw enige kind?' vraagt de moeder met het platte accent uit het Midden-Westen. Ik ben eenentwintig. Hij is vier.

'Nee, ik ben zijn...'

'Ik zei toch dat je weg moest gaan, stom mens!' schreeuwt Grayer, en hij geeft zijn buggy een harde duw mijn kant op.

Het bloed stijgt me naar de wangen en ik zeg met geveinsd zelfvertrouwen: 'Jij... suffie!' De groep toeristen richten hun volle aandacht op het maken van een zandkasteel.

Ik overweeg een speeltuinstemming te houden over de vraag of ik moet weggaan, en of ik, als ik ervoor kies dat niet te doen, een stom mens ben.

Caitlin zet de buggy weer recht alsof de duw van Grayer bij een reuzeleuk spelletje hoort dat we aan het spelen zijn. 'Nou, ik krijg het idee dat hier iemand te veel energie heeft en wil dat ik hem ga pakken!' Ze zit hem door de hele speeltuin achterna en lacht er hartelijk bij. Hij glijdt van de glijbaan en ze vangt hem op. Hij verstopt zich achter het

klimrek en zij gaat hem zoeken. Overal wordt pakkertje gespeeld. Ik ga achter haar aan, terwijl zij achter hem aan gaat, maar hou ermee op als hij me smekend aankijkt en 'stop nou' jammert. Ik loop naar een bank en kijk naar hen. Ik moet het haar nageven: ze beheerst de magie van de kinderverzorging tot in de fijnste kneepjes, en heeft de illusie gecreëerd van een moeiteloze relatie. Ze zou zijn moeder kunnen zijn.
Uiteindelijk sleept Caitlin hem met een frisbee mijn kant op. 'Kom op, Grayer. We gaan Nanny laten zien hoe het frisbeespel gaat.' We staan in een driehoek en zij gooit de frisbee naar mij. Ik vang hem en gooi hem naar Grayer, die hem elegant opvangt door zijn tong uit te steken en ons beiden zijn rug toe te keren. Ik raap de frisbee op van de plek waar hij aan Grayers voeten terecht is gekomen en gooi hem weer naar haar. Zij gooit hem naar hem en hij vangt hem op, om hem weer naar haar te gooien. Het lijkt uren te duren, dat onderbroken gooispel dat abrupt ophoudt zodra er contact tussen hem en mij voor nodig is. Hij ontkent gewoon dat ik er ben en steekt zijn tong uit als we pogingen doen om hem op andere gedachten te brengen. We spelen maar door, omdat zij het goed wil maken en denkt dat ze hem misschien murw kan maken, zodat hij op het laatst de frisbee toch naar mij gooit. Ik denk dat we de lat te hoog hebben gelegd.

***

Drie dagen later, op het moment dat ik me buk om de smoezelige gymschoen op te pakken die Grayer door de marmeren vestibule op de verdieping van de X'en heeft gekeild, slaat de voordeur met een harde knal dicht. Ik kom met een ruk overeind, zijn schoen nog in mijn hand.
'Shit.'
'Ik hoorde je wel! Je zei shit! Je hebt het gezegd!' Door de zware deur heen klinken gedempte geluiden van een verrukte Grayer.
Ik zet een vaste stem op en zeg op een lage, autoritaire toon: 'Grayer, doe de deur open.'
'Nee! Ik kan mijn vingers naar je opsteken en je kunt het toch niet zien. Ik steek ook nog mijn tong naar je uit.' Hij steekt zijn tong naar me uit.
Oké, wat zijn de opties? Optie één: aankloppen bij de nurkse oude dame aan de overkant van de hal. Goed, maar wat doe ik daarna? Grayer bellen? Hem op de thee vragen? Zijn vingertjes steken onder de deur door.

'Nanny, probeer mijn vingers dan te pakken! Toe dan! Toe dan! Kom dan, pak ze dan!' Ik gebruik al mijn wilskracht om er niet op te gaan staan.

Optie twee: naar de portier gaan om een extra stel sleutels te vragen. Oké. Als die klaar is met zijn verhaal aan Mrs X, zou zelfs Joan Crawford me nog niet in dienst nemen.

'Je probeert het niet eens! Ik ga in bad, hoor. Dus je hoeft niet meer terug te komen, oké? Mijn moeder zegt dat je nooit meer hoeft terug te komen.' Zijn stem klinkt steeds zachter omdat hij van de deur weg loopt 'Ik ga in bad.'

'GRAYER!' gil ik voor ik mezelf kan beheersen. 'Niet weglopen. Eh, ik heb een verrassing voor je.' Optie drie, wacht tot Mrs X thuiskomt en haar de waarheid vertellen: haar zoon is sociaal gehandicapt. Precies als ik voor optie drie besluit te kiezen, glijdt de deur van de lift open en stappen Mrs X, haar buurvrouw en de portier allemaal uit.

'Nanny? Naaanny, ik wil je verrassing niet, dus ga maar weg. Echt, ga nou maar weg, ga naar huis.' Nou, we zijn in elk geval allemaal op de hoogte. De buurvrouw gaat met een paar 'ahums' haar appartement in en de portier overhandigt het pakje dat hij heeft gedragen en verdwijnt weer in de lift.

Ik hou Grayers schoen omhoog.

Alsof ze op het toneel staat wipt Mrs X haar sleutels uit haar tas en komt ze in actie om de situatie op te lossen. 'Nou, laten we de deur maar eens opendoen!' Ze lacht en draait de sleutel om. Maar ze duwt de deur een beetje te hard open en een van Grayers vingers komt ertussen.

'Aaah. Nanny heeft mijn hand gebroken! AAAAHHH, mijn hand is gebroken. Ga wèèèg! Weg!' Overmand door verdriet werpt hij zich op de grond.

Mrs X bukt zich, alsof ze hem wil oppakken, maar komt dan weer overeind.

'Nou, het lijkt erop dat je hem echt moe hebt gekregen in het park. Ga jij maar. Je hebt vast bergen huiswerk. Zie ik je maandag weer?' Ik steek mijn hand voorzichtig naar binnen en zet de schoen neer in ruil voor mijn rugzak.

Ik schraap mijn keel. 'Hij gooide zijn schoen naar buiten en ik...'

Bij het horen van mijn stem laat Grayer een hernieuwde klaagzang horen. 'Ga WEG! Aaaahaaah.' Ze kijkt op hem neer terwijl hij op de vloer ligt te kronkelen, glimlacht breed en gebaart dat ik naar de lift moet lopen. 'O, en Nanny, C-a-i-t-l-i-n komt niet meer, maar ik denk dat je het wel redt nu.'

Ik doe de deur dicht en ben weer alleen in de inmiddels vertrouwde vestibule. Ik wacht op de lift en luister naar het geschreeuw van Grayer. Ik voel me alsof de hele wereld zijn tong naar me uitsteekt.

***

'Hou je er maar buiten.' Mijn vader slurpt de laatste druppels wontonsoep naar binnen. 'Je weet maar nooit. Misschien had die Caitlin een ander baantje aangeboden gekregen.'

'Die indruk kreeg ik niet bepaald...'

'Vind je het een leuk kind?'

'Op die schoen in de hal na, ja hoor.'

'Nou dan, je hoeft niet met die mensen te trouwen. Je werkt er maar, hoeveel, vijftien uur per week?' De kelner zet een bord met fortunecookies tussen ons neer en pakt de cheque.

'Twaalf.' Ik pak een cookie.

'Goed. Dan zou ik me niet zo druk maken.'

'Maar hoe pak ik het met Grayer aan?'

'In het begin lopen ze niet zo snel warm voor je,' zegt hij. Hij weet waar hij het over heeft, want hij heeft achttien jaar ervaring als leraar Engels. Hij neemt een cookie en pakt mijn hand. 'Kom, we gaan een eindje lopen. Sophie houdt het waarschijnlijk niet veel langer uit.' We lopen tussen de tafels door het restaurant uit en lopen langs de West End Avenue.

Hij steekt zijn handen in de zakken van zijn blazer en ik steek mijn arm door de zijne.

'Je doet de truc van Glenda de Goede Fee,' zegt hij, peinzend op zijn fortunecookie kauwend.

'Toelichting graag.'

Hij werpt me een snelle blik toe. 'Ik had een cookie in mijn mond. Luister je?'

'Ja.'

'Want dit is echt een goede tip.' Ik sta stil en sla mijn armen over elkaar. 'Jij bent Glenda de Goede Fee. Jij vertegenwoordigt licht, helderheid en plezier. Hij is een voorwerp, een broodrooster waar toevallig een tong uit hangt. Als hij weer te ver gaat – ik bedoel de deur dichtgooien, gewelddadig worden, of iets waardoor hij zelf in gevaar komt – klabam! Daar is de Slechte Heks uit het Westen! Tweeënhalve seconde – ineens sta je voor zijn neus en sist dat hij dat nooit, maar dan ook nooit meer mag doen. Het is níet goed. En voordat hij met zijn ogen kan knipperen ben je Glenda de Fee weer. Je laat merken dat hij een mening mag hebben, maar dat er grenzen zijn. En dat je het laat weten als hij te ver is gegaan. Echt, hij zal opgelucht reageren. Wacht even, dan haal ik Sophie.'

Hij loopt onze hal in en ik kijk op tussen de gebouwen aan de oranje hemel boven mijn hoofd. Een paar minuten later stormt Sophie de voordeur uit, mijn vader aan de riem achter zich aan slepend. Ze kwispelt en lacht haar hondenlach naar me zoals ze altijd doet. Ik ga op mijn hurken zitten, sla mijn armen om haar nek en begraaf mijn gezicht in haar witte vacht.

'Ik laat haar wel uit, pap.' Ik geef hem een knuffel en neem de riem over. 'Het is vast fijn een kleintje bij me te hebben die niets terugzegt.'

'En die alleen om biologische redenen haar tong uitsteekt,' roept hij me na.

***

De maandag daarna sta ik op de stoep bij Grayers school. Volgens de strikte instructies van Mrs X ben ik tien minuten te vroeg, dus ik blader door mijn agenda en geef de deadlines aan voor mijn volgende twee papers. Op de hoek komt een taxi met gierende banden tot stilstand en ik kijk op bij het lawaai van de toeterende auto's er omheen. Aan de overkant staat een blonde vrouw als aan de grond genageld in de schaduw van een luifel. De auto's rijden verder en ze is verdwenen.

Ik kijk de straat over om de vrouw te zoeken, wie weet was het Caitlin wel. Maar de overkant van Park Avenue is nu leeg, op een gemeentewerker na die een koperen waterpunt aan het poetsen is.

'Nee, jij niet!' Grayer sleept zich over het schoolplein naar me toe, alsof hij een zekere dood tegemoet loopt.

'Ha, Grayer. Hoe was het op school?'

'Bah.'

'Bah? Wat was er zo bah aan?' Ik haal het huiswerkbriefje van zijn jas en geef hem zijn sap.

'Niets.'

'Niets was bah?' Ik zet hem in de buggy en haal een paar peren te voorschijn.

'Ik wil niet met je praten.'

Ik ga voor hem op mijn knieën zitten en kijk hem recht aan. 'Luister, Grayer, ik weet dat je mij niet zo aardig vindt.'

'Ik háát je!!'

Ik ben licht, helderheid. Ik heb een grote, roze jurk aan. 'En dat mag best, je kent me nog niet zo lang. Maar ik vind jou wel lief.' Hij begint naar me te schoppen. 'Ik weet dat je Caitlin mist.' Bij het horen van haar naam verstart hij en ik grijp zijn voet stevig vast. 'Je mag Caitlin best missen. Als je haar mist, betekent dat dat je van haar houdt. Maar als je naar tegen mij doet, word ik verdrietig, en ik weet dat Caitlin niet zou willen dat je iemand verdrietig maakt. Dus nu we toch bij elkaar zijn, gaan we plezier maken.' Zijn ogen zijn zo groot als schoteltjes.

Als we het plein af lopen, barst de regen die al de hele morgen in de lucht hangt eindelijk los. Ik moet Grayer naar Park Avenue 721 duwen alsof ik meedoe aan de Olympische Buggyspelen.

'Hoeoeoe!' gilt hij en ik maar raceautogeluiden en de hele weg naar huis scherpe bochten om plassen heen maken. Tegen de tijd dat we in de hal zijn, zijn we allebei doorweekt. Ik hoop van harte dat Mrs X niet thuis is, zodat ze niet kan zien dat ik Grayer bijna een longontsteking heb laten oplopen.

'Ik ben drijfnat. Ben jij nat, Grayer?'

'Ik ook. Ik ben drijfnat.' Hij glimlacht, maar zijn tanden beginnen te klapperen.

'We gaan gauw naar boven en dan neem jij een lekker warm bad. Heb je ooit in bad geluncht, Grayer?' Ik duw hem naar de lift.

'Wacht! Stop!' roept een mannenstem om de hoek.

Ik dreun met de buggy tegen mijn enkel in een poging hem bij de deur vandaan te houden. 'O, verd... ikkie!'

'Bedankt zeg,' zegt hij. Ik kijk op van mijn enkel. Door de regen is zijn bruine, halflange haar tegen zijn hoofd geplakt en zijn versleten blauwe T-shirt tegen zijn één meter tachtig lange lichaam. Halleluja.

Als de liftdeur dicht gaat, bukt hij en praat direct tegen de buggy. 'Hoi, Grayer! Hoe is't, joh?'

'Ze is nat.' Grayer wijst achter zich.

'Hallo, nat meisje. Ben jij Grayers vriendinnetje?' Hij glimlacht naar me en stopt zijn natte haar achter zijn oor.

'Hij weet nog niet of het zo dik aan is,' zeg ik.

'Nou, Grayer, laat haar maar niet weglopen.' Als jij me probeert te vangen, beloof ik dat ik héél langzaam wegren.

Veel te snel komen we op de negende verdieping. 'Leuke middag nog, jongens,' zegt hij als we uitstappen.

'Jij ook!' roep ik terwijl de deur dicht schuift. Wie ben jij?

'Grayer, wie is dat?' Buggyriemen los, nat shirt uit.

'Hij woont boven. Hij gaat naar de grotejongensschool.' Schoenen uit, broek uit, boterhammenzakje in de hand.

'O ja? Welke dan?' Ik loop achter zijn blote billen aan naar de badkamer en draai de kraan open.

Hij denkt even na. 'Waar de boten heen gaan. Met de vuurtoren.' O ja. Twee lettergrepen, klinkt als...

'Haven?' vraag ik.

'Ja, hij gaat naar Harvard.' Hallo, ik wil ook best naar Boston, vooral met de shuttlebus. We kunnen in het weekend samen... Jezus! Hallo, Nanny, waar ben je nou helemaal mee bezig?!

'Oké, Grayer, hup in bad.' Ik hijs hem over de rand en laat mijn Harvard Stuk even met rust. 'Grayer, heb je ook een bijnaam?'

'Wat is een bijnaam?'

'Zoals mensen je noemen, maar dan niet je echte naam.'

'Ik heet Grayer X. Dat is mijn naam.'

'Nou, dan bedenken we een bijnaam.' Ik stop hem in bad en geef hem zijn boterham met biologisch-dynamische pindakaas en jam van kweeperen. Onder het kauwen wiebelt hij met zijn tenen boven water en ik merk dat hij het heerlijk ongewoon vindt. Ik kijk de badkamer rond en mijn blik valt op de Sesamstraat-tandenborstel.

'Wat dacht je van Grover?' vraag ik.

Hij herkauwt de naam, houdt zijn hoofd schuin en trekt zijn Ernstige Denkgezicht. Dan knikt hij. 'Oké, we proberen het.'

God, wat heb ik toch een hoofdpijn! O, mijn hoofd!
En dan ook nog mijn rug – o, mijn rug, mijn rug!
En daarvoor moest ik over straat
Dat op en neer rennen wordt nog mijn dood

De Voedster, Romeo en Julia

Twee

Dubbele belasting

Nanny,

Als jullie vandaag op Grayers speelafspraak bij Alex zijn, vraag dan alsjeblieft aan Mrs Brightman wie de laatste keer voor haar heeft gecaterd – zeg maar dat ik het Aziatisch menu met cajun-accenten briljant vond.
Ik wil je ook laten weten dat de Brightmans in scheiding liggen. Heel naar. Zorg er alsjeblieft voor dat Grayer geen gekke dingen zegt. Ik kom om 16.20 even langs rijden om Grayer naar de orthodontist te brengen. Tot dan.

'Nanny? Nanny?!' Net als ik het blok langs ren naar de kleuterschool hoor ik de stem van Mrs X naar me roepen.

'Ja?' zeg ik, terwijl ik me omdraai.

'Hier.' Het portier van een Lincoln klikt open en de gemanicuurde hand van Mrs X wappert naar me.

'Ik ben zo blij dat u er bent,' zeg ik, en ik buig voorover naar het fluwelen schemerduister van de auto, waar zij tussen haar aankopen zit. 'Want ik wilde u vragen...'

'Nanny, ik wil nog even benadrukken dat ik wil dat je er altijd tien minuten voor tijd moet zijn.'

'Ja, natuurlijk.'

'Nou, het is al vijf voor.'

'Het spijt me echt. Ik was op zoek naar de lijst van klasgenootjes van Grayer. Ik weet niet zeker welke Alex...'

Maar ze is al druk in haar tas aan het rommelen. Ze haalt een in leer gebonden bloknoot uit haar tas te voorschijn. 'Ik wil even met je praten over een feestje dat ik aan het eind van de maand geef voor de afdeling Chicago van het kantoor van Mr X.' Ze slaat haar benen over elkaar, waarbij de lavendelblauwe Prada-pump een boog van kleur door het donkere interieur van de auto maakt. 'Alle leidinggevenden komen – het is een heel belangrijke avond en ik wil dat het perfect wordt voor mijn man.'

'Klinkt fantastisch,' zeg ik. Ik weet niet zeker waarom ik van het feest op de hoogte word gesteld.

Ze schuift haar zonnebril omlaag om te zien of ik ieder woord heb begrepen.

Moet ik mijn avondkleren laten stomen?

'Dus het kan zijn dat je deze maand wat kleine boodschapjes voor me moet doen. Ik heb het zo druk met de voorbereidingen en aan Connie heb ik helemaal niets. Dus als je iets voor me moet halen, laat ik wel een briefje achter. Het is waarschijnlijk niet zo veel.'

We horen allebei de zware klik van de grote deuren die achter ons opengaan, gevolgd door het aanzwellend geluid van lachende kinderen.

'Ik ga ervandoor. Als hij me ziet, raakt hij helemaal van slag. Rijden maar, Ricardo!' roept ze naar de chauffeur, en voordat ze het portier nog maar heeft kunnen dicht doen, trekt hij op.

'Wacht even, Mrs X. Ik wilde u vragen...' roep ik de weg rijdende achterlichten na.

Er zitten bij Grayer vier Alexanders en drie Alexandra's in de klas. Dat weet ik. Ik heb op de lijst gekeken. En nu Mrs X ervandoor is, tast ik nog steeds in het duister over welke Alex onze metgezel voor de middag wordt.

Grayer lijkt echter precies te weten met wie we hebben afgesproken.

'Zij. Met haar ga ik spelen,' zegt hij, en hij wijst naar een meisje aan de overkant van het plein dat over iets interessants op de grond staat gebogen. Ik grijp Grayer en loop erheen.

'Hoi, Alex. We hebben vanmiddag een speelafspraak met jou!' zeg ik enthousiast tegen haar.

'Ik heet Christabelle. Alex heeft een bloes aan,' zegt ze naar ongeveer dertig kinderen in een bloes wijzend. Grayer kijkt me nietszeggend aan.

'Grayer, mama heeft gezegd dat je een speelafspraak hebt met Alex,' zeg ik.

Hij haalt zijn schouders op. 'En Christabelle dan? Christabelle, wil je met mij spelen?' Blijkbaar maakt het niet zo veel uit met wie er wordt gespeeld.

'Grover, Christabelle is het niet, lieverdje. Maar we kunnen een andere keer met Christabelle gaan spelen. Vind je dat leuk?' Het kleine meisje gaat ervandoor. Als meisje van vier lijkt ze al te weten dat van uitstel waarschijnlijk afstel komt.

'Oké, Grayer, denk even na. Heeft je moeder vanmorgen niets tegen je gezegd?'

'Ze zei dat ik meer tandpasta moest gebruiken.'

'Alex Brandi, zegt die naam je iets?' vraag ik, en ik probeer de Alexen van de lijst af te ratelen.

'Die peutert in zijn neus.'

'Alex Kushman?'

'Die spuugt limonade.' Hij ligt in een deuk.

Ik zucht en kijk over het drukke schoolplein. Ergens in deze chaos loopt nog een stel dat hetzelfde plan heeft als wij. Ik zie ons voor me – op het vliegveld, ik in een chauffeursuniform en Grayer op mijn nek, met een groot bord in zijn handen waarop 'ALEX' staat.

'Hoi, ik ben Murnel.' Een oudere vrouw staat voor ons. 'Dit is Alex. Sorry, we hadden wat tijd nodig om afscheid te nemen van het blauwe slijm.' Ik zie nog een beetje op haar nylon jack zitten. 'Alex, zeg eens dag tegen Grayer,' zegt ze.

Als iedereen aan elkaar is voorgesteld, duwen we onze pupillen over de Fifth. De jongens leunen als oude mannetjes in rolstoel achterover in hun buggy en zeggen af en toe iets tegen elkaar. 'Mijn Power Ranger heeft een mitrailleur en kan het hoofd van jouw Power Ranger eraf schieten.'

Murnel en ik zijn wat stiller. Ondanks het feit dat we dezelfde functie hebben, heb ik in haar ogen waarschijnlijk meer gemeen met Grayer, want we verschillen vijftien jaar in leeftijd en er zit een lange metrorit tussen mijn huis en dat van haar in de Bronx.

'Hoe lang zorg je al voor hem?' Ze knikt naar Grayers buggy.

'Een maand. En jij?'

'O, bijna drie jaar nu. Mijn dochter zorgt voor Benson, op de 72nd. Ken je Benson?' vraagt ze.

'Ik denk van niet. Zit hij bij hen in de klas?'

'Benson is een meisje.' We lachen allebei. 'En ze gaat aan de andere kant van het park naar school. Hoe oud ben je?'

'In augustus eenentwintig geworden.' Ik glimlach.

'O, dan ben je even oud als mijn zoon. Ik zou jullie aan elkaar moeten voorstellen. Hij is heel intelligent, heeft net zijn eigen restaurant bij LaGuardia geopend. Heb je een vriendje?'

'Nee, ben de laatste tijd niemand tegengekomen die de moeite waard is,' zeg ik. Ze knikt begrijpend.

'Dat zal niet makkelijk zijn, een restaurant openen, bedoel ik.'

'Nou, het is een harde werker. Dat heeft hij van zijn moeder,' zegt ze trots, en ze bukt zich om het leeggedronken pakje op te rapen dat Alex op straat heeft gegooid. 'Mijn kleinzoon werkt ook hard, en die is nog maar zeven. Hij doet het goed op school.'

'Goed, zeg.'

'Mijn buurvrouw zegt altijd dat hij zijn huiswerk zo vlijtig doet. Ze past 's middags op hem tot mijn dochter thuiskomt van Benson. Meestal rond negenen.'

'Nanny, ik wil meer sap.'

'Alsjeblieft,' zeg ik, en ik steek mijn hand in de zak van de buggy.

'Alsjeblieft,' mompelt Grayer als ik hem nog een pakje sap geef.

'Dank je,' corrigeer ik hem, en Murnel en ik glimlachen naar elkaar.

Ik loop als laatste door Alex' voordeur. Er is heel weinig in deze buurt dat ik niet heb gezien, maar ik ben absoluut niet voorbereid op de lange strook breed, grijs plakband die de hal in tweeën deelt.

De wet in New York bepaalt dat als een van beide echtgenoten vertrekt, de ander kan zeggen dat hij of zij in de steek is gelaten en waarschijnlijk het appartement krijgt. Dit soort woningen brengt soms vijftien of twintig miljoen dollar op, wat tot gevolg heeft dat de echtelieden wel bij elkaar blijven wonen, maar elkaar murw proberen te maken door bij voorbeeld hun fitnessinstructeur of minnaar half naakt rond te laten lopen.

'Goed, jullie mogen overal spelen als je maar aan die kant blijft,' zegt ze met een gebaar naar de linkerkant van het appartement.

'Nanny, waar is die streep—' Ik werp Grayer een giftige blik toe terwijl ik hem uit zijn buggy haal en wacht tot Alex achter me staat. Dan pas leg ik mijn vinger tegen mijn lippen en wijs naar het plakband.

'De mama en papa van Alex doen een spelletje,' fluister ik. 'Daar praten we thuis wel over.'

'Wie wil er gegrilde kaas? Alex, laat Grayer je fotonenpistool eens zien,' zegt ze, en de jongens rennen weg. Murnel draait zich om naar de keuken. 'Doe alsof je thuis bent,' zegt ze met een cynische blik op het plakband.

Ik slenter de huiskamer binnen, die een kruising is van namaak-Lodewijk XIV en Jackie Collins, met een keurige, brede streep van grijs plakband in het midden die het helemaal afmaakt. Ik ga op een plek zitten waarvan ik hoop dat dat neutraal gebied is en herken onmiddellijk het werk van Antonio. Hij is de assistent van een van de meest gewilde binnenhuisarchitecten en komt vaak, voor een klein sommetje geld, even langs wippen om je kussen op te schudden. Hij is eigenlijk een professionele kussenopschudder.

Ik probeer het loodzware *Toscaanse huizen*, op het moment hét salontafelboek, op schoot te hijsen zonder blauwe plekken op te lopen. Na een paar minuten bladeren door foto's van villa's word ik me bewust van een neusje dat over de armleuning van de bank piept. 'Hoi,' zeg ik zacht tegen het neusje.

'Hoi,' antwoordt hij, en hij loopt naar de voorkant van de bank en begraaft zijn gezicht in het kussen naast me, zijn armen uitgestrekt.

'Wat is er?' vraag ik, terwijl ik neerkijk op zijn rug, die erg klein lijkt op brede zwart fluwelen strepen.

'Ik moest mijn eigen speeltjes meenemen.'

'O.'

Hij klimt bij me op schoot, kruipt onder de *Toscaanse huizen* door en helpt me bladzijden omslaan. Ik voel zijn zachte haar onder mijn kin en knijp zachtjes in zijn enkel. Ik ben niet bijzonder gemotiveerd om deze speelafspraak weer op de rails te krijgen.

'Lunch!' horen we achter ons. 'Wat doen jullie nu hier? Alex!' roept Murnel naar de kamer van Alex. We staan op.

'Ik ben vergeten speelgoed mee te nemen,' zegt Grayer behulpzaam. Murnel zet haar handen op haar heupen.

'De rakker. Kom mee, Grayer, dat gaan we even regelen.' Grayer en ik lopen achter haar aan, langs de keuken, waar iets hard zoemt. 'Wacht even, wacht even,' zegt ze zuchtend. Ze loopt rechtstreeks naar de intercom, een klein kastje boven een dienblad vol boterhammen met gegrilde kaas en gesneden fruit.

Ze drukt op de knop. 'Ja, mevrouw?'

'Heeft die eikel al gebeld?' kraakt een vrouwenstem uit de muur.

'Nee, mevrouw.'

'Verdomme! Sinds hij mijn creditcards heeft geblokkeerd, moet ik zo'n verdomde cheque gaan halen. Waar slaat dat op? Ik bedoel, hoe moet ik anders eten kopen voor Alex? Wat een eikel. Heb je mijn La Mer opgehaald?'

'Ja, mevrouw.'

Murnel pakt het blad en we lopen zwijgend achter haar aan naar de kamer van Alex. Ik kom als laatste binnen. De helft van de kamer is helemaal leeg. In het midden doet een rij autootjes dienst als plakband, en Alex, die zijn shirtje en schoenen heeft uitgetrokken, loopt voor een berg speelgoed heen en weer om zijn aardse bezittingen te bewaken. Hij staat stil en kijkt naar ons op.

'Ik heb gezegd dat die eikel zijn eigen speelgoed moest meenemen.'

Nanny,
Wil je de cateraars bellen en vragen wat voor keukengerei en tafellinnen ze meebrengen voor het feestje van Mr X? Zorg er alsjeblieft voor dat ze het tafellinnen van tevoren komen brengen zodat Connie het nog eens kan wassen.
Grayer heeft vandaag zijn gesprek voor St. Davids. Daarna moet ik naar de bloemist, dus Mr X zal Grayer om kwart voor twee precies bij je afzetten, op de noordwesthoek van 95th Avenue en Park Avenue.
Ga zo dicht bij de stoeprand staan als je kunt zodat de chauffeur je kan zien. Wees er alsjeblieft om half twee, voor het geval ze te vroeg zijn. Wellicht ten overvloede, maar Mr X zou niet uit de auto hoeven komen.
Intussen wil ik dat je de volgende dingen inkoopt voor de geschenkzakjes. Op de champagne na kun je bijna alles bij Gracious Home vinden.

Annick Goutal-zeep
Piper Heidsieck, klein flesje
Fotolijstje van Marokkaans leer, rood of groen
Mont Blanc-pen, klein
Lavendelwater

Ik zie je om zes uur!

Ik lees het briefje nog eens en vraag me af of ik soms in mijn glazen bol moet kijken om erachter te komen hoeveel van deze dingen ze wil dat ik koop.

Ze neemt haar mobieltje niet op, dus ik besluit het kantoor van Mr X te bellen. Ik zoek zijn nummer op in de telefoonlijst naast de deur naar de hal.

'Wat is er?' vraagt hij na één keer bellen.

'Eh. Mr X, met Nanny...'

'Met wie? Hoe kom je aan dit nummer?'

'Nanny. Ik zorg voor Grayer...'

'Wie?'

Niet zeker wetend hoe ik het moet uitleggen zonder onbeleefd over te komen, ploeter ik voort. 'Uw vrouw wil dat ik dingen koop voor de geschenkzakjes voor het feestje...'

'Welk feestje? Waar heb je het in godsnaam over? Wie ben je?'

'De achtentwintigste. Voor de afdeling Chicago.'

'Heeft mijn vrouw gezegd dat je mij moest bellen?' Hij klinkt boos.

'Nee. Ik moet alleen weten hoeveel mensen er komen en ik kan Mrs X niet...'

'Jezus.'

De kiestoon zoemt in mijn oren.

Geweldig.

Ik loop naar de Third Avenue en probeer te bedenken hoeveel ik van alles moet kopen, alsof het een logicavraagstuk is. Het is een diner, dus er kunnen geen hordes mensen komen, maar het zullen er meer dan acht of zo zijn, want ze heeft een cateraar ingeschakeld en tafels gehuurd. Ik schat dat ze drie tafels heeft gehuurd en dat er ongeveer zes of acht aan elke tafel passen, dus dat zijn achttien of vierentwintig mensen... Dus ik gok een aantal of ik kom thuis met lege handen.

Twaalf.

Ik sta voor een slijterij stil. Twaalf. Dat klinkt goed.

Ik sleep twaalf flessen Piper Heidsieck naar Gracious Home, een winkel in huishoudartikelen waarvan de twee filialen belachelijk genoeg tegenover elkaar aan Third Avenue liggen. Ze hebben er alles, van luxeartikelen voor luxe prijzen tot alledaagse huishoudelijke dingen voor luxe prijzen. Op die manier kan een vrouw binnenlopen, voor tien dollar een fles geïmporteerd afwasmiddel kopen en weer vertrekken met het gevoel dat ze lekker heeft geshopt.

Ik begin fotolijstjes te verzamelen en neem al hun zeep mee, maar ik heb geen flauw idee wat lavendelwater is. Ik kijk op het lijstje.

Lavendelwater. Ik weet zeker dat ze, net als die andere vrouw voor wie ik heb gewerkt, hoofdletters gebruikt zonder erbij na te denken en woorden onderstreept omdat het zomaar in haar opkomt, maar in mijn ogen lijkt het alsof ze het uitschreeuwt. Opeens lijkt het alsof haar leven afhangt van lavendelwater of melk of SOJABADSCHUIM. Ik krijg de neiging mijn oren dicht te stoppen omdat die letters van het papier lijken te komen, als in een scène van *Terminator 2*, en 'CHLORIX!' gillen.

Ik begin de planken af te schuimen op zoek naar lavendelwater en ontdek dat Caswell-Massey alleen fresiawater maakt, maar ze heeft toch echt om lavendelwater gevraagd. Crabtree and Evelyn hebben zakjes lavendel voor in de linnenkast, maar dat is het duidelijk niet. Roger and Gallet maken lavendelzeep en Rigaud 'doet geen lavendel', hoor ik. Dan, als Grayer over precies vijf minuten uit de auto zal komen rollen, zie ik The Thymes Limited Lavender Home Fragrance Mist, Parfum d'Ambiance staan. Dat moet het zijn; het is het enige waterige, lavendelachtige wat ik hier kan vinden. Dat neem ik. Doe maar twaalf.

> *Nanny,*
> *Ik weet niet hoe je erbij komt dat je mijn man kunt storen.*
> *Ik heb met hem gesproken en we hebben besloten je een mobieltje te geven, zodat je de volgende keer dat je ergens aan twijfelt mij kunt bellen.*
> *Justine van het kantoor van Mr X zal je het exacte aantal gasten geven, maar het zal eerder dertig zijn dan twaalf.*
> *Wil je bovendien vandaag zien of je wat je gisteren hebt gekocht kunt ruilen voor Lavendel linnenspray van L'Occitane. (We hebben maar één fles nodig omdat het een huishoudelijk artikel is en geen afscheidscadeautje.)*

'Ha, mam.'

'Ha, Nan.'

'Ik bel je met een mobieltje. Weet je waarom?'

'Omdat je nu een van hen bent?'

'Nee. Omdat ik juist niet een van hen ben. Omdat zelfs de makkelijkste boodschap me niet lukt, neem nu bij voorbeeld lavendelwater.'

'Lavendelwat?
'Je doet het in je strijkijzer en het geeft je gehuurde tafelkleden een geur alsof ze uit Zuid-Frankrijk komen.'
'Heel handig.'
'En ze geven mij het gevoel dat ik nergens voor deug omdat ik niet—'
'Meisje?'
'...'
'Geen klaagzang van het knappe, blanke meisje met haar eigen mobieltje, graag.'
'Oké.'
'Hou van je. Doei.'
Het meisje met haar eigen mobieltje belt haar beste vriendin, Sarah, op de Wesley-Universiteit. 'Hoi, dit is de voicemail van Sarah. Maak eens indruk op me. Piep...'
'Hoi, met mij. Ik loop nu op straat tegen je te praten. Ik had ook in een trein, op een boot of zelfs op de make-upafdeling van Barney's kunnen staan want... ik heb een mobieltje! Kijk, dat heb je niet als assistent van een professor. Doei!'
Daarna bel ik oma. 'Sorry, ik ben niet thuis om met je te kletsen, maar vertel me gerust je geheimen. Piep...'
'Ha, oma, c'est moi. Ik loop nu op straat door mijn mobieltje tegen je te praten. Nu nog een bikini van Donna Karan en we kunnen naar Hampton. Joepie! Ik spreek je nog, doeg!'
En dan naar huis om mijn antwoordapparaat af te luisteren.
'Hallo?' zegt de stem van mijn huisgenoot.
'Charlene?' vraag ik.
'Ja?'
'O, ik belde alleen maar om berichten af te luisteren.'
'Er zijn geen berichten voor je.'
'O, maakt niet uit. Luister, ik bel je met mijn nieuwe mobieltje! Ze heeft me een mobieltje gegeven!'
'Heeft ze ook gezegd wat voor abonnement ze voor je heeft genomen?' vraagt Charlene effen.
'Nee, hoezo?' Ik kijk op het briefje van Mrs X.
'Omdat telefoontjes buiten het gewone abonnement om vijfenzeventig dollarcent per minuut kosten en op de rekening worden gespecificeerd, inkomende en uitgaande gesprekken. Dus dan weet ze precies wie je hebt gebeld en wat het haar kost...'

'Ik ga hangen, doei!' Dat was het einde van mijn kortstondige liefde voor mijn mobieltje.

Mrs X begint me voortdurend te bellen voor nieuwe boodschappen voor het dineetje. Ik koop achter elkaar de verkeerde kleur geschenkzakjes, het verkeerde lint om de zakjes dicht te binden en de verkeerde kleur lila tissues om ze mee op te vullen. En als klap op de vuurpijl koop ik te grote naamkaartjes voor op tafel.

Als ze belt, wil ze meestal niet met Grayer praten, ondanks zijn wanhopige smeekbeden vanuit de buggy, want 'dat zou maar verwarrend voor hem zijn'. En dan moet hij huilen. Soms belt ze alleen om met Grayer te praten Dan duw ik de buggy terwijl hij ernstig naar het mobieltje luistert, alsof hij naar beursberichten luistert.

Woensdagmiddag:

Tring. '... gevolgen voor het cerebellum...' Tring. '... kunnen worden waargenomen in...' Tring.

'Hallo?' fluister ik met mijn hoofd onder de tafel.

'Nanny?'

'Ja?'

'Met Mrs X.'

'O, ja. Ik heb nu college.'

'O! Nou ja. Luister, Nanny, de papieren handdoekjes die je voor de gastenbadkamer hebt gekocht hebben de verkeerde structuur...'

> *Nanny,*
> *Ik kom om drie uur langs om Grayer op te halen voor zijn portretfoto. Doe hem alsjeblieft in bad en trek hem de kleren aan die ik op zijn bed heb gelegd, maar pas wel op dat hij ze niet kreukt. Neem genoeg tijd om hem klaar te hebben, maar niet zo veel tijd dat hij ze vuil kan maken. Misschien moet je maar om 13.30 beginnen.*
> *Ik geef je ook wat kopietjes die ik gisteravond bij de bijeenkomst van de Parents League heb gekregen: 'Mammie, luister je wel? Communiceren met je peuter.' Ik heb de passages die van toepassing zijn gehighlight. Laten we het daar eens over hebben! Na de foto gaan we naar Tiffany's om een cadeautje voor Grayers vader uit te zoeken.*

Je zou denken dat er bij de klantenservice op de entresol bij Tiffany's genoeg stoelen staan om ons, hun trouwe volgelingen, allemaal een zitplaats te bieden. Maar de zachte verlichting en de verse bloemen doen niets af aan het feit dat het er drukker is dan het JFK-vliegveld op kerstavond.

'G, je maakt vlekken op de muur met je schoenen. Hou daarmee op,' zeg ik. We wachten tot de naam van Mrs X wordt genoemd zodat ze het gouden horloge dat ze Mr X op het feest wil geven kan laten graveren. We zitten er al ruim een halfuur en Grayer wordt nu echt onrustig.

Toen we binnenkwamen, is ze meteen gaan zitten, maar stelde voor dat ik een 'oogje op Grayer' zou houden, die moest blijven waar hij volgens haar het lekkerst zat, in zijn luie stoel. Zijn buggy, dus. Ik heb even tegen de muur staan leunen, maar toen die blondine met de Gucci-handtas zich op de grond liet vallen en in haar *Town and Country* ging bladeren, heb ik me ook maar laten zakken.

Mrs X zit aan haar mobieltje gekluisterd, dus ik hou het bovengenoemde oogje, en handje, op Grayer. Dezelfde Grayer die zijn voeten nu gebruikt om zich tegen het crème paisleybehang af te zetten om te zien hoe ver hij de buggy achteruit kan duwen voordat hij tegen iemand aan rijdt.

'Nanny, laat los!'

'Grover, ik heb je al drie keer gevraagd of je daarmee op wilt houden. Hé, zullen we "Ik zie, ik zie" doen? Ik zie, ik zie, en het is groen.' Ik zie wangimplantaten.

Hij worstelt om bij mijn hand te komen die nu als rem dient voor het rechterwiel van de buggy. Zijn gezicht wordt rood en ik zie dat hij op ontploffen staat. Ze heeft hem na school voor foto's laten poseren, en daarna hebben we de hele tijd boodschappen gedaan voor het dineetje. Na een hele ochtend op school, gevolgd door een uur glimlachen voor de fotograaf en nu ingesnoerd in zijn buggy, kan niemand het hem kwalijk nemen dat hij het helemaal heeft gehad.

'Luister, dit is een moeilijke. Ik zie, ik zie, en het is groen. Wedden dat je het niet raadt.' Ik klem het buggywiel steviger vast omdat hij zich over de stang voor zich gooit. Hij wordt tegengehouden door de riemen, wat hem sterkt in zijn voornemen om zich te bevrijden. De mensen om ons heen schuifelen zo ver van ons vandaan als met die drukte mogelijk is. Ik blijf glimlachen en begraaf mijn vingers in het tapijt. Ik begin me een beetje als James Bond met een tikkende tijdbom in zijn handen te voelen en zet in mijn hoofd potentiële ontsnappingsroutes uit naar een minder openbare plek waar zijn op handen zijnde uitbarsting minder kwaad kan. Vijf, vier, drie, twee...

'IK. WIL. ER. UIT!!' Hij gooit zich bij elk woord naar voren.

'X? Mrs X? U kunt nu naar balie acht komen.' Een meisje van mijn leeftijd (met wie ik nu ter plekke van baan zou willen ruilen) gebaart Mrs X haar te volgen naar de lange rij mahoniehouten bureaus om de hoek.

'Laat los!! Ik wil eruit! Ik wil geen spelletje doen! Ik wil niet in de buggy!'

Mrs X staat bij de hoek even stil en legt haar hand over de microfoon van haar mobieltje. Ze draait zich met een stralende glimlach naar me om en fluistert, naar Grayer wijzend: 'Hij communiceert emotief. Hij probeert zijn grenzen emotief te communiceren!'

'Oké,' mime ik terug, terwijl ik de riemen van de buggy losser doe voordat hij zich bezeert. Ze verdwijnt in een donkerblauwe hal, en ik duw onze Emotief Communicerende Grayer naar de roltrappen waar hij zijn grenzen emotief kan communiceren terwijl zijn vaders nieuwe horloge de aandacht krijgt die het verdient.

Nanny,
De cateraar zet vanmiddag de tafels klaar, dus hou Grayer alsjeblieft bij hen uit de buurt. Het hoofd van de afdeling Chicago komt langs om de tafelschikking te doen.
Ik vroeg me af of je voor Grayers eten iets in elkaar kon draaien, want ik kom pas om acht uur thuis. Hij is dol op Coquilles St.-Jacques. En volgens mij liggen er nog bietjes in de koelkast. Dat kan niet moeilijk zijn. Ik zie je om acht uur.
Vergeet je niet zijn wiskundeoefeningen te doen?
Bedankt hè?

Coquilles watte?! Nooit gehoord van een cheeseburger met broccoli erbij?

In een wanhopige poging een kookboek te vinden trek ik de teakhouten kastdeurtjes open, en probeer daarbij geen vlekken te maken op de trompe l'oeils op de muren, maar er is nergens een kookboek te vinden, zelfs niet het *Koken is leuk* of *Watertanden*.

Op basis van een bezoekje aan Williams-Sonoma, schat ik dat ze zo'n

40.000 dollar aan apparaten heeft staan, maar alles ziet eruit alsof het net is uitgepakt. Van het gasstel in bijpassende kleur met een elektrische oven en een gasoven van La Cornue Le Château die je vanaf 15.000 dollar kunt krijgen, tot de volledige set koperen pannen ter waarde van 1912 dollar, alles is van topkwaliteit. Maar het enige apparaat dat er gebruikt uitziet is de espressomachine Capresso C3000 van 2400 dollar. En nee, de zon gaat niet ineens schijnen bij je eerste slok van deze koffie. Ik heb het gevraagd.

Ik trek alle kasten en laden open, probeer vertrouwd te raken met de spullen, alsof het vasthouden van elk Wüsthof-mes me het recept zal geven van de St.-Zus-en-zo die ik geacht word klaar te maken.

Mijn zoektocht naar een recept brengt me naar haar werkkamer, waar ik alleen een catalogus van Neiman Marcus vol kruisjes zie liggen en waar Connie, de huishoudster van de familie X, op haar knieën zit om de deurknop met een tandenborstel te poetsen.

'Hoi, weet je waar Mrs X haar kookboeken heeft staan?'

'Mrs X eet niet en kookt niet.' Ze doopt de tandenborstel in een potje poetsmiddel. 'Heeft ze je zover dat je voor het feestje gaat koken?'

'Nee, het is voor Grayers eten...'

'Zie niet in wat aan dit feest zo bijzonder is. Ze heeft de pest aan bezoek. Sinds zij er is, hebben we hooguit drie dineetjes gehad.' Ze knikt, terwijl ze vaardig om het sleutelgat heen poetst. 'Er staat in de tweede logeerkamer een stel boeken. Probeer het daar eens.'

'Dank je.'

Ik loop van de ene balzaal naar de andere tot ik in de gastensuite sta. Ik laat mijn blik over de titels gaan die in de muurvullende boekenkast staan:

Waarom een baby? Stress en de vruchtbaarheidsmythe
Het zijn ook jouw borsten: alles over borstvoeding
Alleen in het donker: help je kind de nacht door
De scherpe kantjes van de eerste tandjes
De Zen van het lopen – Elke reis begint met een eerste stap
Plassen op het potje
De Suzuki-methode, een weldaad voor de linkerhersenhelft van uw kind
Lichaamsecologie en het menu van je dreumes
Wat geef je ze mee? Toelatingstests voor school
Alles of niets: Hoe krijg je je kind op de juiste school?

...En alles wat je maar kunt bedenken in dit genre om deze boekenkast vol te krijgen, zoals:

> *Stadskinderen hebben bomen nodig; de voordelen van de kostschool*
> *De schooltest – Bereid de weg voor de rest van zijn leven*

Ik sta zwijgend met mijn mond open en vergeet even de coquilles en bieten. Jemig.

'Ik maak me echt zorgen dat je je school verwaarloost en de rest van je leven eten kookt voor andere mensen! Wees op je hoede, Nan. Als ik me goed herinner, heb je afgesproken dat je een kind zou verzorgen. Meer niet, toch? Betaalt ze je ook voor deze extra service?'

'Nee, mam. Dit is niet het goede moment om daar—'

'Ik bedoel, kom hier eens een dagje in de gaarkeuken kijken. Om de andere kant eens te leren kennen.'

'Goed, dit is niet het goede moment—'

'Dan zou je tenminste mensen helpen die het echt nodig hebben. Misschien moet je gewoon even een paar tellen rust nemen, in je ziel kijken, en zien—'

Mám!' Ik druk mijn kin steviger tegen mijn schouder om te voorkomen dat de telefoon onder mijn oor wegglipt en grijp een pan kokende bieten vast. 'Ik kan nu echt niet in mijn ziel kijken, want ik bel alleen maar om te horen hoe je coquilles sint-juttemis maakt!'

'Ik help,' zegt Grayer. Er komt een handje over de rand van het aanrecht, dat tast naar een scherp mes dat ik net heb neergelegd.

'Moet ophangen.'

Ik duik naar het mes, waarbij ik twintig coquilles over de grond strooi.

'Gaaf! Net als op het strand, Nanny! Niet oprapen, laat ze maar liggen, dan haal ik mijn emmer.' Hij dribbelt de keuken uit en ik laat het mes vallen en buk me om de schelpen op te rapen. Ik pak er een, en nog een, maar als ik mijn hand uitsteek naar de derde, glipt de eerste uit mijn hand, over de vloer tegen een pump van grijs slangenleer aan. Ik kijk met een ruk op en zie een roodharige vrouw in een grijs pak in de deuropening staan.

Grayer komt de hoek om springen met zijn strandemmertje in zijn hand, maar zodra hij haar ziet, verstart hij.

'Neem me niet kwalijk, kan ik je helpen?' Ik ga staan en gebaar Grayer om bij me te komen.

'Ja,' zegt ze. 'Ik kom de tafelschikking doen.' Ze slentert langs me heen de keuken in, trekt haar Hermès-sjaal af en bindt het om het hengsel van haar leigrijze Gucci-koffertje.

Ze gaat op haar knieën zitten om een coquille te pakken en geeft hem aan Grayer. 'Was je deze kwijt?' vraagt ze.

Hij kijkt naar me op. 'Het is goed, Grove,' zeg ik. Ik steek mijn hand uit en neem hem van haar aan. 'Hallo, ik ben Nanny.'

'Lisa Chenowith, general manager van de afdeling Chicago. En jij bent zeker Grayer,' zegt ze, en ze zet haar koffertje neer.

'Ik help,' zegt hij, en hij schept de rest van de zeevruchten in zijn emmer.

'Ik kan wel een helper gebruiken.' Ze glimlacht naar hem. 'Zoek je een nieuwe baan?'

'Ja hoor,' mompelt hij in zijn emmer.

Ik mik de schelpen in de koriander en doe een pit aan. 'Als je even wacht, zal ik je de eetkamer laten zien.'

'Kook jij voor het dineetje?' vraagt ze met een gebaar naar het aanrecht, waar stapels pannen staan.

'Nee, zijn warme eten,' zeg ik en ik schep een biet uit de pan.

'Wat is er mis met pindakaas met jam?' vraagt ze lachend.

'Nanny, ik wil pindakaas met jam.'

'Sorry, ik wilde geen muiterij veroorzaken,' zegt ze. 'Grayer, wat Nanny maakt, is ook heerlijk, hoor.'

'Nou, pindakaas met jam klinkt prima,' zeg ik, en ik pak de pindakaas uit de koelkast. Als ik Grayer eenmaal in zijn stoel heb gezet laat ik haar de eetkamer zien, waar de lange walnoten tafel is vervangen door drie ronde.

'Nee, maar,' mompelt ze als ze achter me binnenkomt. 'Ze heeft ze een dag van tevoren laten opzetten – dat moet duizenden hebben gekost.' We kijken met z'n tweeën neer op de naar lavendel ruikende tafels, getooid met glanzend zilveren bestek, glinsterend kristal en goudomrande onderborden. 'Jammer dat ik niet kan komen.'

'Kom je niet?'

'Mr X heeft me in Chicago nodig.' Ze glimlacht naar me en draait zich daarna om naar de rest van de kamer, bewondert de Picasso boven de schouw en de Rothko boven de sidetable.

Ik loop achter haar aan naar de salon en daarna naar de bibliotheek. Ze neemt elke tot in de puntjes verzorgde kamer in zich op alsof ze ze voor een veiling komt bekijken. 'Mooi,' zegt ze, terwijl ze de ruwe zijden gordijnen betast, 'maar een beetje té, vind je niet?'

Ik ben niet gewend naar mijn mening te worden gevraagd en zoek naar de juiste woorden. 'Eh... Mrs X heeft een heel uitgesproken smaak. Maar nu je er toch bent, wil je dan even kijken of dit goed is?' vraag ik. Ik buk achter het bureau van Mr X om een geschenkzakje te pakken.

'Wat is dat?' vraagt ze en ze duwt haar haar achter haar schouder om erin te kunnen kijken.

'Een geschenkzakje voor de gasten. Ik heb ze vanochtend ingepakt, maar ik weet niet of ik het zo goed heb gedaan, want ik kon het goede papier niet vinden en het lint dat Mrs X wilde hebben was uitverkocht—'

'Nanny,' onderbreekt ze me. 'De wereld vergaat niet, hoor.'

'Sorry?' zeg ik, helemaal van mijn apropos.

'Het zijn maar geschenkzakjes. Voor een stelletje ouwelui,' lacht ze. 'Ik weet zeker dat ze perfect zijn. Ontspan je nou maar.'

'Dank je. Het leek alleen behoorlijk belangrijk.'

Ze werpt een blik over mijn schouder naar de plank met gezinsfoto's achter me. 'Ik bel het kantoor even en dan doe ik de tafelschikking. Komt Mrs X nog thuis?'

'Pas om acht uur.'

Ze pakt een telefoon en buigt zich over het mahoniehouten bureau om naar een ingelijste foto te kijken van Mr X met Grayer op zijn schouders aan de voet van een skihelling.

'Nannyyy! Ik heb het o-hop!'

'Oké. Nou, laat het maar weten als je iets nodig hebt,' zeg ik vanuit de deuropening, terwijl ze haar pareloorknopje uit doet en een nummer intoetst.

'Dank je!' zegt ze zonder geluid en ze steekt een duim in de lucht.

> *Nanny,*
> *Ik wil als regel niet dat Grayer te veel koolhydraten voor het slapen gaan binnenkrijgt. Vandaag heb ik al zijn eten al afgewogen. Doe de bieten in de pan en de koolrabi twaalf minuten in de stomer. Dat zou genoeg moeten zijn, maar probeer alsjeblieft de cateraars niet voor de voeten te lopen. Ik denk dat je Grayer zijn eten maar in zijn kamer moet geven.*

Waarschijnlijk leid ik mijn gasten rond en kom ik ook in Grayers kamer. Dus het lijkt me voor jullie allebei het beste als je je bord bij het eten meeneemt naar de badkamer – voor het geval jullie knoeien.

PS Ik reken erop dat je bij Grayer blijft tot hij slaapt en je zeker weet dat hij niet zal storen tijdens de maaltijd.
PPS Wil je morgen Grayers Halloween-kostuum ophalen?

'Martini, puur – zonder olijf.' Nadat ik Grayers eten tot een onherkenbare brei heb gestoomd, mijn handen heb gebrand en bijna Grayer blaren heb bezorgd, waarna ik zittend op zijn toiletdeksel heb gegeten, ben ik er nu aan toe om 'de scherpe kantjes' van de avond af te halen. Ik neem een barkruk en vraag me af of ik niet voor die roodharige dame uit Chicago zou kunnen werken – naar Chicago verhuizen, me op het investeren werpen en mijn dagen vullen met het smeren van boterhammen met pindakaas en jam.

Ik pak mijn geldenvelop uit mijn tas en vis er een biljet van twintig dollar uit voor de barkeeper. Deze week zit er meer in en ik tel driehonderd dollar. Ik besef, mijn vermoeidheid en mijn groeiende waardering voor alcohol ten spijt, dat het voordeel van drie keer zo veel uren werken als ik had afgesproken is dat ik ook drie keer zo veel verdien. Het is nog maar de tweede week van de maand en de huur is al betaald. Bovendien heb ik zo'n leuke zwarte leren broek gezien...

Ik heb alleen even een rustig half uurtje nodig voor ik naar huis ga, naar Charlene en haar harige piloot. Ik wil niet praten, ik wil niet luisteren en ik wil al helemaal niet koken. Je neemt je harige pilotenvriend toch niet mee naar huis als je een piepklein appartementje met iemand anders deelt? Dat doe je niet. Ik kan niet wachten tot ze voor Azië wordt ingeroosterd.

'Hé, moet je zien!' De blonde gozer in het Brooks Brothers-ensemble aan een tafeltje in de hoek gebaart naar zijn volgelingen om naar zijn palmtop computer te kijken. Origineel hoor.

Normaal gesproken zou ik Dorrian's met z'n cliëntèle van verwende highschooljeugd mijden als de pest, maar ik kwam erlangs op weg naar huis en de barkeeper schenkt een puike Martini. Bovendien moest ik mijn scherpe kantjes eraf halen, en buiten het seizoen kan het meestal wel, als iedereen weer op school zit.

Ik tel vijf honkbalpetten die zich over het nieuwe speeltje van hun vriend buigen. Ze gaan allemaal nog naar school, maar hebben wel allemaal al een of ander GSM-geval aan de riemlus van hun dure broek hangen. De tijden veranderen, de corduroy jacks van de jaren zeventig maken plaats voor de opstaande kragen van de jaren tachtig, de ruitoverhemden van de jaren negentig en de Gore-Tex van het nieuwe millennium, maar de mentaliteit is zo tijdloos als de rood-wit geblokte tafelkleedjes.

Ik ga zo in het groepje op dat ik hun blik automatisch volg als ze naar de deur kijken. Het past helemaal in de teneur van mijn dag als mijn eigen Harvard Stuk binnenkomt, nu volledig gekleed. En hij kent hen. Jasses. Het beeld dat ik had gekoesterd van HS die kinderen in Tibet geneest verandert in dat van hem in een pak op de beursvloer van de New Yorkse Aandelenbeurs, en ik neem een grote slok.

'Smaakt het? Vind je dat spul lekker?' O god, er staat er een rechts van me. Opzouten, jongens.

'Wat?' vraag ik, terwijl ik naar zijn honkbalpet kijk, waar in grote rode letters COCKS op prijkt.

'Maaartiiiniii. Best sterk spul, hè?' zegt hij een beetje te dicht bij mijn gezicht, waarna hij over mijn hoofd heen schreeuwt: 'Hé, kom eens van je luie krent en help die biertjes dragen, luie eikels!' HS komt zijn vriend helpen met het biertransport.

'Hé, jij bent het vriendinnetje van Grayer, hè?' Hij glimlacht breed.

Hij weet het nog! Nee, slechte Nanny. Aandelenbeurs, aandelenbeurs. Ik kan er niets aan doen, ik zie dat hij betrekkelijk weinig speeltjes aan zijn Levi's heeft hangen.

'Die viel gelukkig na één keer lezen over *Welterusten, maan* al in slaap.' Ik glimlach onwillekeurig terug.

'Ik hoop dat je geen last hebt van Jones hier.' Jones schatert het uit bij het idee. 'Hij komt vaak een beetje te direct over,' zegt hij, terwijl hij Jones over mijn schouder een kwade blik toewerpt. 'Hé, kom anders bij ons zitten.'

'Nou, ik ben nogal moe.'

'Kom nou, even maar.' Ik bekijk de groep sceptisch, maar ik ga voor de bijl als ik zijn blonde haar voor zijn ogen zie vallen als hij de glazen van de bar pakt.

Ik loop achter hem aan en ze maken plaats voor me. Er volgt een introductierondje waarin ik alle klamme handen om de tafel moet schudden.

'Hoe ken je deze jongen hier?' vraagt een pet.
'We kennen elkaar al járen...'
'Van vroeger.' Ze knikken als een stel graan pikkende kippen, en herhalen 'van vroeger' zo'n honderd keer.
'Ze denken dat het echt vroeger was,' zegt HS zacht, terwijl hij zich naar me omdraait. 'Hoe gaat het met je werk?'
'Werk!' Een pet spitst zijn oren. 'Waar werk je?'
'Ben je computerprogrammeur?'
'Nee...'
'Ben je fotomodel?'
'Nee, ik ben nanny.' Dat maakt duidelijk de gemoederen los.
'Man!' zegt een van de jongens, HS op de schouder slaand.
'Man, je hebt ons nooit verteld dat je een nannyyyy kende.'
Bij het zien van hun glazige glimlach besef ik dat ik meteen de hoofdrol krijg in alle pornofilms met nanny's die ze ooit in de kelder van hun studentenhuis hebben gezien.
'Zeg,' begint de meest beschonkene, 'is de vader nog wat?'
'Heeft hij iets geprobeerd?'
'Eh, nee. Ik heb hem nog niet gezien.'
'Is de moeder nog wat?' vraagt een ander.
'Nou, ik denk niet...'
'En het kind? Is het kind nog wat? Heeft hij iets bij je geprobeerd?' vragen ze in koor.
'Nou, hij is vier jaar, dus...' Er ligt een harde ondertoon in hun woorden die de schijn van grapjes ontkracht. Ik draai me om naar het heerschap dat me hier heeft gebracht, maar hij zit er als verlamd bij, hevig blozend en met de bruine ogen neergeslagen.
'Zit er nog wat bij de andere vaders?'
'Oké. Ik moet ervandoor.' Ik sta op.
'Toe nou.' Jones neemt me van top tot teen op. 'Je wilt toch niet zeggen dat je het nog nooit met een van de vaders hebt gedaan?' Dat is de druppel.
'Wat zijn jullie toch origineel. Wil je weten wie de vaders zijn? De vaders zijn wat jullie over twee jaar zijn. En ze doen het niet met de nanny. Ze doen het niet met hun vrouw. Ze doen het met niemand, want ze worden dik, kaal, ze hebben er geen trek meer in, en ze drinken, veel, omdat ze moeten, niet omdat ze het willen. Dus geniet er nou maar van, want over twee jaar lijkt vroeger een paradijs. Jullie

hoeven niet op te staan, hoor.' Met bonkend hart trek ik mijn sweater aan, gris mijn tas weg en loop de deur uit.

'Hé, wacht even!' HS haalt me in terwijl ik over straat ren. Ik draai me om en verwacht dat hij zegt dat ze allemaal een ongeneeslijk soort kanker hebben en dat nanny-pesten hun laatste wens was. 'Luister, ze bedoelden er niets mee.' Geen kanker dus.

'O.' Ik knik. 'Dus zo praten ze tegen alle meisjes? Of alleen tegen degenen die in die appartementen werken?'

Hij vouwt zijn armen over elkaar om zich tegen de kou te beschermen. 'Luister, ik ken ze van highschool. Ik zie ze zelden...'

Ineens komt de Slechte Heks aan vliegen. 'Lafaard.'

Hij stamelt: 'Ze zijn gewoon ontzettend dronken...'

'Nee, het zijn gewoon ontzettende eikels.'

We staren elkaar aan en ik wacht tot hij iets zegt, maar hij staat met zijn mond vol tanden.

'Nou,' zeg ik uiteindelijk, 'het was een lange dag vandaag.' Opeens ben ik echt uitgeput en me scherp bewust van de kloppende pijn van de brandwond op mijn hand.

Als ik weg loop, dwing ik mezelf niet om te kijken.

Nanny,
Het diner was een groot succes. Vreselijk bedankt voor je hulp. Deze schoenen zijn te opvallend voor me en Mr X vindt de kleur niet mooi. Als ze je passen, mag je ze houden, anders mag je ze naar Encore brengen, de tweedehands winkel aan Madison Avenue brengen. Daar heb ik een rekening. Trouwens, heb je het Lalique fotolijstje gezien dat op het bureau van Mr X stond? Dat met de foto van Grayer met zijn vader in Aspen? Ik kan het niet meer vinden. Wil jij de cateraars bellen om te vragen of ze het per ongeluk hebben meegenomen? Ik ben me aan het ontspannen bij Bliss, dus mijn telefoon staat de rest van de dag uit.

Prada! P.R.A.D.A. Net als Madonna. Net als in *Vogue*. Zie je me al in stijl weg lopen, ellendige kaki dragende, golf spelende, *Wall Street Journal* lezende, naar Gangsta-hiphop luisterende, Howard Stern adorerende, arrogante mobieltjesdragers!?

Er zat Mr Darling nog iets dwars over Nana. Soms had hij het gevoel dat ze hem niet bewonderde.

Peter Pan

Drie

Pompoenen en visnetten

Na op weg naar huis een paar kleine pompoenen te hebben gekocht om te versieren, komen Grayer en ik net op tijd bij het appartement aan om een factuur van ruim vierduizend dollar te kunnen tekenen. Grayer en ik lopen vol ontzag achter de bezorger aan, die twee kisten van een meter tachtig door de keuken naar de hal rijdt. Na de lunch spelen we 'raad eens wat er in de kisten zit.' Grayer denkt een hond, een gorilla, een monsterrobot, een klein broertje. Ik denk antiek, nieuwe uitrusting voor de badkamer of een kooitje voor Grayer (maar dat laatste hou ik voor me).

Om kwart over vier laat ik Grayer achter in de vaardige handen van zijn pianolerares en kom, zoals ik ben geïnstrueerd, om vijf uur terug. In mijn nieuwe leren broek en tweedehands Prada's zie ik eruit als een volwassene die naar het Halloween-feest gaat in het kantoor van Mr X. Ik kom binnen en loop bijna tegen een gestresste Mrs X aan, die een van de kisten met een vleesmes en een gootsteenontstopper probeert open te wrikken.

'Wilt u dat ik de beheerder bel?' vraag ik, terwijl ik voorzichtig langs haar heen schuifel. 'Misschien heeft ie een koevoet.'

'O, help, zou je dat willen doen?' hijgt ze omhoog van haar plekje op de grond.

Ik loop de keuken in en druk op de intercom naar de beheerder, die belooft een klusjesman te sturen.

'Hij komt eraan. Nou, eh, wat zit erin?'

Ze puft en hijgt terwijl ze met de kist bezig is. 'Ik heb – pff – replica's van de Mufasa- en Sarabi-kostuums laten maken – au, verdomme! – van de Broadway-musical *The Lion King*... hhggg – op maat.' Ze krijgt een rood hoofd. 'Voor dat stomme feest, grrr.'

'Geweldig. Waar is Grayer?' vraag ik voorzichtig.

'Hij wacht op jou, dan kunnen jullie je samen verkleden! We moeten opschieten. We moeten allemaal voor zes uur verkleed zijn en klaar om te vertrekken.' Allemaal?

De deurbel gaat en ik loop langzaam de lange gang door naar Grayers kamer, waar Grayer zo verstandig is geweest zich te verstoppen voor zijn met een ontstopper zwaaiende moeder. Peinzend duw ik de deur open en zie dat er niet één, maar *twee* Teletubbie-pakken bijna van Grayers bed opstijgen, alsof het half opgeblazen ballonnen zijn bij de optocht van Macy's.

Lieve help. Dat kan ze niet menen.

'Nanny, we horen bij elkaar!' Als ik maffe kostuums wilde dragen, zou ik bergen meer geld kunnen verdienen dan hier.

Met een diepe zucht begin ik Grayer in zijn gele pak te hijsen en probeer hem ervan te overtuigen dat het net een pyjama is met voetjes eraan, maar dan boller. Ik hoor Mrs X door het appartement hollen. 'Hebben we een combinatietang? Nanny, heb jij de combinatietang gezien? De kostuums zitten met ijzerdraad vast aan de kist!'

'Sorry!' roep ik naar haar stem, die voortdurend van richting verandert, als een voorbijsnellende sirene.

Bonk.

Een paar tellen later komt ze de kamer binnen vallen in de gedaante van een moddermonster, met het masker scheef op haar hoofd. 'Moet ik nog make-up op doen? Moet ik nog make-up op doen?!'

'Eh, misschien een beetje in neutrale kleuren? Misschien die mooie lippenstift die u gisteren op had bij de lunch?'

'Nee, ik bedoel iets, je weet wel, iets *wilds*?' Bij dat woord kijkt Grayer helemaal in de war naar zijn moeder op, met wijdopen ogen.

'Mama, is dat je kostuum?'

'Mama is nog niet klaar, schatje. Laat Nanny je make-up maar doen, dan kan ze daarna mij helpen.' Mrs X heeft Crais Pas-schmink voor ons gekocht zodat ik ons kan veranderen in Linky Binky en Diggy Biggy, of hoe die verrekte dingen ook heten. Maar zodra ik met Grayers gezicht begin, krijgt hij een hevige aanval van jeuk aan zijn gezicht.

'La-La, Nanny. Ik ben La-La.' Hij brengt beide wanten van het pak naar zijn neus. 'Jij bent Tinky Winky...'

'Grover, niet aan je gezicht komen, alsjeblieft. Ik probeer je als een Teletubbie te schminken.'

Het moddermonster rent de kamer weer in. 'O, wat ziet hij er vreselijk uit! Wat doe je nou?'

'Hij blijft erdoorheen wrijven,' probeer ik uit te leggen.

Ze kijkt op hem neer en haar stukjes stro trillen. 'Grayer Addison X, blijf van je gezicht af!' En daar gaat ze weer.

Zijn kin begint te trillen – hij mag nooit, maar dan ook nooit meer aan zijn gezicht komen.

'Je ziet er stoer uit, Grove,' zeg ik zacht. 'Kom, we maken het even af, goed?'

Hij knikt en draait me zijn wang toe zodat ik het kan afmaken.

'Is het naguma matoto?' roept ze vanuit de gang.

'Hakuna matata!' roepen we terug.

'Oké. Bedankt!' zegt ze. 'Hakuna matata. Hakuna matata.'

De telefoon gaat en ik hoor haar in de gang opnemen en alle moeite doen om rustig te klinken. 'Hallo? Hallo, schat. We zijn bijna klaar... Maar ik... Goed, maar ik heb de kostuums die je wilde dragen... Nee, ik... Ja, dat snap ik, maar ik heb alleen... Goed, nee, we staan straks in de hal beneden.'

Er komen voetstappen langzaam over de marmeren vloer naar Grayers kamer toe, en dan komt het masker weer om de hoek kijken. 'Papa is een beetje laat, dus hij komt over tien minuten langsrijden om ons beneden op te halen, goed? Over negen minuten moet iedereen in de hal beneden zijn.' Negen minuten later (waarin ik die stinkende, onhandelbare paarse albatros inglibber en mijn gezicht insmeer met wit frituurvet) komen we allemaal naar de hal in het appartement: kleine gele La-La, groot paars monster en Mrs X in een stijlvol Jill Sander-broekpak.

'Is het te warm voor mijn mink?' vraagt ze, terwijl ze mijn masker rechttrekt zodat de paarse driehoek, die zo groot is als een schoenendoos, 'recht' staat.

Er komen twee portiers aan te pas om mij de limousine in te duwen, zodat ik voor de voeten van Mr en Mrs X terechtkom. Ik krabbel overeind en ga zitten, en precies op dat moment start de chauffeur de motor.

'Waar is mijn kaartje?' vraagt Grayer, als we net optrekken.

Ik weet niet of het door de laag polyester komt dat Grayers stem van ver weg lijkt te komen, of dat ik gewoon in shock ben geraakt.

'Mijn kaartje. Waar is mijn kaartje? Mijn kááártje!!!' Hij begint op de achterbank, die we met zijn ouders delen, heen en weer te schommelen

'Nanny!' Door de toon in de stem van Mrs X schrik ik op. 'Grayer, zeg tegen Nanny wat er is.'

Ik manoeuvreer mijn bovenlichaam in Grayers richting omdat ik door het masker alleen rechtuit kan kijken. Ja, zeg het maar. Onder de witte make-up is zijn gezicht rood en hij is buiten adem. Hij knijpt zijn ogen dicht en brult: 'NANNY! IK HEB MIJN KAARTJE NIET BIJ ME.' Jezus.

'Nanny, hij moet dat kaartje altijd aan zijn kleren hebben...'

'Het spijt me heel erg.' Ik draai me naar hem toe. 'Grayer, het spijt me.'

'Mijn kaaaaartje!' bulkt Grayer.

'Hé,' beveelt een donkere stem van een onzichtbare man. 'Zo is het wel genoeg.' Mister X, neem ik aan?

De hele limousine houdt zijn adem in. Deze geheimzinnige man, die mij tot nu toe heeft ontlopen en die, kan ik wel zeggen, ook mijn andere twee reisgenoten de afgelopen twee maanden heeft ontlopen, verdient een bevroren filmbeeld. Hij zit daar in een donker pak en heel dure schoenen. Eigenlijk zit hij achter de *Wall Street Journal*, zodat de rest van zijn lichaam onzichtbaar is – tot de glanzende, terugwijkende haargrens toe, die in de spotlights wordt gezet door het leeslampje boven zijn hoofd. Onder zijn oor zit een mobieltje geklemd, waar hij alleen naar lijkt te luisteren. 'Hé' is het eerste wat hij laat horen sinds we allemaal zijn ingestapt. Of in mijn geval, naar binnen zijn geduwd.

Daar, achter zijn krant, zit zonder enige twijfel de president-directeur van dit gezin. 'Wat voor kaartje?' vraagt hij zijn krant. Mrs X kijkt nadrukkelijk naar mij en het is duidelijk dat Grayers aanval mijn domein is, nu eens middenmanagement en dan weer schoonmaakpersoneel.

Dus we gaan rechtsaf Madison Square op en rijden terug naar nummer 721, waar de portiers me met veel plezier weer aan mijn armen en benen uit de limousine rukken.

'Wacht hier, jongens,' zeg ik als ik eenmaal weer sta. 'Ik ben zo terug.'

Ik ga naar boven, rommel tien zweterige minuten lang door Grayers kamer, waardoor ik nieuwe schmink moet aanbrengen, vind Het Kaartje in de wasmand en kan weer naar beneden hollen. (Of meer rollen.)

De liftdeur gaat open en natuurlijk staat daar HS, mijn Harvard Stuk.

Zijn mond valt open.

Nu wil ik sterven.

'Wat is er? Heb je nog nooit een Halloween-kostuum gezien?' bries ik, terwijl ik me met opgeheven hoofd in de lift pers.

'Nee! Eh, nou ja, het is drieëntwintig oktober, maar...'

'Dus???!'

'Ik, ehm, ja, ik heb er wel eens eentje gezien. Ik...' stamelt hij.

'Hallo! Sta je wel eens niet met je mond vol tanden?' Ik probeer zo te gaan staan dat ik naar de wand van de lift kijk. In deze doos van anderhalve meter bij twee meter lukt het me amper een hoek van twee graden weg te draaien.

Hij is even stil. 'Luister, het spijt me echt van gisteravond. Die jongens kunnen soms echte eikels zijn als ze dronken zijn. Ik weet dat het geen excuus is, maar het zijn gewoon oude vrienden van me van highschool...'

'En wat nog meer?' zeg ik tegen de muur.

'En...' Hij lijkt met stomheid geslagen. 'En jij zou mij niet moeten beoordelen op een avondje drinken in Dorrian's.'

Ik draai weer naar hem toe. 'Eh, ja... We hebben het wel over een avondje drinken waarin je vriendjes "van vroeger" me een hoer noemen. Luister, soms ga ik uit met vrienden waarvan ik het gedrag niet goedkeur, maar als mijn grenzen worden overschreden, doe ik niet meer mee. Als bij voorbeeld een groepsverkrachting op de agenda staat, doe ik mijn mond open!'

'Nou!'

'Nou wat?'

'Nou, voor iemand die het niet leuk vindt om op het uiterlijk te worden beoordeeld, is het nogal hypocriet om zo snel met je oordeel over mij klaar te staan zodra je hen hebt gezien.'

'Daar heb je gelijk in.' Ik haal diep adem en probeer me in mijn volle lengte op te richten. 'Laat ik duidelijk zijn. Ik beoordeel jou op basis van het feit dat je niets deed om ze de mond te snoeren.'

Hij kijkt me aan. 'Oké, ik had iets moeten zeggen. Sorry dat het zo uit de hand liep.' Hij stopt zijn haar achter zijn oor. 'Luister, ga vanavond iets met me drinken, dan maak ik het goed. Ik ga met wat vrienden van de faculteit uit... dat is een heel ander publiek, dat beloof ik.' De deur glijdt open en zowel een vrouw in een kasjmier jas als haar poedel staan boos te kijken omdat er om mijn kostuum heen geen plaats meer is. De deur glijdt dicht. Ik besef dat ik nog maar twee verdiepingen heb om toe te geven.

'Het lijkt me duidelijk dat ik een nogal ruig feestje tegemoet ga.' Ik gebaar met een drievingerige hand naar mijn paarse lijf. 'Maar ik kan proberen rond tienen bij je langs te komen.

'Top! Ik weet niet precies waar we heen gaan. We dachten aan Chaos of The Next Thing, maar we zijn zeker tot elf uur bij Nightingale's.'

'Ik zal proberen op tijd te zijn.' Ondanks het feit dat het me niet helemaal duidelijk is naar welke van de gelegenheden van zijn lijstje ik me moet begeven om op tijd te zijn. De deuren gaan open en ik probeer sexy naar de auto te waggelen, waarbij ik probeer vanuit mijn heupen te bewegen.

Ik wacht tot HS veilig om de hoek is verdwenen en dan, na een laatste duw van de portiers tegen mijn billen, zijn we onderweg. Ik ben tevreden met het feit dat Mrs X gedwongen wordt zich naar Grayer toe te buigen en het kaartje bij hem op te spelden omdat zij alle tien haar vingers kan gebruiken.

'Schat, ik heb eindelijk ontdekt wie de safari heeft geboekt voor de Brightmans...' begint ze, maar Mr X gebaart naar de telefoon en schudt zijn hoofd. Ze laat zich niet kennen en haalt haar eigen Startac uit haar Judith Leiber-pompoentasje en kiest een nummer. Op het stuk achterbank met de bolle buiken en de primaire kleuren blijft het stil.

'...ik vind niet dat haar binnenhuisarchitect het goed heeft gedaan...'

'...kijk nog eens goed naar die cijfers...'

'...en dan dat aubergine!'

'...met zo'n APR? Is hij gek geworden?'

'...bamboe in de keuken!'

'...de komende drie jaar tien miljoen terugkopen...'

Ik kijk op Grayer neer en prik met een paarse vinger in zijn gele buik. Hij kijkt op en prikt terug. Ik knijp in zijn vilten want en hij knijpt in de mijne.

'Zo.' Mr X klapt met een luide klik zijn telefoontje dicht en kijkt me aan. 'Vieren ze in Australië ook Halloween?'

'Eh, ik denk dat ze wel iets hebben als Allerzielen, maar, eh, ik denk niet dat mensen zich normaal gesproken verkleden of langs de deuren gaan,' zeg ik.

'Schat,' komt Mrs X tussenbeide. 'Dit is *Nanny*. Ze heeft het van C-a-i-t-l-i-n overgenomen.'

'O. Goed, prima. Doe je rechten?'

'Ik wil naast mama zitten!' barst Grayer opeens uit.

'Grove, blijf jij maar gezellig naast mij zitten,' zeg ik, naar beneden kijkend.

'Nee! Ik wil nu naast mama zitten.'

Mrs X kijkt naar Mr X, die zich heeft teruggetrokken achter zijn krant. 'We willen niet dat jouw witte make-up op mama's jas komt. Blijf maar bij Nanny, schatje.'

Na nog een paar protestrondes, bindt hij uiteindelijk in en blijven we alle vier zwijgen, terwijl de auto naar de onderste regionen van de stad zoeft, waar de vele, nauwe straten van Lower Manhattan plaats maken voor de imposante torens van het Financial District. Het lijkt er uitgestorven, op de begrafenisstoet van chique wagens na die voor het kantoor van Mr X in de rij staan.

Mr en Mrs X laten zich uit de auto glijden en marcheren voor ons uit het gebouw in. Ze laten het aan Grayer en mij over om onze bolvormige lichamen de auto uit de stoep op te wurmen.

'Nanny, als jij drie zegt, dan duw ik! Zeg drie, Nanny! Zeg het nou!!'

Met zijn voetje tegen mijn achterwerk en mijn gezicht bijna op de stoep is het geen wonder dat hij me niet kan horen als ik 'Drie!!' gil.

Ik draai mijn hoofd om en zie dat Grayer zijn lippen door een kier boven het raampje heeft gestoken. 'Heb je het gezegd, Nanny? Nou?'

Ik voel hevige activiteit achter mijn enorme heupen, begeleid door flarden van het meesterbrein achter de operatie. 'Oké, nu ben ik Konijn... en jij... bent Poeh... en... *tel je*...? en... omdat je zo veel honing op hebt... zit je vast in de boom. EN DRIE, NANNY, op DRIE!' Als je hem zo hoort, zou je denken dat hij een katapult aan het bouwen is...

PLOP!

'Het is gelukt. Nanny, het is gelukt!'

Ik ga rechtop staan, pak met mijn drievingerige hand de zijne en we waggelen waardig naar de ingang. Mr en Mrs X zijn zo vriendelijk geweest de liftdeuren voor ons open te houden en we gaan naar de vijfenveertigste verdieping, samen met nog een stel wier kinderen niet konden komen. 'Huiswerk.'

We lopen allemaal een enorme receptieruimte in, die is veranderd in een decor voor een Tim Burton-film. De marmeren muren zijn bedekt met uitgeknipte vleermuizen en namaakspinnenwebben, en van het plafond hangen trossen slingers, spinnen en skeletten. Er staan talloze bartafels op regelmatige afstand van elkaar strategisch in de ruimte opgesteld, en op elke tafel gloeit een uitgesneden pompoen.

Het lijkt wel alsof alle werkloze acteurs uit de wijde omgeving zijn ontboden om de massa te vermaken. Bij de receptiebalie doet Frankenstein alsof hij de telefoon opneemt, Betty Boop loopt langs met een dienblad vol drankjes, en Marilyn zingt *'Happy Birthday, Mr president'* voor een groepje collega's van Mr X in de hoek. Grayer kijkt wat angstig rond tot Garfield voorbij loopt met een dienblad vol sandwiches met pindakaas en jam.

'Pak er maar een. Toe maar, Grayer,' moedig ik hem aan. Hij heeft het een beetje moeilijk met zijn handschoenen aan, maar weet er een te pakken en kauwt erop, terwijl hij zich steeds dichter tegen mijn been aan drukt.

De muur achter in de ruimte is adembenemend. Hij is van plafond tot vloer van glas en biedt uitzicht op het Vrijheidsbeeld. Ik lijk de enige te zijn die ernaar kijkt, maar ik ben dan ook een van de weinige nanny's van wie het gezicht te zien is. Blijkbaar was Mrs X niet de enige die voor deze avond dit concept in gedachten had: alle nanny's lopen in enorme, gehuurde kostuums die minstens een meter in omtrek zijn. Het kind is kleine Tweety, nanny is grote Sylvester de kat, het kind is een kleine Sneeuwwitje, nanny is een grote dwerg, het kind is een klein boertje, nanny is een grote koe. Maar de populairsten zijn vanavond toch de Teletubbies. Ik glimlach scheef naar twee andere Tinky Winky's uit Jamaica, die aan de overkant van de receptie staan.

Een stel met een kleine Woodstock en een grote Snoopy op sleeptouw komt naar ons toe.

'Lieverd, je ziet er fantastisch uit!' zegt de vrouw tegen Mrs X, of misschien tegen Grayer.

'Happy Halloween, Jacqueline,' zegt Mrs X, en ze geeft Jacqueline een luchtzoen.

Jacqueline, die een piepklein roze pillbox-hoedje draagt bij haar zwarte Armani, stevent meteen op Mr X af. 'Lieverd, je bent niet verkleed, stoute jongen!' Haar eigen wederhelft heeft een kapiteinspet op bij zijn krijtstreep.

'Ik ben verkleed als advocaat,' zegt Mr X. 'Maar eigenlijk ben ik een investeringsbankier!'

'Hou op!' zegt Jacqueline giechelend. 'Grapjas!' Ze kijkt neer op La-La en Woodstock. 'Gaan jullie maar naar de speelhoek kijken, schatjes, die is geweldig!' Ik kijk naar Snoopy, die slagzij maakt onder het gewicht van de reusachtige hondenkop. 'We hebben dit jaar een veel beter bedrijf genomen om het allemaal te organiseren. Ze hebben op vier juli ook de Bungee-jump Cocktailparty van Blackstone gedaan.'

'Ik heb gehoord dat het enig was. Mitzi Newman is er helemaal aan verslaafd geraakt. Ze heeft in Connecticut een vrije-val-toren laten installeren. Ga maar, Grayer,' moedigt Mrs X Grayer aan. Hij staart omhoog naar de macabere versierselen en lijkt er niet van overtuigd dat hij nu bij zijn ouders vandaan wil.

'Ga dan, jochie, en als je lief bent, laat ik je de *executive dining room* zien,' zegt Mr X, waarop Grayer opkijkt naar mij.

'Waar papa zijn boterham eet,' leg ik uit. Ik pak zijn hand en loop achter het Peanuts-duo aan naar de kinderafdeling, die met een laag hekje is afgeschermd van de rest. 'Goed idee,' zeg ik tegen Barbie, die het hekje opendoet. 'Laten we de grote mensen erbuiten houden.'

Er is een flinke ruimte gevuld met doe-tafels en spelletjes waarbij er dingen gegooid moeten worden. (Een misrekening van iemand, denk ik, terwijl er een kleine Pino wordt getroffen.) Ik merk al snel dat de drankjes voor de grote mensen hier niet worden rondgebracht en buig me ver over het hekje heen om een glaasje troost van een blad te grissen. Af en toe komen er ouders aanwaaien, als een chef-kok in een restaurant, om te vragen of het kind zich vermaakt en om te zeggen: 'Een marshmallowspook! O, wat eng!' en dan wenden ze zich weer tot elkaar om verder te praten. 'Je hebt geen idee wat onze verbouwing kost. Het is echt ontzettend. Maar Billie wilde een tv-kamer.' En ze halen hun schouders op en schudden hun hoofd.

Mrs X is erbij komen staan met Sally Kirkpatrick, een vrouw die ik herken van Grayers zwemles, om te kijken hoe haar kleine Batman zijn tegenstanders bij het ringwerpen probeert uit te schakelen. Ik kom achter hen staan om te vragen wanneer Grayer naar bed moet.

'Dat nieuwe meisje van je is er heel goed in om Grayer het zwembad in te krijgen,' zegt Mrs Kirkpatrick.

'Dank je, ik wou dat ik zelf met hem mee kon, maar op dinsdag moet ik naar de Parents League, en op vrijdag heeft hij schaatsen, op donderdag heeft hij Franse les en op woensdag heeft hij studieles. Ik moet toch één dag voor mezelf hebben.'

'Ik weet het, ik heb het ook zo druk. Ik zit dit jaar in vier verschillende commissies. O, kan ik jullie noteren voor het Borstkanker Bal?'

'Natuurlijk.'

'Wat is er met Caitlin gebeurd? Je nieuwe meisje wist het volgens mij niet.'

'Sally, het was een nachtmerrie. Ik had het geluk Nanny tegen te komen! Caitlin was trouwens nooit een voorbeeldige nanny, maar ik deed het ermee, want wat moet je anders. Maar goed, ze had het lef om de laatste week van augustus vrij te vragen, terwijl ik haar de eerste twee weken van januari al vrij had gegeven toen wij naar Aspen gingen.'

'Je meent het.'

'Nou, ik had echt het idee dat ze het onderste uit de kan wilde halen...'

'Ryan, eerlijk spelen, die ring was van Iolanthe,' roept Sally naar haar Batman.

'Maar ik wist echt niet wat ik moest doen,' vervolgt Mrs X, van haar Perrier nippend.

'Heb je haar ontslagen?' vraagt Sally gretig.

'Ik heb eerst overlegd met een professionele probleemconsultant...'

'O, wie heb je genomen?'

'Brian Swift.'

'Ik heb gehoord dat hij erg goed is.'

'Hij was geweldig. Heeft me geholpen het hele voorval in perspectief te plaatsen. Maakte duidelijk dat mijn autoriteit als huismanager in het geding was en dat ik een vervangster moest nemen om het haar duidelijk te maken.'

'Briljant. Help me herinneren dat ik je om zijn nummer vraag. Ik heb zulke problemen met Rosarita. Gisteren vroeg ik haar om een paar dingen op te halen terwijl Ryan hockeyles had, en ze zei dat ze dat niet wilde omdat ze niet zeker wist of ze wel op tijd terug zou zijn. Ik bedoel maar, alsof ik niet weet hoe lang het duurt om even op en neer te gaan?'

'Ik weet het. Het wordt te gek. Per slot van rekening zitten zij daar maar als die kinderen les krijgen. Op onze kosten. Nou ja!'

'Heb jij alle toelatingsgesprekken al gehad?' vraagt Sally.

'Nou, dinsdag gaan we naar Collegiate, maar ik weet nog niet of ik hem wel in West Side wil hebben,' zegt Mrs X, terwijl ze haar neus ophaalt.

'Maar het is zo'n goede school. We zouden dolblij zijn als Ryan wordt toegelaten. We hopen dat zijn viool hem een streepje vóór geeft.'

'O, Grayer speelt piano – ik had geen idee dat dat belangrijk was,' zegt Mrs X.

'Tja, dat hangt van zijn niveau af. Ryan doet al aan regionale concoursen mee...'

'O ja. Dat is geweldig, zeg.'

Na twee wodka-tonics weet ik even niet meer wat ik moet zeggen, en sluip terug. Ik signaleer Grayer, die nog steeds als een prof ballen gooit, dus ik heb tijd om nog een drankje te nemen en de volwassen kant van het vertrek te observeren. Iedereen is in het zwart, de mannen zijn lang, de vrouwen slank, ze staan allemaal met de linkerarm voor hun buik gevouwen, zodat ze met hun linkerhand hun rechterelleboog ondersteunen, zodat ze met hun rechterhand een glas kunnen vasthouden terwijl ze praten. De pompoenen op de tafels beginnen zwakker te branden, wat lange schaduwen oplevert van bankiers en bankiersvrouwen. Iedereen begint in mijn ogen op een personage uit een Charles Adams-cartoon te lijken.

Ik besef dat ik wazig word door de hitte en de alcohol, maar mijn paarse achterwerk past in geen van de kinderstoeltjes. Daarom ga ik op de grond zitten, vlakbij de caketafel, waar Grayer zich heeft verschanst om zijn werparm te laten uitrusten. Om ons heen is er zo veel rumoer van het Busby Berkeley-personeel die de activiteiten organiseren, dat ik mijn blik bewust op Grayer moet richten terwijl hij zijn vierde cakeje versiert. Ik laat mijn hoofd tegen de muur rusten en kijk trots toe hoe hij assertief naar de hagelslag en zilveren balletjes grijpt, terwijl andere kinderen wachten op hun nanny, die op haar hurken naast hem of haar zit om de tube glazuur aan te geven, alsof hun pupil een operatie uitvoert.

Uiteindelijk raakt Grayers cakeversierwoede uitgeput en blijft hij glazig naar het zwart-oranje monster staren. Zijn plakhanden liggen stil op tafel. Er liggen druppeltjes zweet op zijn gezicht – hij moet het bloedheet hebben in dat kostuum. Ik kruip naar hem toe en fluister in zijn oor: 'Hé, vriendje, neem even vrij van de cakejes en kom even bij mij zitten.' Hij laat zijn voorhoofd op tafel vallen. Het komt net niet op zijn snoepkunstwerk terecht.

'Kom op, Grove,' zeg ik. Ik til hem op en schuifel op mijn knieën weer naar de muur. Ik rits zijn masker af en gebruik een servetje om de uitgelopen make-up van zijn voorhoofd en het glazuur van zijn handen te vegen.

'Ik moet nog appelhappen,' mompelt hij, terwijl ik zijn hoofd op het witte vierkant van mijn gekostumeerde buik leg.

'Ja, hoor. Doe eerst je ogen maar eventjes dicht.'

Ik neem een slok van mijn nieuwe drankje, laat de kamer een beetje wegzweven en wuif ons koelte toe met een brochure die onder een kast lag. Grayers lichaam wordt zwaar en hij dommelt weg. Met mijn ogen dicht probeer ik me voor te stellen dat ik in deze ruimte bezig ben met een of ander belangrijk zakelijk iets, maar er wil niets anders komen dan dat ik als Tinky Winky vergaderingen voorzit.

Waarschijnlijk val ik steeds in slaap, want ik begin over Mrs X te dromen in een mink La-La-kostuum. Ze probeert me ervan te overtuigen dat ik haar echt met HS' volgelingen moet laten praten over het voorval in de bar, want 'grenzen stellen' kan zij als geen ander. Daarna danst Mr X op de maat van Monster Mash, trekt zijn masker van zijn hoofd, en blijkt eigenlijk mijn HS te zijn, die eist naar de wc gebracht te worden.

'Nanny, ik moet plassen.' Monster Mash loeit in mijn oren. Onder de spinnenwebben zie ik een klok hangen. Halftien, verdorie. Oké, hoeveel tijd heb ik nodig? Twintig minuten met de trein, tien minuten om me uit dit ding te hijsen, en nog twintig om naar Nightingale's te gaan? Dan is hij er nog wel, toch?

'Oké! Actie in de tent. We gaan een wc zoeken, hup, eropaf!'

'Nanny, niet zo hard.' Ik til mijn treuzelende Grayer op en hijs hem op mijn paarse heup, terwijl ik tussen de beschonkenen en benevelden door laveer, die zijn ingestort of daarmee bezig zijn.

'Personeel, personeel. Heeft u het toilet gezien?' vraag ik aan een kleine Indiase vrouw in een Fred-kostuum, die een kleine Barney tot bedaren probeert te krijgen, die maar geen donut van het touw kan bijten en dat heel persoonlijk opneemt. Ze wijst over haar schouder naar een rij die zo lang is dat hij de hoek om gaat. Ik kijk om me heen of ik in een verborgen hoekje een pot met planten zie staan, en neem me voor iets te zeggen over 'net als in de speeltuin'.

Grayer wijst achter me. 'De wc is die kant op, in het kantoor van mijn vader.'

Ik zet hem neer en zeg dat hij voor me uit moet lopen 'alsof er iemand achter ons aan zit'. Hij gaat ervandoor door de verlaten gang, met zijn handen tussen zijn benen. Het is donkerder en stiller dan de ruimte waaruit we net zijn ontsnapt, en ik zet er flink de pas in om Grayer niet uit het oog te verliezen. Halverwege de gang duwt hij een deur open en ik ren om hem in te halen, zodat ik bijna over hem heen val als hij in de deuropening abrupt stilstaat.

'Hallo, Grayer.' We schrikken van de vrouwenstem. Mr X knipt de lamp aan terwijl ze in een zwarte bodystocking, visnetkousen en een bolhoed achter het bureau vandaan komt. Ik herken haar onmiddellijk.

'Hallo, Nanny,' zegt ze, haar losgeraakte rode haar onder de hoed stoppend.

Grayer en ik zijn met stomheid geslagen.

Mr X komt ook achter zijn bureau vandaan, frommelt wat aan zijn kleren en veegt heimelijk lippenstift van zijn mond. 'Grayer, zeg eens gedag.'

'Wat een mooi kostuum,' zegt ze opgewekt voordat Grayer maar iets kan zeggen. 'Kijk, ik ben Chicago, want dat is onze grootste markt!'

'Ze heeft geen broek aan,' zegt hij, naar haar in netten gehulde benen wijzend, en hij kijkt naar me op.

Mr X tilt Grayer snel op, en met een 'Bedtijd, jochie. Laten we mama gaan zoeken' loopt hij in de richting van het feest.

'Eh, we zochten een wc. Grayer moet plassen,' roep ik hen na, maar hij kijkt niet achterom. Ik draai me naar Ms Chicago om, maar ze is al langs me heen gelopen en klikklakt door de hal in de tegenovergestelde richting.

Kut.

Ik ga op de leren bank zitten en laat mijn gezicht in mijn handen zakken.

Ik wil dit niet weten ik wil dit niet weten ik wil dit niet weten.

Ik gris een glas van het vergeten blad met glazen wodka en sla het achterover.

Gelukkig schieten de X'en en ik een paar minuten later over de FDR en is Grayer helemaal ingestort, met zijn hoofd bij me op schoot. Ik denk dat er een vlek op de bank zit als we uitstappen, maar ja, hij heeft ons in elk geval op tijd gewaarschuwd.

Mr X leunt met zijn hoofd tegen de leren bekleding en doet zijn ogen dicht. Ik doe het raam op een kiertje om wat frisse lucht van de East River over me heen te laten waaien. Ik ben een beetje dronken. Het is een beetje erger dan een beetje dronken.

Ergens op de achtergrond hoor ik het onzekere kwetteren van Mrs X. 'Ik sprak Ryans moeder en die zegt dat Collegiate een van de beste scholen van het land is. Ik ga morgen bellen en een gesprek voor Grayer regelen. O, en Sally Kirkpatrick vertelde dat Ben en zij deze zomer een huis in Nantucket nemen. Blijkbaar hebben Wallington en Susan daar vier jaar lang de zomer doorgebracht en ze zegt dat het een heerlijke afwisseling is van de Hamptons. Ze zei dat het heerlijk is om af en toe even van de Maidstone Avenue weg te zijn, zodat de kinderen weer eens iets anders zien. En Caroline Horner heeft er een huis. Sally zei dat Bens broer van de zomer naar Parijs gaat, dus je kunt zijn lidmaatschap van de tennisclub gebruiken. En Nanny kan ook mee! Lijkt het je niet leuk om een paar weken met ons mee te gaan naar de kust, Nanny? Het is er heel ontspannen.'

Ik spits mijn oren bij het horen van mijn naam, en ik hoor mezelf met ongebreideld enthousiasme reageren.

'*Geweldig*. Ontspannen en leuk. LEUK. Ik ga mee!' zeg ik, en ik probeer mijn paarse duimen in de lucht te steken. Ik stel me mezelf, de oceaan, mijn Harvard Stuk voor. 'Naaantucket – zwemmen, strand en golven. Ik bedoel, dat is toch heerlijk. *Ik... ga... mee.*' Van onder mijn halfdichte oogleden zie ik haar verward naar me kijken, alvorens zich tot de snurkende Mr X te wenden.

'Nou, goed.' Ze trekt haar mink dicht om zich heen en zegt tegen de stad, die achter het raampje voorbij raast, 'dat is dan afgesproken. Ik zal de makelaar morgen bellen.'

Een halfuur later zoeft mijn taxi over de weg de andere kant op naar Houston Street. Intussen controleer ik in het spiegeltje van mijn poederdoosje of ik nog witte schmink zie. Ik leun naar voren en werp een blik op het klokje van de taxi. De lichtende cijfers geven 22.23 aan. Snel, snel, snel.

Mijn hart begint snel te kloppen en de adrenaline schudt mijn zintuigen wakker. Ik voel elke hobbel in de weg en ik ruik de sigaret van de vorige passagier. De combinatie van het surrealistische verloop van de avond, de talloze drankjes die ik heb genomen, de leren broek waar ik me in heb geperst en de belofte van een afspraak met HS, voeren de druk aanzienlijk op. Geen vergissing mogelijk, ik ben een vrouw met een missie. De reserves, politiek, moreel of anderszins, die ik had zijn via mijn kanten ondergoed in mijn Prada-schoenen gezakt.

De taxi stopt bij de Thirteenth Street, bij een bijzonder vuig uitziend stuk Second Avenue. Ik werp de chauffeur twaalf dollar toe en ren naar binnen. Nightingale's is zo'n tent waar ik had gezworen na mijn eindexamen nooit meer te zullen komen. Je krijgt je bier in een plastic bekertje, met al die dronken mannen met darts wordt een tochtje naar de wc een heuse uitdaging, en als je het haalt, kan de deur niet op slot. Het is de beerput van de maatschappij.

Binnen twee seconden heb ik de zaak gescand en gezien dat er geen Harvard Stuk te bekennen is. Denk na. Denk na. Ze zouden bij Chaos beginnen. 'Taxi!'

Ik spring er op de hoek van West Broadway uit en ga in de rij staan, achter een groep mensen die hier uit eigen vrije wil heen zijn gekomen. Ik word achter een kliekje schaars geklede meisjes gewuifd, terwijl een groep gefrustreerde jongens met één van de uitsmijters staat te discussiëren.

'Heb je een legitimatie?'

Ik trek mijn tas open en geef de bijna twee meter lange uitsmijter een leeg appelsapkartonnetje, een autootje en Snoetenpoetsers voor ik mijn portefeuille te pakken heb.

'Dat is dan twintig dollar.' Oké. Oké! Ik duw hem twee uur in het Teletubbie-pak in handen en loop een donkere trap op waar misplaatste zwart-witfoto's hangen van naakte vrouwen met trompetlelies. De zware bassen van de housemuziek zijn een aanslag op mijn aura en terwijl ik door de boembadoem word voortgestuwd, herinner ik me beelden van oude tekenfilmpjes waarin de muziek van Tom, kleine Jerry uit zijn luciferdoosbedje dreunt.

Ik begin me door een menigte mensen heen te werken, op zoek naar... waarnaar? Bruin haar, een Harvard-T-shirt? Het publiek is een mengeling van toeristen, NYU-studenten uit Utah en homo's – van het kalende, getrouwde soort dat op Long Island woont – en ze zijn allemaal op de Eigth Street wezen winkelen. Geen aantrekkelijk publiek. Door de stroboscoop lijkt het net alsof ze obscene gebaren maken, alsof het mijn persoonlijke diavoorstelling is – lelijke kop, lelijke kop, lelijke kop.

Ik probeer de dansvloer op te komen, en daar moet ik voor boeten. Het publiek is niet alleen onaantrekkelijk, maar ook nog ongelooflijk ongecoördineerd. Maar enthousiast. Ongecoördineerd en enthousiast, een dodelijke combinatie.

Ik manoeuvreer voorzichtig tussen de uitslaande ledematen door naar de bar aan het andere eind van de zaal en doe daarbij verwoede pogingen in beweging te blijven. Je loopt alleen het risico van 'ongewenste intimiteiten' als je stilstaat of, god verhoede, als je danst, en in dat laatste geval krijg je gegarandeerd binnen een paar seconden een onbekend stel heupen tegen je billen gedrukt.

'Martini, puur, zonder olijf.' Ik heb een opkikkertje nodig om scherp te blijven.

'Martini's? Best sterk spul, hè?' O god, het is die COCKS. Ik dacht dat HS vanavond met zijn *studie*vrienden uitging. 'Is dat lekker? Hou je daarvan?'

'WAT? IK HOOR JE NIET!' mime ik en ik zoek over zijn witte pet heen in de menigte naar HS.

'MARTINI'S! STERK SPUL!!' Juist.

'SORRY, VERSTA ER GEEN WOORD VAN!' Ik zie hem nergens, wat inhoudt dat ik Sterk Spul hier aan Dorrian's moet herinneren.

'STERK!!!' Ja, hoor, grote knul. Je zegt het maar.

'LUISTER, WE HEBBEN ELKAAR IN DORRIAN'S GESPROKEN – IK BEN OP ZOEK NAAR JE VRIEND.'

'JA, DE NAAAANNIEIEH.' Jaja, in hoogsteigen persoon.

'IS HIJ ER OOK?' gil ik.

'DE NAAANNIEIEH.'

'JA, IK ZOEK JE VRIEND! IS... HIJ... HIER?'

'O. JA, HIJ WAS ER MET EEN PAAR *STUDIEVRIENDJES*, VAN DIE KUNSTWATJES. ZE ZIJN NAAR ZO'N IDIOOT KUNSTGALERIE-POËZIE-IETS GEGAAN...'

'THE NEXT THING?' roep ik in zijn oor, in de hoop hem permanent doof te maken.

'JA, DIE BEDOEL IK. STEL OUDE WIJVEN IN ZWARTE COLLETJES DIE VAN DIE GEÏMPORTEERDE KOFFIE DRINKEN...'

'BEDANKT!' En ik ben weg.

Ik sta buiten in de koude lucht en kijk opgelucht hoe de uitsmijter het touw losmaakt. Ik pak mijn portefeuille en inventariseer. Oké, ik haal het wel in tien minuten, dan bespaar ik het geld, maar deze schoenen zijn...

'Hallo!' Ik kijk op en zie... mezelf, in een flanellen pyjama op de bank van Charlene, waar ik samen met George naar een verstandige documentaire zit te kijken. 'Hallo! Mag ik even iets zeggen? Je bent vanmorgen om half zes opgestaan. Heb je vandaag eigenlijk wel een volledige maaltijd achter de kiezen? Wanneer was de laatste keer dat je een glaasje water dronk, en je voeten sterven duizend doden.'

'Nou en?' vraag ik aan mezelf, terwijl ik me hijgend over Spring Street haast.

'Nou, je bent moe, je bent dronken, en als ik het mag zeggen, je ziet er niet zo best uit. Ga naar huis. Zelfs als je hem vindt—'

'Luister, flanel dragende, Chinees etende, zielige bankmadelief, jij zit thuis in je uppie. Ik ken dat alleen thuis zitten, ja? Daar hoef je me niets over te vertellen. Ik kan niet helemaal inademen door die leren broek, en er snoert een stuk kant tussen mijn billen – maar ik verdien dit afspraakje! Dit afspraakje gaat door omdat ik nog steeds schmink achter mijn oren heb. Ik heb het *verdiend*! Stel dat ik hem nooit meer vind. Stel dat hij mij nooit vindt? Natuurlijk wil ik thuis zitten, wil ik op de bank zitten, maar ik wil eerst die vent! Ik kan de rest van mijn leven nog tv kijken!'

'Ja, maar je lijkt me niet al te—'

'Nee, natuurlijk niet! Wie wel midden in de nacht? Daar gaat het niet om! Het moet lukken. Hij moet me in mijn leren broek zien – hij mag niet, maar dan ook echt níet vannacht naar bed gaan met het beeld van mij in een monsterlijk, paars Teletubbie-pak! Geen discussie mogelijk. Welterusten.'

Nog vastberadener loop ik Mercer op en steven op de uitsmijter af – een galerie met een uitsmijter, breek me de bek niet open.

'Sorry, dame. We hebben een besloten feest vanavond.'

'Maar... maar... maar ik...' Ik sta met mijn mond vol tanden.

'Sorry, dame.' En daar kan ik het mee doen.

'Taxi.' Ik biets een sigaret van de chauffeur en blaas uit, terwijl de stad in omgekeerde volgorde aan me voorbij flitst. Eerlijk waar, ik denk dat als ik later op mijn leven terugkijk, mijn jaren voor in de twintig één grote taxirit zullen lijken.

Ik bedoel maar, als je een afspraakje met mij wilt maken, probeer dan eens ergens langer dan vijf minuten te blijven!

Ik tik de as uit het raam. Het is het hele Grabbeltonsyndroom – voor jongens uit New York City is Manhattan een grabbelton. Waarom zou je je vastprikken op één plek als het een eindje verderop nog hipper is? Waarom zou je je vastleggen aan één fotomodel als er elk moment een betere/langere/slankere binnen kan komen?

Dus om te vermijden dat ze een keuze moeten maken, een beslissing moeten nemen, leggen die jongens zich erop toe chaos te creëren. Hun leven wordt geregeerd door de bizarre behoefte dat ene gelukkige toeval na te jagen. Het is altijd 'We zien wel wat er gebeurt.' En in Manhattan kan het best wel eens zijn dat je Kate Moss om vier uur 's morgens tegenkomt.

Dus, als ik hem 'toevallig' drie weekenden achter elkaar tegenkom, dan *zou* ik zijn vriendin kunnen worden. Het probleem is dan dat door hun ontzag voor anarchie de gelukkigen die 'toevallig' een relatie met hen krijgen, gedwongen zijn om de planners te worden – anders gebeurt er 'toevallig' niets. We worden hun moeder, hun reisleider, hun nanny. En daarna varieert het van HS die zich niet de hele avond op één plek kan vastpinnen, tot Mr X die altijd te laat, te vroeg of er helemaal niet is.

Ik neem een hijs van mijn geleende Parliament en denk aan Lion King-kostuums, visnetten, leren broeken en de uren denkwerk die in deze nacht zijn gaan zitten. De taxi stopt op de Ninety-third Street en ik vis het laatste verkreukelde briefje van twintig uit mijn portefeuille. Als de taxi wegrijdt, lijkt de stad opeens heel stil. Ik sta even stil op de stoep – de lucht is bijtend koud, maar dat is lekker. Ik ga op de trap van mijn flatgebouw zitten en kijk naar de zwakke lichtjes van Queens die aan de overkant van de East River naar me knipogen. Ik wou dat ik nog een sigaret had.

Ik loop naar boven, trek mijn broek uit, trap mijn schoenen uit, pak water, een pyjama, George. En op de zesde verdieping van het betonnen stekelvarken dat New York City is, zit Mrs X nog klaarwakker in de fauteuil naast het beige bed te kijken hoe het dekbed bij elke snurk op en neer gaat, terwijl ergens anders Miss Chicago haar visnetten afstroopt en alleen in bed stapt.

Deel twee
Winter

Oooooo, ik hou van Nanny, echt waar... Ze is mijn goedste vriendin.

Eloïse

Vier

Kerstmis voor 10 dollar per uur

Ik draai de sleutel om en leun tegen de zware deur van de familie X, zoals mijn gewoonte is geworden, maar hij gaat maar een paar decimeter open, en dan komt hij vast te zitten.

'Huh,' zeg ik.

'Huh,' zegt Grayer achter me.

'Er staat iets voor de deur,' leg ik uit, en ik steek mijn arm naar binnen om naar de wegversperring te tasten.

'Mááám! De deur gaat niet open!!' Grayer verspilt geen tijd en benadert de situatie op zijn manier.

Ik hoor het schuifelen van de kousenvoeten van Mrs X. 'Ja, Grayer, mama komt eraan. Ik kon alleen niet alle cadeautjes tegelijk bij de deur weghalen.' Ze trekt de deur open is we krijgen haar te zien, kniehoog staand in bergen tassen die in de hal op de vloer liggen – Gucci, Ferragamo, Chanel, Hermès en talloze zilveren doosjes met paars lint, het handelsmerk van kerstcadeautjes van Bergdorf's. Ze heeft de sta-in-de-weg, een groot Tiffany-blauw pakket, onder haar arm en begroet ons. 'Ongelooflijk dat mensen zich in deze tijd van het jaar verloven. Alsof ik nog niet genoeg te doen had, moest ik ook nog helemaal naar Tiffany's rennen om een zilveren dienblad op te halen. Ze zouden in elk geval het fatsoen moeten hebben om tot januari te wachten – dat is maar een maandje wachten, serieus. Grayer, het spijt me dat ik niet naar het feestje kon komen. Maar je hebt het vast heel leuk gehad samen met Nanny!'

Ik zet mijn rugzak in de garderobekast en trek mijn laarzen uit, waarna ik Grayer uit zijn jas help. Heel zorgvuldig beschermt hij de kerstversiering die we de afgelopen drie uur met zijn klasgenoten (en hun nanny's) hebben zitten maken tijdens het kerstfeestje van school. Hij laat zich op de vloer vallen zodat ik zijn natte laarzen kan uittrekken.

'Grayer heeft het meesterwerk gemaakt,' zeg ik. 'Hij kan echt toveren met piepschuim en glitter!' Terwijl ik zijn laarzen op de mat zet, kijk ik naar haar op.

'Het is een sneeuwpop. Hij heet Al. Hij is verkouden, dus hij moet heel veel vitamine C slikken,' beschrijft Grayer de piepschuim Al alsof hij de volgende gast bij David Letterman aankondigt.

'Aha.' Ze knikt en verschuift het pakket van Tiffany's op haar heup.

'Ga jij maar en plekje voor Al zoeken.' Ik help hem overeind en hij schuifelt naar de woonkamer, zijn kunstwerk voor zich uit houdend alsof het een Fabergé-ei is.

Ik sta op, klop mijn kleren af en kijk Mrs X aan, klaar om verslag te doen.

'U had hem vanochtend moeten zien. Hij was helemaal in zijn element! Hij vond de glitter prachtig. En hij nam er echt de tijd voor. Kent u Giselle Rutherford?'

'De dochter van Jacqueline Rutherford? Natuurlijk – o, haar moeder is echt een portret. Toen zij aan de beurt was om iets lekkers mee te nemen, nam ze een kok mee en richtte een complete omeletbar in de muziekhoek in. Nou vraag ik je. Het is de bedoeling dat je iets kant en klaar meeneemt. Vertel eens.'

'Nou, Miss Giselle stond erop dat Grayer zijn sneeuwpop in haar kleuren zou maken – oranje, omdat ze met de kerst naar South Beach gaat.'

'O, wat ordinair.' Haar ogen waren wijdopen.

'Ze trok Al zo uit Grayers handen en het ding kwam midden in haar oranje glitter terecht. Ik dacht dat Grayer woedend zou zijn, maar hij keek me alleen maar aan en zei dat Als oranje spikkels gewoon kruimels waren van alle vitamine C die hij moest slikken tegen zijn verkoudheid!'

'Volgens mij heeft hij gevoel voor kleur.' Ze begint haar tassen te ordenen. 'Hoe gaat het met de tentamens?'

'Ik ben met de laatste bezig en wou dat ik klaar was.'

Ze staat op en buigt haar rug achterover, wat een ontstellend gekraak teweegbrengt. 'Ik weet het, ik ben helemaal op! Het lijkt wel of het elk jaar meer wordt, Mr X heeft zo'n enorm grote familie en zo veel collega's. En het is alweer de zesde. Ik kan niet wachten tot ik op Linford Key zit. Ik ben helemaal op.' Ze pakt haar tassen bij elkaar. 'Tot wanneer heb jij vakantie?'

'Zesentwintig januari,' zeg ik. Nog twee weekjes, en dan heb ik een hele maand vrij van school en van jou.

'Je moet in januari naar Europa gaan. Nu je nog studeert, voordat je de zorgen hebt van het Echte Leven.'

O, dus misschien is mijn Kerstbonus wel genoeg voor een vliegticket naar Europa. Ik vind zes uur in een Teletubbie-kostuum wel een reisje waard.

Ze gaat verder. 'Je moet Parijs zien als het sneeuwt, er gaat niets boven Parijs in de sneeuw.'

'Behalve Grayer, natuurlijk!' We lachen allebei om mijn poging haar warm te maken voor haar eigen kind. De telefoon gaat.

Mrs X grijpt nog een paar tassen en loopt naar haar studeerkamer. 'O, Nanny, de boom staat al. Ga jij maar met Grayer naar de kelder om de versiering te halen.'

'Goed!' roep ik haar na op weg naar de woonkamer. De boom is een prachtige Douglas-spar, die eruitziet alsof hij uit de vloer groeit. Ik doe mijn ogen dicht en snuif even voor ik me omdraai naar Grayer, die een geanimeerd gesprek voert met Al, de eenzame kerstversiering die aan het uiterste puntje van een lage tak bungelt.

'Hé, het lijkt net of die Al van jou eraf wil springen.' Ik steek mijn hand uit naar de uitgebogen paperclip die Al voor een val behoedt.

'NIET DOEN! Hij wil niet dat jij hem aanraakt. Alleen ik,' instrueert hij. Het volgende kwartier wordt besteed aan het verhangen van Al, waarbij ik ervoor zorg dat alléén Grayers handen het werk doen. Ik staar langs de meters dennengroen omhoog en vraag me af of iemand het zou merken als de rest van de kerstversieringen van de familie X dit jaar overgeslagen wordt. Als alles in dit tempo gaat, zijn we pas klaar als Grayer ver in de twintig is.

Ik kijk neer op Grayer, die tegen Al aan het fluisteren is. 'Oké, joh, we gaan naar de kelder, dan halen we de rest van de kerstspullen zodat ze Al gezelschap kunnen houden. Dan kunnen ze hem op andere gedachten brengen als hij weer te ver naar het puntje is gegleden.'

'Naar de kelder?'

'Yep. Kom op.'

'Ik moet mijn spullen halen. Moet mijn helm en riem hebben. Ga jij maar naar de deur, Nanny. Ik kom wel... ik moet een zaklantaarn pakken...' Hij rent naar zijn kamer en ik druk op de knop voor de lift.

Op het moment dat de deur van de lift opengaat, rolt Grayer de hal weer in. 'O jee, Grove! Heb je dat allemaal nodig voor de kelder?' Hij zet een in een sok gestoken voet op de grond om het skateboard voor de liftdeur te laten stoppen. Zijn fietshelm staat een beetje scheef op zijn hoofd en hij heeft een enorme zaklantaarn tussen zijn riem geschoven, samen met een jojo en iets wat eruitziet als een handdoek met monogram uit zijn badkamer.

'Oké, laten we gaan,' zegt hij met absolute autoriteit.

'Ik denk dat we voor deze excursie op zijn minst schoenen aan moeten doen.'

'Neeej, niet nodig.' Voordat ik hem kan tegenhouden, rolt hij naar binnen en schuift de deur achter ons dicht. 'Het is beneden superspannend, man.' De helm knikt verheugd. Grayer is de laatste tijd zijn uitlatingen gaan doorspekken met 'mannen', dank zij Christianson, een jongetje van vier met een opmerkelijk charisma, dat een paar decimeter langer is dan al zijn klasgenootjes. Toen Al in de bewuste oranje glitter was gevallen was het eerste wat zowel Giselle als Grayer zeiden een gelijktijdig 'Hé, man'.

De lift stopt in de hal beneden en Grayer rolt voor me uit. Hij zet zich met zijn ene voet af, terwijl hij met beide handen zijn afgeladen broek ophoudt, zodat die het niet aflegt in de strijd tegen de zwaartekracht. Tegen de tijd dat ik hem inhaal, heeft hij Ramon al gevraagd de weg te wijzen naar de kooilift voor personeel. 'Ah, meneer Grayer. U heeft beneden zeker iets belangrijks te doen, hè?'

Grayer frommelt aan zijn gereedschap en kijkt verstrooid op. 'Yep.'

Ramon glimlacht naar hem en knipoogt samenzweerderig naar mij. 'Hij is heel ernstig, onze meneer Grayer. Heb je al een vriendinnetje, meneer Grayer?' De lift komt in de kelder schokkend tot stilstand, en we lopen een helder verlichte, koude gang in die sterk ruikt naar geurbuideltjes voor de wasdroger. 'Kooi 132 – achterin rechts. Voorzichtig, hè? Niet verdwalen, anders moet ik jullie komen zoeken...' Hij knipoogt weer en veelbetekenend met zijn wenkbrauwen wiebelend trekt hij de deur dicht, mij onder een bungelend peertje achterlatend.

'Grayer?' roep ik de gang in.

'Nanny! Ik sta te wachten. Kom nou!' Ik volg zijn stemgeluid door het doolhof van plafondhoge kooien langs de muur. Sommige zitten voller dan andere, maar overal zie je de geijkte dingen staan: skiuitrusting en uiteenlopende meubelstukken in bubbeltjesplastic. Ik ga de hoek om en zie dat Grover op zijn buik op zijn skateboard ligt, met boven zijn hoofd een bordje met 132 erop. Hij trekt zich met zijn handen aan de kooi vooruit. 'Man, het wordt echt leuk als papa thuiskomt en de boom optuigt. Caitlin begint altijd en papa doet de hoge dingen. En dan drinken we warme chocolademelk in de woonkamer.'

'Klinkt geweldig. Hier, ik heb de sleutel,' zeg ik, en ik hou de sleutel voor zijn neus omhoog. Terwijl ik de kooi opendoe, springt hij op en neer en hij loopt routineus tussen de dozen door. Ik laat hem voorgaan omdat hij dit tochtje duidelijk vaker heeft gemaakt en ik het verschil niet weet tussen een berghok en een magnetron.

Ik ga op het koude beton zitten en leun tegen de kooideur, terwijl ik naar de bergruimte van de familie X kijk. Mijn ouders dagdroomden vroeger wel eens over bergruimte. Dan zaten ze met hun voeten op de kist die barstensvol zat met onze zomerkleren en die dienst deed als salontafel. Soms praatten we over wat we zouden doen als we één kast erbij hadden – zoals een gezin in Wyoming waarschijnlijk zou fantaseren over het winnen van de loterij.

'Weet je hoe het eruitziet, Grove?' roep ik naar de stapels dozen, want ik heb hem al een paar minuten niet gehoord. De stilte wordt verbroken door een hels kabaal. 'Grayer! Wat gebeurt er?' Ik kom overeind als zijn zaklantaarn uit de duisternis naar me toe rolt en bij mijn voeten stil ligt.

'Ik pak alleen mijn spullen, Nanny! Schijn eens op mij, dan pak ik de blauwe doos!' Ik klik de felle lamp aan en richt hem op de kooi, zoals me is opgedragen, en het licht valt op twee vuile sokjes en een kaki achterwerkje dat zich de berg spullen in graaft.

'Weet je zeker dat dat wel kan, Grayer? Misschien moet ik...' Wat, achter hem aan kruipen?

'Ik heb het. Man, er liggen hier achter heel veel spullen. Mijn ski's! Dit zijn mijn ski's, Nanny, voor als we met kindersport gaan'

'Met wintersport?'

'Wintersport. Gevonden! Ik geef het even aan. Klaar? Sta je klaar, Nanny, daar komen ze.' Hij zit helemaal tussen de dozen begraven. Ik hoor gerommel en dan komt er een glazen bal in de het donker op me af vliegen. Ik laat de zaklantaarn vallen en vang hem. Hij is met de hand geblazen en er staat een Steuben-merk op, en er zit een rode haak aan. Voor ik kan opkijken, komt er weer een op me af vliegen.

'GRAYER! STOP!' De zaklantaarn rolt over de vloer en werpt naargeestige schaduwen op Grayers dozen. Ik besef dat ik een loopje met me heb laten nemen. 'Achteruit, meneertje. Je komt nu achteruit. Jij gaat nu de zaklantaarn vasthouden.'

'Neeee.'

'Gráyer!' Het is de stem van de Slechte Heks.

'OKÉ!' Hij kruipt achteruit de berg uit.

Ik geef hem de zaklantaarn. 'Nu doen we het nog een keer, alleen ben ik jou en jij bent mij.'

Als we weer in het appartement zijn, bedenkt Grayer alvast een plan van aanpak, terwijl ik de doos kerstspullen voorzichtig in de hal neerzet.

'Nanny?' hoor ik een klein stemmetje roepen.

'Ja, Grove?' Ik loop achter hem aan de woonkamer in, waar een flamboyante Johnny Cash op een ladder staat en Grayers boom optuigt.

'Geef die doos duiven eens aan,' zegt hij, zonder zich zelfs maar om te draaien om naar ons te kijken. Grayer en ik blijven veilig bij de deur staan en overzien de vloer van de woonkamer, waar her en der duiven, gouden blaadjes, Victoriaanse engeltjes en kralenslingers liggen.

'Kom eraf. Mijn vader doet de hoge dingen.'

'Wacht even, Grayer,' zeg ik, en ik geef de duiven aan de man in het zwart. 'Ik ben zo terug.'

'Jij kan er beter af komen, anders wordt mijn vader boos,' hoor ik Grayer uitdagend zeggen, en ik klop op de deur van de werkkamer van Mrs X.

'Binnen.'

'Hallo, Mrs X. Het spijt me dat ik u stoor...' De anders zo keurig opgeruimde kamer, wordt in beslag genomen door haar cadeautjes en stapels kerstkaarten.

'Nee, geeft niet. Kom binnen. Wat is er?' Ik doe mijn mond open. 'Heb je al kennisgemaakt met Julio? Geweldig, hè? Ik bof zo dat ik hem te pakken kreeg – hij is dé boomexpert Je zou de boom van de Egglestons eens moeten zien – die is adembenemend.'

'Ik...'

'Nu je er toch bent, mag ik je iets vragen? Is een geruite plooirok te afgezaagd voor een Schots kerstfeest? Ik kan maar niet beslissen...'

'Ik...'

'O! Kijk eens! Ik heb zulke schattige twinsets gekocht voor de nichtjes van Mr X. Ik hoop dat het de goede kleur is. Zou jij iets van pastelkleurig kasjmier aandoen?' Ze haalt een tas van Tse te voorschijn. 'Ik kan ze nog ruilen...'

'Ik vroeg me af,' onderbrak ik haar, 'Grayer heeft zich erg verheugd op het optuigen van de boom. Hij zei dat hij het vorig jaar met Caitlin heeft gedaan en ik vroeg me af of ik misschien een klein boompje voor in zijn kamer kon kopen waar hij zelf iets in kan hangen, gewoon voor de lol...'

'Ik vind het echt geen goed idee om in dat deel van het huis overal naalden te hebben liggen.' Ze zoekt naar een oplossing. 'Als hij iets met een boom wil doen, waarom neem je hem dan niet mee naar het Rockefeller Center?'

'Nou... Ja, nee, goed, dat is een goed idee,' zeg ik terwijl ik de deur opendoe.

'Bedankt. Ik heb het ook zo druk.'

In de woonkamer houdt Grayer een zilveren babylepel aan een lintje omhoog en tikt tegen Julio's ladder. 'Hé! En deze? Waar moet deze?' vraagt hij.

Julio kijkt misprijzend naar de lepel. 'Dat past niet bij de andere...' Grayers ogen lopen vol. 'Nou ja, als het moet. Aan de achterkant. Onderin.'

'Grove, ik heb een plan. Pak Al, dan haal ik je jas.'

'Oma, dit is Grayer. Grayer, dit is oma.'

Mijn oma gaat in haar zwarte satijnen pyjama op haar hurken zitten en haar parels tikken tegen elkaar als ze haar hand uitsteekt. 'Leuk je te ontmoeten, Grayer. En deze schat moet Al zijn.' Grayer bloost hevig. 'Nou, gaan we nog kerst vieren, of hoe zit dat? Iedereen die chocolademelk wil naar binnen.'

'Ontzettend bedankt, oma. We waren hard op zoek naar een ding dat we konden optuigen.' Op het moment dat ik Grayers jas uit doe wordt er aangebeld.

'Een ding? Kom toch even.' Ze steekt haar hand over Grayers hoofd uit en doet de deur open. Daar staat een enorme boom met twee armen eromheen. 'Deze kant op!' zegt ze. 'Nou, Grayer,' fluistert ze, 'hou jij je handen voor Als ogen. Het is een verrassing.' We trappen onze laarzen uit en lopen dicht achter hen aan de huiskamer in. Ze doet het fantastisch – ze laat de bezorger de boom midden in de kamer neerzetten. Ze laat hem uit en komt de kamer weer in.

'Oma, je had echt geen...'

'Schat, als je iets doet, dan moet je het goed doen. Grayer, ik zal even voor de special effects zorgen, dan gaan we eens kerstmis vieren.' Grayer houdt zijn handen zorgvuldig over Als ogen en oma zet een cd van Frank Sinatra op. 'Kon Bing niet vinden,' mimet ze. Ze doet het licht uit, steekt overal in de kamer kaarsen aan, zodat er een mooie gloed valt op alle familiefoto's, en Frank kweelt *The Lady is a Tramp*. Het effect is betoverend.

Ze buigt zich naar Grayer toe. 'Nou, als je er klaar voor bent, denk ik dat Al zijn boom maar eens moet bekijken.' We maken geluiden van tromgeroffel en Grayer haalt zijn handen voor Als ogen weg en vraagt hem waar hij eerst wil hangen.

Een uur later hangen wij met z'n tweeën in de kussens onder de groene takken en drinken warme chocolademelk, terwijl Grayer de boom intuïtief optuigt.

'Vertel, hoe gaat het met het HS-verhaal?'

'Ik kan geen hoogte van hem krijgen. Ik wil dat hij anders is dan die gozers, maar eigenlijk zou ik niet weten waarom hij anders zou zijn.. Maar als ik hem nooit meer zie, maakt het allemaal bijzonder weinig uit.'

'Gewoon vaak met de lift gaan, liefje. Je komt hem wel weer tegen. En hoe gaat het met je tentamens?' vraagt ze.

'Nog één en dan ben ik klaar. Het was een gekkenhuis – de X'en hebben de afgelopen twee weken elke avond een kerstparty gehad. Ik kan pas studeren als Grayer in bed ligt, maar dat is waarschijnlijk beter dan me proberen te concentreren met als achtergrondgeluid Charlene die met haar vriendje ligt te...' Ze kijkt me aan. 'Breek me de bek niet open.'

'Je moet niet te veel van jezelf vragen. Dat is het niet waard.'

'Weet ik. Maar het wordt dit jaar een goede bonus – ze heeft het over Parijs gehad.'

'O, làlà, très bien.'

'Nanny, Al wil weten waarom papa de hoge dingen niet doet,' vraagt Grayer stilletjes van achter de boom. Ik kijk haar aan en weet niet goed wat ik moet zeggen.

'Grayer,' – ze glimlacht geruststellend naar me – 'heeft Nan je al verteld wat kerstlallen is?'

Hij komt te voorschijn. 'Wat zei u?' Hij komt dicht bij haar staan en legt zijn hand op haar knie.

'Kerstlallen, schatje. Als je dat doet – maak *jij* het kerstmis! Jij, kleine Grayer, bent het mooiste cadeautje wat je iemand kunt geven. Je klopt gewoon bij iemand op de deur, iemand met wie je het kerstgevoel wilt delen, en als ze opendoen, dan zing je je longen uit je lijf. Kerstlallen – moet je eens proberen!' Hij gaat naast me liggen, en met onze hoofden op één kussen kijken we tussen de takken door omhoog.

'Doe dan eens voor, oma. Zing eens iets,' zegt hij. Ik draai mijn hoofd om en glimlach naar haar. Vanaf de plek waar wij liggen lijkt ze te worden verlicht door een gloed. Omgeven door kaarslicht, leunt ze achterover in haar chaise. Ze begint met Frank mee te zingen over *The Way You Look Tonight*.' Grayer doet zijn ogen dicht en ik sluit haar eens te meer in mijn hart.

***

Een week later zijn we naarstig op zoek naar Mr X. Mrs X en Grayer lopen gretig voor me uit door die gang waar ik hem tijdens het Halloween-feest achterna heb gezeten. In plaats van nep-spinnenwebben hangen er nu kersttakken en twinkelende, gekleurde kerstboomlichtjes.

Mrs X duwt de zware deur van het kantoor van Mr X open.

'Schat, kom binnen.' Hij staat op en is een silhouet tegen de achtergrond van de ondergaande zon, die de kamer in stroomt door de volledig glazen wand achter zijn bureau. Ik word onmiddellijk getroffen door zijn vermogen in deze kamer een ontspannen soort kracht uit te stralen, zowel in het zonlicht als in het donker. Hij kijkt door me heen naar waar Grayer staat: 'Ha, jochie.'

Grayer probeert de tas met kerstcadeautjes af te geven die we hebben gekocht voor het goede doel dat het bedrijf van zijn vader steunt, maar Mr X heeft de telefoon al weer opgenomen.

Ik pak de cadeautjes en buig me over Grayer heen om zijn montycoat open te doen.

'Justine zei net iets over koekjes in de vergaderzaal. Ga jij daar maar met Grayer heen. Ik moet dit telefoontje even afwerken en dan kom ik naar jullie toe,' instrueert Mr X met zijn hand over de microfoon. Mrs X laat haar mink op de bank vallen en we lopen de kamer uit in de richting van het geluid van kerstliedjes die achter de deuren aan het einde van de gang klinken.

Mrs X is net een suikertaart in haar groene Moschino-pakje met rode hulstboordjes en mistletoeknopen. Om het compleet te maken zijn de hakken van haar schoenen minikerstballen met een rendier in de ene en de kerstman in de andere. Ik ben blij dat ik niet ben aangekleed als een sneeuwpop en draag trots mijn kerstboomspeld.

Met een gulle glimlach duwt ze de deur van de vergaderzaal open. Achterin zit een klein groepje vrouwen, van wie ik aanneem dat het secretaresses zijn, die een blik koekjes opendoen en een video van Knabbel en Babbel op hebben staan.

'O, sorry. Ik ben op zoek naar het kerstfeestje,' zegt Mrs X, die aan het hoofd van de tafel abrupt stilstaat.

'Wilt u misschien een koekje? Ik heb ze zelf gemaakt,' roept een opgewekt uitziende, robuuste vrouw met oorbellen van kerstlichtjes terug.

'O.' Mrs X kijkt verward.

De deur zwaait weer open en zoeft rakelings langs Grayer en mij. Ik haal diep adem als Miss Chicago naar binnen loopt om zich bij het groepje te voegen. Ze manoeuvreert om ons heen om bij Mrs X te komen. Haar strakke pakje laat weinig meer aan de verbeelding over dan haar Halloween-kostuum.

'Ik hoorde dat jullie hier koekjes hadden,' zegt ze, en op dat moment komt er een stevig gebouwde brunette achter haar de kamer binnen stuiven, die ons allemaal naar voren tegen de tafel duwt.

'Mrs X,' zegt de brunette een beetje buiten adem.

'Vrolijk kerstfeest, Justine,' begroet Mrs X haar.

'Hallo, vrolijk kerstfeest, komt u met me mee naar de keuken, dan drinken we een kopje koffie.'

'Doe niet zo raar, Justine.' Miss Chicago glimlacht. 'We hebben hier ook koffie.' Ze loopt naar de metalen kan en pakt een piepschuim bekertje. 'Ga jij eens kijken waarom hij zo lang met die cijfers bezig is.'

'Wilt u echt niet met me mee komen, Mrs X?'

'Justine.' Miss Chicago trekt een wenkbrauw op en Justine loopt langzaam achteruit door de deur naar buiten.

'Zijn we te vroeg?' vraagt Mrs X.

'Te vroeg waarvoor?' vraagt Miss Chicago, terwijl ze twee bekertjes koffie inschenkt.

'Voor het familiekerstfeest.'

'Dat is volgende week – dat hij u dat niet heeft verteld? Stoute jongen!' Ze lacht en geeft de koffie aan. Grayer wurmt zich langs de blote knieën van Miss Chicago en loopt stoer naar het andere eind van de tafel om de secretaresses een koekje te ontfutselen.

Mrs X stamelt: 'Nou, eh, mijn man zal de data wel door elkaar hebben gehaald.'

'Mannen,' snuift Miss Chicago.

Mrs X neemt het piepschuim bekertje in haar linkerhand. 'Neem me niet kwalijk, kennen wij elkaar?'

'Lisa. Lisa Chenowith,' zegt Miss Chicago glimlachend. 'Ik ben de General Manager van het filiaal Chicago.'

'O,' zegt Mrs X. 'Leuk je eens te spreken.'

'Het spijt me dat ik niet naar uw dineetje kon komen – ik heb gehoord dat het een succes was. Helaas stond die slavendrijver van een man van u erop dat ik à la minute naar Illinois vloog.' Ze houdt haar hoofd schuin en glimlacht stralend, als een kat die net de kanarie heeft verorberd. 'De geschenkzakjes waren schattig. Iedereen vindt de pen geweldig.'

'O, mooi.' Mrs X brengt haar hand beschermend naar haar jukbeen. 'Werk je met mijn man?' Op dat moment besluit ik er mijn persoonlijke missie van te maken om samen met Grayer het mooiste rendierkoekje uit te kiezen.

'Ik sta aan het hoofd van het team dat aan de fusie in het Midden-Westen werkt. Vreselijk hè? Nou, daar zult u ook wel alles van weten.'

'Ja,' zegt Mrs X, maar haar stem schiet omhoog, wat haar onzekerheid verraadt.

'Het kostte zo veel moeite om ze op acht procent te krijgen. Daar zult u wel een paar nachten van hebben wakker gelegen,' zegt ze, en ze schudt haar kastanjebruine haar vol medeleven. 'Maar ik heb tegen hem gezegd dat als we de verkoopdatum verschuiven en we hun de liquidatiekosten besparen, dat ze dan voor de bijl zouden gaan – en dat deden ze ook. Meteen.'

Mrs X staat kaarsrecht en klemt haar hand strak om het piepschuim bekertje. 'Ja, hij heeft heel hard gewerkt.'

Miss Chicago beent naar het andere eind van de tafel. Haar pumps van krokodillenleer stappen geruisloos over de hoogpolige vloerbedekking. 'En jij bent Grayer. Weet je nog wie ik ben?' Ze bukt om met hem te praten.

Grayer weet het weer. 'Jij hebt geen broek aan.' O, lieve god.

Precies op dat moment gaat de deur open en komt Mr X met ferme stappen de kamer in. Zijn brede postuur vult bijna de hele deuropening. 'Ed Strauss hangt aan de telefoon – hij wil het contract nog eens doornemen,' roept hij over de tafel naar Miss Chicago.

'Prima,' zegt ze glimlachend, en ze loopt langzaam door de kamer langs Mrs X. 'Vrolijk kerstfeest, iedereen.' Als ze bij Mr X staat voegt ze eraan toe: 'Het was erg leuk je gezin eens te zien.'

Hij klemt zijn kaken op elkaar en doet snel de deur achter hen dicht.

'Wacht even, papa!' Grayer probeert achter hem aan te lopen, maar de Knabbel-beker met druivensap glipt uit zijn hand en het sap kleurt zijn bloes en de beige vloerbedekking donkerrood. Opgelucht richten we ons allemaal op het geknoeide sap en grijpen naar papieren servetjes en mineraalwater. Grayer staat jammerend temidden van de gemanicuurde handen die zijn kleren droogdeppen.

'Nanny, ik zou het fijn vinden als je hem beter in de gaten hield. Zorg dat hij er weer een beetje uitziet – ik wacht in de auto op jullie,' zegt Mrs X, en ze zet haar onaangeroerde koffie op tafel, als Sneeuwwitje die de appel neerlegt. Als ze weer opkijkt heeft ze een stralende glimlach naar de secretaresses opgeplakt. 'Tot volgende week dan!'

***

De volgende middag zegt Grayer na het middageten wat we gaan doen, terwijl hij van zijn kinderstoel af klimt.

'Kerstlallen.'

'Wat?'

'Ik wil kerstlallen. Ik ga zelf Kerst maken. Ik klop op de deur, jij doet hem open en dan lal ik mijn longen uit mijn lijf.' Ik ben verbijsterd dat hij dat heeft onthouden van ons bezoekje aan oma, maar zij weet zich altijd snel in het geheugen van mensen te nestelen.

'Oké, achter welke deur moet ik gaan staan?' vraag ik.

'Mijn badkamer,' zegt hij over zijn schouder, en hij loopt vastberaden naar zijn deel van het appartement. Ik loop achter hem aan en neem gehoorzaam plaats in zijn badkamer. Een paar tellen later hoor ik zijn klopje.

'Ja, wie is daar?' vraag ik.

'Nanny, jij moet gewoon de deur opendoen! Niet praten, gewoon opendoen!'

'Goed. Ik sta klaar.' Ik ga op het deksel van het toilet zitten en kijk of ik nog gespleten haarpunten heb, omdat ik het voorgevoel heb dat dit spelletje wel eens een lange aanloop kan hebben.

Weer een klopje. Ik buig me voorover en duw de deur zachtjes open, waarbij ik hem bijna omver duw.

'Dat is gemeen, Nanny! Jij probeert me omver te duwen! Dat is niet leuk. Nog een keer.'

Elf klopjes later doe ik het eindelijk goed en word ik beloond met een gillend harde uitvoering van 'Happy Birthday' die de ramen doet trillen.

'Grover, probeer eens een dansje te doen terwijl je lalt,' zeg ik als hij uitgezongen is. 'Zodat de mensen echt opkijken.' Ik hoop dat hij wat zachter zingt als hij wat energie nodig heeft om in beweging te blijven.

'Lallen is geen dansen, het is je longen uit je lijf zingen.' Hij zet zijn handen op zijn heupen. 'Doe de deur dicht, dan klop ik op de deur,' zegt hij alsof dit de eerste keer is dat hij dit voorstelt. We spelen een half uur lang kerstlallen, en dan herinner ik me dat Connie, de huishoudster er ook is, en ik stuur Grayer op haar af. Ik hoor hem aan het andere eind van het appartement *Happy Birthday* boven de loeiende stofzuiger uit brullen en na vijf keer ga ik mijn oogappel halen.

'Wil je met de autootjes spelen?'

'Nee. Ik wil kerstlallen. Laten we weer naar mijn badkamer gaan.'

'Alleen als je er ook bij danst.'

'O, man. Er hoort geen dans bij het kerstlallen!'

'Kom op, meneertje. We gaan oma bellen.'

Na een kort telefoontje danst en zingt Grayer niet alleen *Rudolph, the Rednosed Reindeer*' wat oneindig veel minder pijn aan mijn oren doet, maar heb ik ook een briljante ingeving gekregen.

Terwijl ik een laatste blik werp op Grayers outfit (groen-rood gestreept colletje, vilten rendier gewei, gestreepte bretels erbij) om te zien of dit wel een ultra-kerstlaluitrusting is, komt Mrs X binnen stormen met in haar kielzog Ramon, die bijna bezwijkt onder een berg dozen.

Ze heeft blozende wangen. 'O, het is een beestenboel daar, een dierentuin! Ik raakte bijna slaags met een vrouw in Hammacher Schlemmer – zet ze daar maar neer, Ramon – om de laatste kurkentrekker, maar ik heb haar de eer gegund. Ik dacht, het heeft geen zin me tot haar niveau te verlagen. Volgens mij kwam ze van buiten de stad. O, ik heb bij Gucci toch enige portemonnees gevonden. Weet Cleveland wat Gucci is? Ik vraag het me af – dank je, Ramon. O, ik hoop dat ze ze leuk vinden – Grayer, wat heb je gedaan vanmiddag?'

'Niets,' zegt hij, terwijl hij bij de paraplubak zijn rendierdansje oefent.

'Voor het middageten hebben we ongezoete koekjes gebakken en ze versierd, en daarna hebben we kerstliedjes geoefend, en ik lees hem *De avond voor Kerstmis* voor in het Frans,' zeg ik, in een poging zijn geheugen op te frissen.

'O, geweldig. Ik wou dat iemand mij eens voorlas.' Ze doet haar mink uit en geeft hem bijna aan Ramon. 'O, dat was het dan, Ramon, dank je.' Ze klapt in haar handen. 'En wat gaan jullie nu doen?'

'Ik wilde Grayer zijn kerstliedjes laten zingen...'

'LALLEN!'

'...voor oudere bewoners hier in het gebouw. Die vinden een beetje kerstsfeer vast wel leuk!'

Mrs X straalt. 'O, prima idee! Wat ben je toch een lieve jongen en dat houdt hem weer een poosje b-e-z-i-g. Ik heb zó veel te doen! Veel plezier!'

Ik laat Grayer op de knop van de lift drukken. 'Welke verdieping, Nanny?'

'Laten we beginnen met je vriend op de elfde.'

We moeten drie keer bellen voor we binnen 'Kom eraan!' horen. Zodra de deur opengaat, wordt het duidelijk dat de anderhalf uur 'oefenen' ruimschoots de moeite waard zijn geweest. HS leunt in een verschoten kerstboxershort en een versleten Andover-T-shirt tegen de deurpost en wrijft de slaap uit zijn ogen.

'*RUDOLPH, THE REDNOSED RAINDEER...*' Grayer loopt rood aan, wiegt heen en weer, met zijn handen uitgespreid en zijn gewei wuivend op zijn hoofd. Heel even schiet het door me heen dan hij misschien echt zijn longen uit zijn lijf zingt.

'HAD A VERY SHINY NOSE!!!' Zijn stem galmt door de hele hal, weerkaatst tegen alle oppervlakken zodat het klinkt alsof hij een koor van fanatieke kerstlallers is. Een lalconcert. Als het erop lijkt dat hij aan het slot is gekomen, buigt HS zich voorover en doet hij zijn mond open.

'YOU GO DOWN IN HISTORY!!' Deze beweging gaat dieper dan bedoeld, zodat hij de volle lading spuug en zweet van Grayers inspanningen over zich heen krijgt, wat nog wordt gevolgd door een nog hardere toegift.

'Nou, ook goedemorgen, Grayer!'

Grayer zijgt op de grond neer en hijgt om op adem te komen. Ik glimlach onschuldig. Vergis je niet, ik ben een vrouw met een missie. Ik sta hier om een afspraakje in de wacht te slepen. Een echt afspraakje met een tijd en een plaats en alles.

'We zijn kerstliedjes aan het zingen...' begin ik.

'Lallen,' piept een boos stemmetje op de grond.

'Voor de mensen in het gebouw.'

'Krijg ik nu een koekje?' Grayer gaat zitten, klaar om te worden beloond voor zijn inspanningen.

HS draait zich om en loopt zijn appartement binnen. 'Tuurlijk. Kom binnen. Let maar niet op mijn pyjama.' Het is dat je het zegt. We lopen achter zijn in boxershort gehulde lijf aan naar wat eigenlijk het appartement van de familie X is, maar dan twee verdiepingen hoger. Geen mens zou vermoeden dat we in hetzelfde gebouw waren. De muren in de hal zijn steenrood geverfd en behangen met zwart-witfoto's zoals die in *National Geographic* staan, met daartussen kelimkleden. Er staan sportschoenen op de grond en er ligt hondenhaar op de vloerbedekking. We lopen naar de keuken, waar we bijna over een enorme, grijzende golden retriever struikelen die er ligt uitgestrekt.

'Grayer, je kent Max wel, hè?' Grayer gaat op zijn hurken zitten en aait voor zijn doen ongewoon zachtzinnig over Max' oren. Bij wijze van reactie bonkt de staart van Max verheugd tegen de tegels. Ik kijk om me heen; in plaats van het grote eiland dat Mrs X in de kamer heeft staan, staat er een grote tafel uit een studentenrefectorium, waar stapels kranten op liggen.

'Koekjes? Wil er iemand koekjes?' vraagt HS, zwaaiend met een blik kerstkoekjes die hij uit een wankele berg kerstlekkernijen op het aanrecht trekt. Grayer rent naar hem toe om zijn beloning te halen en ik dwing mezelf om me op hem te concentreren. 'Eén is genoeg. Grover.'

'Jeetje, man.'

'Wil je er een glaasje melk bij?' Hij loopt naar de koelkast en komt met een vol glas terug.

'Bedankt zeg,' zeg ik. 'Hé, Grayer, wil je nog iets tegen onze gastheer zeggen?'

'Dankjewel' mompelt hij met zijn mond vol koek.

'Nee, man, jij bedankt! Dit is wel het minste wat ik kan doen als dank voor zo'n geweldig optreden.' Hij glimlacht naar mij. 'Ik kan me de laatste keer niet herinneren dat iemand voor me zong als ik niet jarig was.'

'Dat ken ik ook! Ik kan *Happy Birthday* voor je zingen.' Hij zet zijn glas neer en brengt als voorbereiding zijn handen in swingpositie.

'Hoho! We hebben onze portie lallen wel gehad...' Ik steek mijn hand op om een volgende zangronde af te weren.

'Grayer, ik ben vandaag niet jarig. Maar ik beloof dat ik het zal zeggen als ik jarig ben.' Teamwork, daar hou ik van.

'Oké, we gaan, Nanny. Moet kerstlallen. Zullen we nu gaan?' Grayer geeft HS zijn lege glas, veegt met een handschoen over zijn lippen en loopt op de deur af.

Ik sta op, maar wil eigenlijk nog niet weg. 'Sorry dat ik het die avond niet haalde; dat feestje duurde erg lang.'

'Geeft niet, je hebt niets gemist. The Next Thing had een besloten avond, dus we hebben gewoon pizza zitten eten bij Ruby's.'

Je bedoelt die Ruby's die bij mij thuis om de hoek zit. Wat een ironie. 'Hoe lang ben je nog thuis?' vraag ik zonder met mijn ogen te knipperen.

'NAN-NY, de lift is er al!'

'Nog een week en dan gaan we naar Afrika.'

De deur van de lift staat open en ik voel mijn hart bonken. 'Nou, ik ben in de buurt, als je dit weekend zin hebt om iets leuks te doen,' zeg ik terwijl ik naast Grayer in de lift ga staan.

'Ja, leuk,' zegt hij vanuit zijn deuropening.

'Leuk,' knik ik. En de deur van de lift rolt dicht.

'LEUK!' zingt Grayer bij wijze van warming-up voor ons volgende optreden.

***

Ik wil niet zo ver gaan mijn telefoonnummer op een briefje te schrijven en het onder zijn deur door te schuiven. Ik loop 721 Park Avenue uit in de wetenschap dat ik geen schijn van kans heb HS nog te zien voordat hij naar Afrika vertrekt. Grrr.

Die avond vraag ik Sarah, die met de Kerst thuis is, mee naar een kerstfeestje in de stad bij twee jongens van mijn jaar. Het hele appartement is feestelijk versierd met kerstlichtjes in de vorm van jalapeño-pepers, en in de woonkamer heeft iemand een enorme, uitgeknipte penis op de poster van de kerstman geplakt. In nog geen vijf minuten weten we dat we geen light-bier uit de badkuip willen drinken, geen trek hebben in popcorn uit een kartonnen bakje en het vriendelijke aanbod van de jongens van het huis om een snel nummertje orale sex te doen liever afslaan.

Op de trap komen we Josh tegen.

'Niet leuk?'

'Nou, zegt Sarah, 'ik vind strippoker best leuk, maar...'

'Sarah!' roept Josh, die haar omhelst. 'Waar gaan we heen?'

Een paar uur later geef ik Sarah in een hoekzitje van The Next Thing een van Martini doortrokken verslag van het kerstlalverhaal, terwijl Josh aan de bar een of andere modeontwerper probeert te versieren. 'En *toen*... gaf hij hem een koekje! Dat heeft toch wel iets te betekenen?' We vlooien alle subtiele nuances van de hele, vijf minuten durende interactie uit, tot we alle mogelijke betekenislagen die er geweest kunnen zijn eruit hebben gewrongen. 'Dus toen zei hij: "Leuk" en ik zei: "Leuk".'

***

Zaterdagochtend word ik wakker met mijn schoenen nog aan, een houten kop en maar één dag om cadeautjes te kopen voor mijn hele familie, de familie X en de vele vriendjes en vriendinnetjes voor wie ik in de loop der jaren heb gezorgd. De meisjes van Gleason hebben me al twee glitterpennen gestuurd en een steen met mijn naam erop geschilderd – ik moet in actie komen.

Ik schrok toast met tomatensaus naar binnen, drink een liter water, sla op de hoek een dubbele espresso achterover en, tadá, ik ben helemaal in hogere kerstsferen.

Een uur later kom ik honderdvijftig dollar lichter Barnes and Noble Junior uit, wat me noopt tot een rekensommetje terwijl ik over park Avenue loop. Laat Parijs maar zitten, ik heb die stomme bonus alleen al nodig om Kerst te betalen.

Ik loop over Madison Avenue naar Bergdorf's om een Rigaud-kaars voor Mrs X te kopen. Het is misschien een klein cadeautje, maar ze zal in elk geval wel weten dat het niet goedkoop was. In de rij voor het o-zo-belangrijke zilveren inpakpapiertje probeer ik te bedenken wat je voor een jochie van vier koopt dat alles al heeft. Waar zou hij echt heel blij mee zijn, afgezien van zijn vader die komt opdagen om de hoge dingen te doen? Nou... een bedlampje, omdat hij bang is in het donker. En misschien een buskaarthoudertje waar dat visitekaartje van hem in kan voor het tot stof vergaat.

Ik sta op de hoek van de Fifty-eigth en Fifth, dus het meest logische wat ik kan doen is de straat oversteken naar de enorme Sesamstraat-afdeling van FAO Schwarz om een Grover-lampje voor hem te zoeken, maar dat kan niet, het kan niet, kan echt niet.

Ik bedenk wat sneller is, een metro nemen naar Toys R Us in Queens of me in de heksenketel ter grootte van een voetbalveld begeven die honderd meter verderop ligt. Tegen beter weten in sleep ik mezelf de Fifth over om met de voltallige bevolking van Nebraska een half uur in de kou in de rij te gaan staan voor ik door een lange speelgoedsoldaat door de draaideur word geleid.

'Welkom in speelgoedland, welkom in speelgoedland, welkom in speelgoedland,' schalt onophoudelijk uit verborgen luidsprekers, waardoor het lijkt alsof de hoge kinderstemmen in mijn hoofd klinken. Maar toch overstemt het de gekwelde kreten 'Maar ik wil het hébben!! Ik moet het hébben!!' niet, die eveneens door de winkel schallen. En dit is nog maar de afdeling dierenknuffels.

Boven heerst complete chaos: kinderen schieten met laserpistolen, gooien met slijm, sportartikelen en broertjes en zusjes. Om me heen zie ik ouders die net als ik denken: 'Laten we dit zo snel mogelijk afwerken'. En winkelpersoneel dat de tijd tot de lunchpauze zonder ernstig letsel probeert door te komen. Ik wurm me verder naar de Sesamstraat, waar een meisje van ongeveer drie zich op de grond heeft geworpen en huilt om de onrechtvaardigheid in de wereld.

'Misschien krijg je er een van de kerstman, Sally.'

'Neeeheeeheeeheee!!!' loeit ze.

'Kan ik u helpen?' vraagt een verkoopster met een rode sweater en een opgeplakte glimlach.

'Ik zoek een Grover-lampje.'

'O, volgens mij is Grover uitverkocht.' Na een half uur in de rij staan heb jij echt nog wel een Grover. 'Laten we eens kijken.' Ja, laten we dat eens doen.

We lopen naar de afdeling bedlampjes waar we tegen een hele muur Grovers aan lopen. 'Ja, sorry, die vlogen eruit,' zegt ze, met haar hoofd schuddend, en ze begint alweer weg te lopen.

'Ja, deze zoek ik,' zeg ik, en ik hou hem omhoog.

'O, is het dat blauwe mannetje?' Jaja, het is het blauwe mannetje. (Nog één zo'n onbenulligheid en ik ga gillen! Niemand bij Barnes and Noble Junior had ook maar gehoord van *Lyle, Lyle, Crocodile.* Kom op zeg, je werkt toch in een kinderboekwinkel? Ik vraag toch niet om *Hustler*?)

Ik ga in de rij staan voor de inpakbalie en maak van de gelegenheid gebruik om temidden van de hartverscheurend snikkende kinderen mijn oefeningen transcendente meditatie te doen.

***

Op maandagochtend steekt Mrs X haar hoofd om de hoek terwijl ik fruit sta te snijden. 'Nanny, ik wil dat je even iets voor me gaat halen. Ik ben bij Saks geweest om cadeautjes voor onze hulp te halen en ik ben zo suf geweest de bonuscheques te vergeten. Dus ik heb de handtassen laten wegzetten en ik wil dat jij ervoor zorgt dat alle cheques in de goede tassen komen. Ik heb het allemaal opgeschreven, en alle namen staan op de buitenkant van de enveloppen. Justine krijgt een Gucci-schoudertas, Mrs Butters krijgt een Coach boodschappentas, de huishoudster krijgt de LeSportsac en de Hervé Chapeliers zijn voor de pianolerares en de docente Frans. Zorg ervoor dat ze alles inpakken en neem maar een taxi terug.'

'Geen probleem,' zeg ik, verheugd speculerend welke plaats ik inneem tussen de Gucci en de LeSportsac.

***

Dinsdagmiddag komt Allison bij Grayer spelen. Het is een schattig Chinees meisje uit zijn klas die tegen iedereen die het wil weten trots zegt: 'Ik heb twee papa's!'

'Hallo, Nanny,' zegt ze altijd met een buiginkje. 'Hoe gaat het op school. Mooie schoenen.' Ik smelt helemaal.

Net als ik de bekers van de warme carobdrank sta om te spoelen, gaat de telefoon. 'Hallo?' zeg ik, terwijl ik de theedoek netjes aan de ovendeur hang.

'Nanny?' hoor ik iemand zachtjes fluisteren.

'Ja,' fluister ik terug, omdat je nu eenmaal zo reageert.

'Met Justine van het kantoor van Mr X. Ik ben zo blij dat ik je te pakken krijg. Wil je me een plezier doen?'

'Tuurlijk,' fluister ik.

'Mr X heeft me gevraagd om wat dingen voor Mrs X op te halen, en ik weet haar maat niet en wat voor merk ze mooi vindt, of wat voor kleur.' Ze klinkt werkelijk paniekerig.

'Ik weet het niet,' zeg ik, en verrast constateer ik dat ik haar maten niet uit mijn hoofd weet. 'Wacht even, blijf hangen.' Ik neem in de ouderslaapkamer de hoorn van de haak.

'Justine?'

'Ja?' fluistert ze. Zit ze onder haar bureau? In het damestoilet?

'Luister, ik loop haar kast in.' Haar 'kast' is meer een grote, chocoladebruine kleedkamer, compleet met een lange, fluwelen bank. Mrs X is zo paranoïde dat ik zeker weet dat zij ervan overtuigd is dat ik hier niet alleen elke dag rondneus, maar dat ik haar ondergoed nu aanheb. Het tegendeel is waar, het zweet staat op mijn voorhoofd en ik overweeg Justine in de wacht te zetten, zodat ik Mrs X kan bellen om zeker te weten dat ze echt een heel eind weg zit.

Toch begin ik voorzichtig haar spullen door te kijken en beantwoord Justines vragen. 'Maat zesendertig... Herrera, Yves Saint Laurent... Schoenmaat achtendertig, Ferragamo, Chanel... Ze heeft tassen van Hermès – geen zakjes aan de buitenkant en ze heeft een hekel aan ritsen... Weet ik niet. Misschien parels? Ze houdt van parels.' Enzovoort.

'Je hebt mijn leven gered,' barst ze uit. 'O, nog iets. Doet Grayer aan scheikunde?'

'Scheikunde?'

'Ja, Mr X zei dat ik een scheikundesetje voor hem moest kopen en Gucci-sandalen.'

'Juist.' We moeten allebei lachen. '*The Lion King*,' zeg ik. 'Hij vindt alles wat met *The Lion King*, *Aladdin*, en *Winnie de Poeh* te maken heeft prachtig. Hij is vier jaar.'

'Nogmaals bedankt, Nanny. Vrolijk kerstfeest!' Ik zet de telefoon uit en kijk voor de laatste keer rond naar de stapels kasjmier truitjes, die stuk voor stuk in folie zijn gewikkeld en in een apart doorkijklaatje liggen, naar de muur van schoenen, allemaal met een satijnen schoenspanner erin, de rekken herfst-, winter- en lentepakjes, gerangschikt van licht naar donker, van links naar rechts. Op goed geluk trek ik een la open. Elk slipje, elke beha en elk paar sokken zit in een eigen zakje met rits, waarop een etiket zit met: 'beha, Hanro, wit,' 'kousen, Fogal, zwart'.

Er wordt aangebeld en ik maak een sprong van een meter hoog, waarna ik opgelucht hijgend hoor dat Grayer de deur opendoet voor Henry, de vader van Allison. Ik schuif de la dicht en loop rustig naar de hal, waar Henry nadenkend staat te kijken naar Grayer en Allison, die elkaar met hun sjaal lopen te meppen.

'Oké, Ally, ik moet met het eten beginnen. Jas aan.' Eindelijk heeft hij haar te pakken en houdt hij haar tussen zijn knieën vast om haar sjaal om te doen.

Ik geef haar wollen jasje aan en Henry doet haar muts op en duwt haar naar de lift.

'Zeg Allison gedag, Grayer.' Ik geef hem een duwtje en hij wappert fanatiek met twee handen.

'Dag Grayer. Bedankt voor de leuke middag! *Au revoir*, Nanny!' roept ze als de liftdeur opengaat.

'Bedankt, Nan,' zegt Henry. Hij draait zich om, zodat een van Allisons laarzen tegen een ander lid van de familie X aankomt.

'O!' Mrs X schrikt.

'Het spijt me,' zegt Henry, terwijl Allison haar gezicht in zijn hals duwt.

'Nee, het geeft niet. Hebben jullie een leuke middag gehad?'

'Ja!' roepen Grayer en Allison.

'Nou,' zegt Henry, 'Ik kan maar beter naar huis gaan en met het eten beginnen. Richard komt straks thuis en ik moet de boom nog optuigen.'

'Is je nanny vandaag vrij?'

'O, we hebben geen nanny...'

'Hebben jullie twéé papa's om de hoge dingen te doen?' valt Grayer hem in de rede.

'Lieve hemel,' zegt Mrs X snel, 'hoe spelen jullie het klaar?'

'Nou ja, ze zijn maar één keer klein.'

'Ja.' Ze kijkt lichtelijk gekweld. 'Grayer, zeg dag tegen Allison!'

'Heb ik al gedaan, mama. Je bent te laat.'

De deur rolt dicht.

***

Veel later die avond neem ik half slapend de lift naar beneden, fantaseer over een wandeling langs de Seine en neurie *La Vie en Rose*. Het is tien voor half één precies. Nog vierentwintig uur en dan heb ik vrij en een dikke envelop in mijn zak.

'Avond, James,' zeg ik tegen de portier, die net de deur opendoet voor HS, die rozige wangen heeft en een zak van Food Emporium draagt.

'Hé, hallo. Kom je net van je werk?' vraagt hij met een glimlach.

'Yep.' Laat me alsjeblieft geen stukje gestoomde biet tussen mijn tanden hebben.

'Dat was een prima optreden. Leer jij het hem?'

'Onder de indruk?' vraag ik voorzichtig, met mijn bovenlip over mijn tanden.

Genoeg gekletst, *wanneer gaan we uit?*

'Luister,' zegt hij, en hij trekt zijn sjaal los, 'heb je nog plannen voor vanavond, want ik moet heel even naar boven. Mijn moeder is allerlei kerstdingen aan het bakken en de vanillesuiker was op.'

O. Nu?

Oké. Nu is prima.

'Ja, leuk.' Terwijl de teller van de lift van één naar negen en weer terug springt, ren ik naar de spiegel met gefaceteerde rand en pulk als een idioot tussen mijn tanden. Ik hoop dat ik niet saai ben. Ik hoop dat hij niet saai is. Ik probeer me te herinneren of ik me vanochtend heb geschoren. Bah, wat zou het een afgang zijn als hij saai is. En probeer eens niet met hem naar bed te gaan. Vannacht. Ik doe een vleugje lipgloss op mijn lippen terwijl de lift de 'B' nadert.

'Hé, heb je al gegeten?' vraagt hij als James de deur voor ons openhoudt.

'Avond, James,' roep ik over mijn schouder. 'Dat hangt ervan af wat je met eten bedoelt. Als je een handvol Goldfish en een paar droge tortellini's een maaltijd noemt, dan heb ik gegeten en gedronken.'

'Waar heb je zin in?'

'Nou...' Ik denk even na. 'Het enige waar je nu nog kunt eten zijn koffiebars en pizzeria's. Kies maar uit.'

'Pizza klinkt prima. Wat vind jij?'

'Alles wat niet in dit gebouw is, klinkt geweldig.'

'Hier, ga maar op mijn jack zitten,' zegt hij, en hij doet de lege pizzadoos dicht. De trap van het Metropolitan is koud en de kou begint door mijn spijkerbroek heen te trekken.

'Dank je.' Ik stop zijn blauwe fleece onder me en kijk de Fifth Avenue af naar de twinkelende kerstlichtjes van het Stanhope Hotel. HS trekt de beker Ben & Jerry's chocolade/karamel/marshmallowijs uit een bruine papieren zak.

'En hoe is het om op de negende verdieping te werken?'

'Vermoeiend en bizar.' Ik kijk hem aan. 'De sfeer in dat appartement is zo warm als een vleeskoelhuis en Grayer heeft een eenzame piepschuim sneeuwpop in zijn kast hangen omdat hij hem van zijn moeder nergens anders mag hangen.'

'Ja, ze komt altijd een beetje gespannen op me over.'

'Je moest eens weten, en nu vlak voor de kerstdagen is het net alsof ik voor een drilsergeant met ADHD werk...'

'Kom op, zo erg kan het niet zijn.' Hij geeft me een duwtje met zijn knieën.

'Wat bedoel je?'

'Ik heb in mijn gebouw opgepast. Je eet wat met de kids en je doet eens een spelletje...'

'O, nee. Dat is absoluut niet wat ik doe. Ik breng meer tijd met dit kind door dan *wie dan ook*.' Ik schuif op de trede een stukje van hem vandaan.

'En in het weekend?'

'Ze hebben iemand in Connecticut. Tijdens de rit daarheen en terug zijn ze alleen met hem – en dat doen ze 's nachts zodat hij dan slaapt! Ze brengen geen tijd samen door. Ik dacht dat ze misschien aan vakantie toe waren, maar blijkbaar niet. Mrs X viert kerstmis in haar eentje, bij Barny's, dus ze stuurt ons de hele stad door, gewoon om hem het huis uit te krijgen.'

'Maar in deze tijd van het jaar zijn er zulke gave dingen voor kinderen te doen.'

'Hij is víer. Hij heeft tijdens de hele *Notenkraker* liggen slapen, de Rockettes joegen hem de schrik op het lijf, en in de drie uur dat hij bij Macy's in de rij stond voor de kerstman heeft hij een raar soort uitslag van de warmte gekregen. Maar meestal staan we in de rij voor de wc. Overal. Geen taxi te bekennen, geen—'

'Dat klinkt alsof jij wel een portie ijs hebt verdiend.' Hij geeft me een lepel.

Ik moet lachen. 'Sorry hoor. Jij bent de eerste volwassene zonder boodschappentassen die ik in ruim achtenveertig uur spreek. Kerst komt momenteel mijn oren uit.'

'O, dat moet je niet zeggen. Dit is juist zo'n geweldige tijd van het jaar om in de stad te wonen, met al die lichtjes en al die mensen.' Hij gebaart naar de glinsterende kerstversiering op Fifth Avenue. 'Nu besef je weer dat je boft dat je hier het hele jaar woont.'

Ik graaf in het bekertje naar een restje karamel. 'Je hebt gelijk. Tot twee weken geleden zou ik hebben gezegd dat het mijn favoriete tijd van het jaar was.' We geven de Phish Food aan elkaar door en kijken naar de slingers voor de ramen van Stanhope en de kleine witte lampjes die aan de luifel hangen.

'Jij lijkt me echt een kerstmeisje.'

Ik bloos. 'Nou, met Arbor Day ga ik pas echt uit mijn dak.'

Hij lacht. O, halleluja, wat ben jij een lekker ding.

Hij buigt zich naar me toe. 'En, vind je me nog steeds een eikel?'

'Ik heb nooit gezegd dat je een eikel was.' Ik glimlach terug.

'Iemand met eikelige vrienden, dan.'

'Nou...' AAAAHHH!!! HIJ KUST ME!!!

'Hoi,' zegt hij zacht met zijn gezicht nog bijna tegen het mijne.

'Hoi.'

'Kunnen we alsjeblieft opnieuw beginnen en Dorrian's heel, heel ver achter ons laten?'

Ik glimlach. 'Hoi, ik heet Nan...'

***

'Nanny? Nanny!'

'Ja. Wat?'

'Jij bent aan de beurt.'

Arme G, dit is de derde keer dat hij me van de trap van het Met heeft moeten plukken, waar ik geestelijk ben blijven hangen.

Ik zet mijn pionnetje van een oranje hokje naar een geel hokje. 'Oké, Grove, Maar dit is het laatste spelletje en dan moeten we die kleren gaan passen.'

'O, man.'

'Joh, het wordt hartstikke leuk. Je mag een modeshow voor me doen.'

Op zijn bed liggen stapels kleren van de vorige zomer en we moeten uitvissen of er nog iets past, en zo ja, wat, zodat hij kan inpakken voor zijn vakantie. Ik weet dat een vakantiegarderobe samenstellen niet datgene is wat hij de laatste middag met mij wil doen, maar bevel is bevel.

We ruimen het spel op en ik ga op mijn knieën zitten om hem in en uit shorts, T-shirts, zwembroeken en het kleinste marineblauwe blazertje ter wereld te hijsen.

'Au! Te klein! Dat doet pijn!' Zijn arm wordt door het Lacoste T-shirtje afgeklemd als een hotdog met een elastiekje in het midden.

'Oké, oké, ik haal je er weer uit. Rustig maar.' Ik pel hem uit het T-shirt en hou een stijf Brooks Brothers-overhemd omhoog.

'Die vind ik niet zo mooi,' zegt hij, met zijn hoofd schuddend, waarna hij er langzaam en nadrukkelijk aan toevoegt: 'Ik denk... dat hij... te klein is.'

Ik kijk neer op de knopen op de mouw en de gesteven boord. 'Ja, ik denk dat je gelijk hebt – veel te klein. Je moet hem maar niet meer aan doen,' zeg ik samenzweerderig, en ik vouw het bewuste kledingstuk op en leg het op de stapel afgewezen kleren.

'Nanny, ik verveel me.' Hij legt zijn handen om mijn gezicht. 'Geen overhemden meer. Zullen we Luilekkerland spelen?'

'Kom, nog eentje maar, Grove.' Ik help hem in de blazer. 'Loop nu eens naar de andere kant van de kamer en weer terug. Laat eens zien hoe mooi je bent.' Hij kijkt me aan of ik getikt ben, maar begint toch te lopen, waarbij hij om de paar stappen over zijn schouder kijkt om te zien of ik hem niet in de maling neem.

'Laat je zien, baby!' roep ik als hij bij de muur aankomt. Hij draait zich om en kijkt argwanend naar me, tot ik een denkbeeldig fototoestel te voorschijn haal en doe alsof ik foto's maak. 'Kom dan, mooie jongen! Je bent fantastisch. Laat de wereld eens wat zien!' Aan het eind van het vloerkleed neemt hij zijn swinghouding aan. 'Wauw!!' loei ik alsof George Cloony's handdoek net op de grond is gevallen. Hij giechelt en geeft zich over aan de show, en we trekken pruilmondjes naar elkaar.

'Je bent gewèèèldig, schat,' zeg ik en ik buig me over hem heen om de blazer uit te doen en de lucht naast zijn wangen te kussen.

'Je komt toch gauw weer terug, hè Nanny?' Hij trekt zijn arm los. 'Morgen.'

'Hier, we gaan samen nog eens kijken hoe snel het gaat, bovendien zit je op de Bahama's...'

'Litferr Key,' verbetert hij me.

'Juist.' We buigen ons over de nanny-kalender die ik heb gemaakt.

'En dan naar Aspen, waar echte sneeuw ligt en waar je kunt sleeën en engeltjes en sneeuwpoppen kunt maken. Het wordt echt super.'

'Hallo!' hoor ik Mrs X roepen. Grayer rent naar de hal en ik neem de tijd om het laatste shirtje op te vouwen voor ik naar hen toe loop.

'Leuke middag gehad?' vraagt ze opgewekt.

'Grayer is heel lief geweest – we hebben alles gepast,' zeg ik, tegen de deurpost leunend. 'De stapel op zijn bed zijn de kleren die nog passen.'

'O, geweldig! Bedankt, zeg.'

Grayer springt voor Mrs X op en neer en trekt aan haar mink. 'Kom je naar mijn show kijken? Kom naar mijn kamer!'

'Grayer, wat hadden we nou afgesproken? Heb je je handen gewassen?' vraagt ze, zijn omarming ontwijkend.

'Nee,' antwoordt hij.

'Nou, mag je dan aan mama's jas komen? Als jij nu op de bank gaat zitten, dan heb ik een verrassing voor jou van papa.' Ze rommelt in haar tassen en Grayer ploft op de paisley kussens neer. Ze trekt er een helderblauwe sweater uit.

'Weet je nog dat je volgend jaar naar de grote-jongensschool gaat? Nou, papa vindt Collegiate perfect.' Ze keert de sweater om en laat de oranje opdruk zien. Ik kom naar voren om Grayer te helpen hem over zijn hoofd te trekken. Ze doet een stap naar achteren terwijl ik de mouwen tot kleine donuts aan zijn polsen oprol.

'O, daar maak je papa heel blij mee.' Grayer is dolblij en steekt zijn handen in de lucht terwijl hij in swinghouding gaat staan, zoals hij in zijn slaapkamer heeft gedaan. 'Schat, niet zo met je armen zwaaien.' Ze kijkt bezorgd op hem neer. 'Dat is raar.'

Grayer kijkt niet-begrijpend naar mij.

Mrs X volgt zijn blik. 'Grayer, het is tijd om afscheid te nemen van Nanny.'

'Dat wil ik niet.' Hij gaat voor de deur staan en slaat zijn armen over elkaar.

Ik ga op mijn hurken zitten. 'Het is maar voor een paar weekjes, Grove.'

'Neeee! Je mag niet weggaan. Jij zei dat we Luilekkerland konden spelen. Je hebt het beloofd, Nanny.' De tranen beginnen over zijn wangen te rollen.

'Hé, wil je je cadeautje nu hebben?' vraag ik. Ik loop naar de kast, haal diep adem, tover een brede grijns op mijn gezicht en haal de tas die ik heb meegebracht te voorschijn.

'Dit is voor jou, vrolijk kerstfeest!' zeg ik, en ik geef Mrs X de doos van Bergdorf's.

'Dat had je niet moeten doen,' zegt ze, en ze zet hem op tafel. O, ja, we hebben ook iets voor jou.'

Ik kijk verrast. 'Nee, zeg!'

'Grayer, ga Nanny's cadeautje eens halen. Vrolijk kerstfeest, Nanny!' Hij komt terug rennen met een doos van Saks in zijn handen die hij in mijn armen duwt.

'O, dank je wel!'

'Waar is mijn cadeautje?! Waar is mijn cadeautje?' Hij springt op en neer.

'Je mama heeft het en je mag het openmaken als ik weg ben.' Snel trek ik mijn jas aan, en Mrs X houdt de lift al vast.

'Vrolijk kerstfeest,' zegt ze, terwijl ik in de lift ga staan.

'Dag, Nanny!' roept hij, wild zwaaiend als een marionet.

'Dag, Grayer, vrolijk kerstfeest!'

Ik kan zelfs niet wachten tot ik buiten ben. Ik denk aan Parijs en tassen en veel retourtjes naar Cambridge. Eerst maak ik het geschenkzakje open. 'Lieve Nanny, ik weet niet wat we zonder jou zouden moeten beginnen! Liefs, de familie X.' Ik scheur het cadeaupapier open, trek de doos open en begin handenvol papier weg te grissen.

Er zit geen envelop in. O mijn god, *er zit geen envelop in*! Ik hou de doos ondersteboven. Hele ladingen papier vallen op de grond en dan valt er iets zwarts en harigs met een plof op de vloer van de lift. Ik laat me op mijn knieën vallen, als een hond die een bot krijgt. Ik steek mijn hand uit om de rommel die ik net heb gemaakt opzij te duwen en mijn schat te onthullen en... en... en... het zijn oorwarmers. Alleen oorwarmers.

Alleen oorwarmers.

Oorwarmers!

OORWARMERS!!!!!

Mammy had het gevoel dat de O'Hara's haar eigendom waren, met lichaam en ziel, dat hun geheimen haar geheimen waren; en de kleinste suggestie van een geheim was genoeg om haar als een nietsontziende bloedhond een spoor te laten volgen.

Gejaagd door de wind

Vijf

Vrij

'Oma heeft je overal lopen zoeken, zodat we de taart kunnen aansnijden,' zeg ik, en ik loop de kleedkamer van mijn oma in, waar mijn vader zijn toevlucht heeft genomen tijdens het nieuwjaars- en verjaardagsfeest dat ze per se wilde geven voor 'die ene zoon waar God haar mee heeft gezegend'.

'Deur dicht, snel! Ik ben er nog niet klaar voor. Veel te veel van die mensen daar.' Ondanks het feit dat er veel kunstenaars en schrijvers zijn, draagt de meerderheid van de gasten vanavond een smoking, en zo'n geval, zoals mijn vader nadrukkelijk kan zeggen, draagt hij nu eenmaal niet. Voor niemand. Nooit. 'We zijn de Kennedy's niet!' was zijn attente antwoord als mijn oma probeerde hem te betrekken bij de organisatie van deze geklede avond. Mij hoef je geen twee keer te vragen om een baljurk aan te trekken en ik vind het altijd heerlijk om mijn joggingbroek weg te doen en als een dame rond te lopen.

'Ik kan je niet opvrolijken, maar ik heb wel iets voor je bij me,' zeg ik, en ik geef hem een glas champagne. Hij glimlacht en neemt een grote slok, waarna hij het glas naast zijn voeten op oma's kaptafel zet. Hij laat het kruiswoordraadsel van de *Times* dat hij heeft zitten maken vallen en gebaart me te gaan zitten. Ik plof neer op het hoogpolige crème tapijt in een berg zwart satijn en nip van mijn eigen flûte. Gedempt gelach en bigbandmuziek zweven naar binnen.

'Pap, kom er nou toch bij – zo erg is het niet. Die schrijver is er, die uit China. En die heeft niet eens een strik om – blijf dan bij hem in de buurt.'

Hij zet zijn bril af. 'Ik zit liever even met mijn dochter te praten. Hoe is het nu, toverfee? Gaat het al beter?'

Er spoelt een nieuwe golf razernij over me heen, die de feeststemming waarin ik het grootste deel van de avond verkeerde bederft. 'Bah, dat mens!' Ik laat mijn schouders zakken. 'Ik heb de afgelopen maand wel tachtig uur per week gewerkt, en waarvoor? Dat zal ik je vertellen: OORWARMERS!' Ik zucht gefrustreerd en kijk door mijn haar naar de rij zwarte pumps die overgaat in een kleurrijk geheel van Chinese slippers.

'O ja. Het was alweer een kwartier geleden dat we het daarover hadden.'

'Waarover?' vraagt mijn moeder, die met een blad hors d'oeuvres in haar ene hand en een geopende fles in haar andere binnenkomt.

'Ik zal je een hint geven,' zegt hij droog, terwijl hij zijn glas omhoog houdt zodat zij het weer vol kan schenken. 'Je draagt ze in plaats van een muts.'

'God, nee! Hebben we het daar nu alweer over? Kom op, Nan, het is oudjaar! Neem eens een avondje vrij!' Ze laat zich op de sofa vallen, trekt haar kousenvoeten onder zich en geeft hem het dienblad.

Ik ga rechtop zitten en pak de fles. 'Dat kan ik niet, mam. Ik kan het niet loslaten! Ze had net zo goed in mijn gezicht kunnen spugen en een strik om mijn neus kunnen doen. Iedereen weet dat je een vette kerstbonus krijgt; dat hoort nou eenmaal. Waarom zou ik anders zo veel extra uren hebben gemaakt? De bonus is voor de extra-inzet, het is de erkenning! Iedere imbeciel die voor hen werkt heeft geld én een tas gekregen. En ik...'

'Oorwarmers,' zeggen ze in koor, terwijl ik nog een glas volschenk.

'Weet je wat mijn probleem is? Ik doe mijn uiterste best om het natuurlijk te laten lijken dat ik haar zoon opvoed terwijl zij bij haar manicure zit. Al die verhaaltjes die ik vertel, en altijd dat "tuurlijk, geen probleem" geven haar het idee dat ik daar woon. En dan vergeet ze dat het mijn werk is – ze is er echt van overtuigd dat ik voor de gein met haar zoontje kom spelen!' Ik pak wat kaviaar van paps bord. 'Wat vind jij ervan, mam?'

'Ik denk dat je deze vrouw de waarheid moet zeggen en grenzen moet stellen, of het helemaal loslaten. Echt, je zou jezelf eens moeten horen, je hebt het hier al dagen over. Je verspilt een geweldig feest aan haar, en iemand van deze familie, afgezien van je oma, moet toch van die band genieten en gaan dansen.' Ze kijkt nadrukkelijk naar mijn vader, die de laatste krabcrème achteroverslaat.

‘Dat wil ik ook wel! Ik wil grenzen stellen, maar ik weet niet waar ik moet beginnen.’

‘Hoezo beginnen? Je moet gewoon zeggen dat dit voor jou geen goede regeling is en als ze wil dat je Grayers nanny blijft, dan moeten er een paar dingen anders geregeld worden.’

‘Ja hoor,’ zeg ik snuivend ‘Als ze vraagt hoe mijn vakantie was, dan open ik het vuur? Ze zou me slaan.’

‘Nou, dan heb je meteen beet,’ mengt pap zich erin. ‘Want dan kun je haar aanklagen wegens mishandeling, dan hoeven we geen van allen ooit nog te werken.’

Mijn moeder leeft zich nu helemaal in en stoomt door. ‘Dan glimlach je warm, legt een arm om haar schouder en je zegt: “Jee, u maakt het me wel moeilijk om voor u te werken.” Laat haar op een vriendelijke manier weten dat ze jou zo niet kan behandelen.’

‘Mám! Je hebt geen flauw idee voor wie ik werk. Om deze vrouw sla je geen arm. Het is een ijskonijn.’

‘Oké. Actie. Gooi die mink naar haar toe,’ commandeert mam. ‘Oefenen!’ Dit oefenen is de hoeksteen van mijn opvoeding en hebben me geholpen te oefenen voor alles van hospiteergesprekken tot het uitmaken van de verkering met mijn vriendje op highschool. Pap gooit me de stola toe die naast hem hangt en schenkt de glazen nog eens vol.

‘Oké, jij bent Mrs X, ik ben jou. Ga je gang.’

Ik schraap mijn keel. ‘Welkom terug, nanny. Zou je mijn vuile ondergoed willen meenemen naar Grayers zwemles en het willen wassen als je in het water in gaat? Alvast bedankt. Het chloor doet wonderen!’ Ik trek de stola om mijn schouders en trek een gemaakt glimlachje.

Mijn moeders stem is rustig en rationeel. ‘Ik wil u helpen. Ik wil Grayer helpen. Maar daarbij heb ik wat hulp van u nodig, zodat ik mijn werk naar mijn beste kunnen kan blijven doen. En dat betekent dat we er samen voor moeten zorgen dat ik de uren werk die we zijn overeengekomen.’

‘O, wérk je hier dan? Ik dacht dat we je hadden geadopteerd!’ Ik breng zogenaamd onthutst mijn pink naar mijn mond.

‘Nou, het zou een eer zijn familie van u te zijn, maar ik ben hier om voor u te werken, en als u zich vanaf nu wat beter bewust bent van mijn grenzen, dan kan ik mijn werk blijven doen.’ Pap applaudisseert. Ik laat me op de grond vallen.

‘Dat lukt nooit,’ kreun ik.

'Nan, die vrouw is God niet! Ze is maar een mens. Je hebt een mantra nodig. Je moet daar helemaal in balans binnengaan... Zeg nee tegen ja zeggen. Toe dan, we zeggen het samen!'

'Ik zeg nee tegen ja zeggen. Ik zeg nee tegen ja zeggen,' mompel ik met mijn blik naar het bloemetjesbehang tegen het plafond.

Net als we een koortsachtig tempo hebben bereikt, vliegt de deur open en stroomt muziek de kamer in. Ik draai mijn hoofd om en zie mijn oma met wangen zo rood als de vele lagen satijn die ze draagt, tegen de deurpost leunen.

'Schatten! Geef ik een knalfuif, verstopt mijn zoon van vijftig zich in de kleedkamer, net als toen hij vijf was. Kom dansen!' In een wolk parfum zwiert ze op mijn vader af en geeft hem een kus op zijn wang. 'Kom, jarige Job. Je mag je strikje en cumberband hier laten, maar voor twaalven moet je toch minstens een mambo met je moeder dansen!'

Hij rolt met zijn ogen, maar de champagne heeft zijn verzet gebroken. Hij trekt zijn strik los en staat op.

'En jij ook, dame.' Ze kijkt op me neer, zoals ik aan haar voeten in elkaar gezakt lig. 'Neem die mink mee en swing it out.'

'Het spijt me dat ik er zomaar tussenuit kneep, oma. Die oorwarmers zitten me dwars.'

'Lieve help! Je vader zit met zijn smoking en jij met je oorwarmers; ik wil het binnen de familie voor volgend jaar kerst niet meer over kledingstukken hebben! Hup met de beentjes, schoonheid, de dansvloer ligt te wachten.'

Mam helpt me overeind, en terwijl we achter hen aan naar het feest lopen fluistert ze in mijn oor: 'Zeg nee tegen ja zeggen. Je vader is al begonnen.'

***

Talloze dansen en flessen later zweef ik in een champagneroes terug naar mijn appartement. Zodra ik de deur opendoe vleit George zich tegen mijn enkels aan en ik neem hem mee naar mijn hoek van de kamer. 'Gelukkig nieuwjaar, George,' mompel ik, terwijl hij onder mijn kin snort.

Charlene is vanochtend naar Azië vertrokken en ik verheug me op de drie weken van kleine vrijheden die ik hierdoor krijg. Ik trap mijn pumps uit en zie het lichtje van mijn antwoordapparaat knipperen. Mrs X.

'Wat denk je, George, zullen we het risico nemen?' Ik buig me voorover om hem op de grond te zetten en druk het knopje 'afspelen' in.

'Hallo, Nan? Eh, dit is een boodschap voor Nan. Volgens mij is dit het goede nummer...' De kamer wordt gevuld door de slepende stem van HS.

'O god!' roep ik, en ik draai me om naar de spiegel om te zien hoe ik eruitzie.

'Juist. Dus, eh, ik zit in Afrika. En – wacht even – hoe laat is het hier? Zeven uur, dus dan is het tien... elf... twaalf. Oké. Ik zit dus bij mijn familie en we gaan straks het oerwoud in. We hebben wat biertjes gedronken met de gidsen. Dit is de laatste plek met een telefoon... Maar ik wilde alleen zeggen dat ik denk dat jij waarschijnlijk een zware week hebt gehad. Snap je? Ik weet dat je hard hebt gewerkt en ik wilde je alleen laten weten, eh... dat ik weet... dat je dat doet... hard werken, bedoel ik. Eh, en een gelukkig nieuwjaar. Oké, dus ik hoop dat dit jou antwoordapparaat is. Ja? Dat was het, ik wilde het maar even kwijt. Eh... doei.'

In volstrekte euforie stommel ik naar mijn bed. 'O god,' mompel ik nog eens in het donker voor ik met een grijns op mijn gezicht als een blok in slaap val.

***

Tring. Tring. Tring.

'Hoi, dit is het antwoordapparaat van Charlene en Nan. Spreek na de piep een boodschap in.' Piep.

'Hallo, Nanny. Ik hoop dat je thuis bent. Waarschijnlijk ben je wel thuis. Nou, gelukkig nieuwjaar.' Ik doe één oog op een kiertje open. 'Dit is Mrs X. Ik hoop dat je een leuk oudjaar hebt gehad. Ik bel omdat...' Jezus, het is *acht uur* 's morgens! 'Nou, de plannen zijn veranderd. Blijkbaar moet Mr X naar Illinois voor zijn werk. En ik, ik bedoel Grayer... we zijn allemaal erg teleurgesteld. Dus, we gaan in elk geval niet naar Aspen en ik wilde weten wat je de rest van de maand van plan was.' Op Nieuwjaarsdag! Ik steek mijn hand onder de dekens vandaan en mep naar de telefoon. Ik haal de hoorn van de haak en gooi hem op de grond.

Zo.

Ik zak weer weg.

Tring. Tring. Tring.

'Hoi, dit is het antwoordapparaat van Charlene en Nan. Spreek na de piep een boodschap in.' Piep.

'Hallo, Nanny, dit is Mrs X. Ik heb al een boodschap ingesproken.' Ik doe één oog op een kiertje open. 'Ik weet niet of ik het al heb gevraagd, maar kun je me laten weten...' Jezus, het is *half tien* 's morgens! Op Nieuwjaarsdag! Ik steek mijn hand onder de dekens vandaan en begin naar de telefoon te meppen, en deze keer lukt het me om de stekker eruit te trekken.

Haaah, rust.

'Hoi, dit is het antwoordapparaat van Charlene en Nan. Spreek na de piep een boodschap in.' Piep.

'Hallo, Nanny, dit is Mrs X,' Jezus! Het is tien uur 's morgens! Wat mankeert jullie? Deze keer hoor ik Grayer op de achtergrond huilen. Niet mijn probleem, niet mijn probleem, oorwarmers. Ik steek mijn hand onder de dekens vandaan en begin naar het antwoordapparaat te meppen. Ik voel de volumeknop. 'Omdat je niet zei of je nog plannen had en ik dacht gewoon...' Ahh, stilte.

Tring. Tring. Tring.

WAT NOU WEER?

O god, het is mijn mobieltje. Het is dat verrekte mobieltje.

Tring. Tring. Tring.

Aaahhh! Ik kom uit bed, maar ik kan de bron van het verhipte gerinkel niet vinden. Zo'n hoofdpijn.

Tring. Tring. Tring.

Hij ligt onder mijn bed! Ik probeer onder mijn bed te kruipen, nog altijd in mijn avondjurk, naar de plek waar George mijn mobieltje heeft geschopt. Ik steek mijn arm uit, grijp het ding, dat nog steeds rinkelt, en gooi het in de wasmand, waarna ik alles wat op de grond ligt, er bovenop gooi.

Ahh!! Slapen.

Tring. Tring. Tring.

Ik kom uit bed, banjer naar de wasmand, haal het mobieltje eruit, loop naar de keuken, trek de deur van de vriezer open, gooi het mobieltje naar binnen en ga weer slapen.

Vijf uur later word ik wakker en zie een geduldige George aan mijn voeteneind wachten op zijn ontbijt. Hij houdt zijn kop schuin en mauwt. 'Aan de boemel geweest?' lijkt hij te vragen. Ik kuier in mijn behoorlijk gekreukte zwarte satijn naar de keuken om George eten te geven en koffie te zetten. Ik doe de vriezer open en zie achter de laden de groene gloed van de telefoon.

Aantal gemiste oproepen: 12, staat er op de display. O jee. Ik zet koffie en ga op mijn bed naar de boodschappen op het antwoordapparaat zitten luisteren.

'Hallo, daar ben ik weer. Ik hoop dat ik niet in herhaling verval. Mr X heeft dus besloten dat hij niet naar Aspen kan en ik wil daar niet in mijn eentje zitten. De beheerder en de tuinman wonen helemaal aan de andere kant van het dorp en, nou ja, ik zou me heel erg afgezonderd voelen. Dus ik ben in de stad. Maar goed, ik zou het waarderen als je een paar dagen per week zou kunnen komen. Kun je maandag? Laat het maar weten. Het nummer is nog steeds...'

Ik denk zelfs geen nee tegen ja. Ik pak gewoon de telefoon en draai het nummer van Lynford Key Inn.

'Hallo?'

'Dag Mrs X, met Nanny. Hoe gaat het?'

'O god, het weer is een ramp. Mr X heeft amper een rondje kunnen golfen en nu kan hij ook nog niet skiën. Grayer zit al de hele tijd binnen, en ze hebben ons een fulltime kracht beloofd, net als vorig jaar, maar er is een tekort aan iets. Ik weet niet wat ik moet beginnen.' Op de achtergrond hoor ik *Pocahontas*. 'Heb je mijn boodschap gehoord?'

'Ja.' Ik klem mijn bonkende slapen tussen duim en pink.

'Weet je, volgens mij is er iets met je telefoon. Daar moet je eens naar laten kijken. Ik heb je de hele morgen geprobeerd te bellen. Maar goed, Mr X gaat vandaag weg, maar ik blijf het weekend hier en kom pas maandag thuis. Onze vlucht landt om elf uur, dus kun je om twaalf uur naar het appartement komen?'

'Nou, eigenlijk,' – oorwarmers – 'heb ik al plannen gemaakt, want ik zou pas de laatste maandag van de maand weer beginnen.'

'O. Kun je in elk geval niet een week of twee komen?'

'Nou, weet u...'

'Heb je even?' Het klinkt alsof ze haar hand over de microfoon legt. 'We hebben geen andere video bij ons.' Mr X zegt iets wat ik niet goed versta. 'Nou, speel hem dan nog een keer af,' sist ze.

'Eh, Mrs X?'

'Ja?'

Ik weet dat dit gesprek de komende zesendertig uur in beslag zal nemen als ik geen leugentje om bestwil gebruik. 'Ik heb uw suggestie over Parijs ter harte genomen. Dus ik kan pas, even denken, maandag over twee weken beginnen. De achttiende.' Nee tegen ja. 'En we hebben niet echt tijd gehad om te bespreken hoeveel meer ik dit jaar per uur ga verdienen.'

'Ja?'

'Nou, doorgaans gaat mijn tarief elk jaar twee dollar omhoog. Ik hoop dat dat geen probleem is.'

'Nou... Nee, nee, natuurlijk niet. Ik heb het er nog met Mr X over. En ik zou het op prijs stellen als je morgen even naar het appartement kunt gaan – je weet wel, als je toch in de stad bent – om de luchtbevochtigers bij te vullen.'

'Eh, ik zit aan de West Side, dus...'

'Mooi! Tot over twee weken. Maar laat het me alsjeblieft weten als je eerder kunt beginnen.'

***

James houdt de deur open als ik binnenkom. 'Gelukkig nieuwjaar, Nanny. Waarom ben je nu alweer terug?' Hij lijkt verrast me te zien.

'Mrs X wil dat ik haar luchtbevochtigers bijvul,' zeg ik.

'Aha, wil ze dat?' zegt hij met een lepe grijns.

Het eerste wat ik merk als ik de deur van de X'en opendoe, is dat de verwarming aan staat. Langzaam loop ik de stilte in en voel me net een dief. Net als ik mijn armen uit mijn jas laat glijden, brult *Miss Otis Regrets* van Ella Fitzgerald uit de stereotoren.

Ik sta als verlamd stil. 'Hallo?' roep ik. Ik klem mijn rugzak tegen mijn borst en loop langs de muur naar de keuken in de hoop een mes te kunnen pakken. Ik heb wel eens gehoord dat portiers in zulke gebouwen de appartementen gebruiken als de bewoners weg zijn. Ik duw de keukendeur open.

Er staat een fles Dom Pérignon op het aanrecht, en op het gasstel staan pannen te pruttelen. Wat voor idioot breekt in een appartement in om te koken?

'Het is nog niet klaar. *Ce n'est pas fini*,' zegt een man met een zwaar

Frans accent als hij uit het bediendetoilet komt. Hij droogt zijn handen af aan zijn geruite broek en trekt zijn witte koksjas recht.

'Wie bent u?' vraag ik, en ik doe een stap achteruit, naar de deur. Hij kijkt op.

'Qui est vous?' vraagt hij, en hij zet zijn handen op zijn heupen.

'Eh, ik werk hier. Wíe bent ú?

'Je m'appelle Pierre. Je werkgeefster heeft me ingehuurd *pour faire le dîner'* Hij gaat verder met het klein snijden van venkel. De keuken is een droom van productiviteit en heerlijke aroma's. Het heeft er nog nooit zo gezellig uitgezien.

'Wat sta je daar als een zoutpilaar? Hup, weg.' hij zwaait met zijn keukenmes naar me.

Ik loop de keuken uit, op zoek naar Mrs X.

Ongelooflijk dat ze terug is. Ach, waarom zou je de nanny ook bellen. Nee, natuurlijk heb ik niets beters te doen dan te zorgen dat haar schilderijen vochtig blijven. O, o, ik kan vanavond *absoluut* niet werken, als ze daar op uit is. Waarschijnlijk is het een grote list om mij aan het werk te krijgen. Waarschijnlijk heeft ze Grayer in een net boven de luchtbevochtiger gehangen en wil ze hem boven op me laten vallen zodra ik het water kom bijvullen.

'SHE RAN TO THE MAN WHO LED HER SO FAR ASTRAY,' brult de stereo. Het geluid achtervolgt me van de ene kamer naar de andere.

Nou ja, ik zeg gewoon dat ik langs ben geweest zoals ik had beloofd en dan ben ik weg.

'Hallo?' Ik spring praktisch een meter de lucht in. Daar is ze. Ze komt de slaapkamer uit flaneren met een zijden kimono losjes bij haar taille vastgebonden en haar smaragden oorbellen glinsterend in het licht van de hal. Mijn hart bonkt in mijn keel.

Het is Miss Chicago.

'Hoi, zegt ze, zo vriendelijk als ze drie weken geleden in de vergaderzaal was. Ze zweeft langs me heen, naar de eetkamer.

'Hoi,' zeg ik achter haar aan hollend terwijl ik mijn sjaal los trek. Op het moment dat ik de hoek om kom gooit zij de deuren naar de eetkamer open, zodat ik zie dat de tafel is gedekt voor een romantisch diner voor twee. In een cirkel van brandende kaarsen staat een enorm boeket pioenrozen die de dieppaarse kleur van inkt hebben. Ze buigt zich over het glanzende mahonie om het couvert recht te leggen.

'Ik ben hier alleen voor de luchtbevochtigers!' roep ik boven de stereo uit.

'Wacht even,' zegt ze, en ze loopt naar een verborgen controlepaneel in de boekenkast en met een routinegebaar past ze het volume, de lichte tonen en de bassen aan. 'Zo.' Met een kalme glimlach draait ze zich naar me om. 'Wat zei je?'

'De luchtbevochtigers. Die zijn, eh, droog. Het water raakt op. En de schilderijen, nou, die kunnen schade oplopen. Als ze uitdrogen. Ik moest er water in doen. Eén keer maar. Nu dus, vandaag, want dan houden ze het uit tot... Oké! Dan doe ik dat maar.'

'Nou, bedankt, Nanny. Dat zal Mr X wel op prijs stellen, en ik ook.' Ze pakt haar glas, dat op de sidetable staat. Ik ga op mijn knieën zitten en trek de luchtbevochtiger uit het stopcontact.

'Oké, daar gaat ie,' grom ik, en ik hijs de machine in mijn armen en loop naar de keuken.

Ik vul alle tien de watertanks bij, sleur ze van en naar de waskamer, en al die tijd zingt Ella van *It was Just One Of Those Things* via *Why Can't You Behave* naar *I'm Always True To You, Darlin', in My Fashion*. Mijn gedachten tollen door mijn hoofd. Dit is haar huis niet. Dit is haar gezin niet. En dat was zeker haar slaapkamer niet, waar ze uit kwam.

'Ben je al klaar?' vraagt ze als ik de laatste weer op zijn plaats zet. 'Want ik vroeg me af of je even voor me naar de winkel kon rennen.' Ze loopt achter me aan terwijl ik mijn jas pak. 'Pierre is vergeten volle room mee te nemen. Bedankt.' Ze geeft me een briefje van twintig als ik de deur opendoe.

Ik kijk naar het geld en dan naar Grayers kikkerparapluutje in de paraplubak, die met de twee kikkerogen die omhoog komen als je hem op steekt. Ik hou haar het geld voor. 'Dat kan niet – ik moet, eh, ik heb een afspraak, de dokter.' Ik vang een glimp van mezelf op in de spiegel. 'Het gaat gewoon niet.'

Haar glimlach wordt gespannen. 'Hou het dan maar,' zegt ze vlak. De deur van de lift gaat open, en zij probeert nonchalant tegen de deurpost te leunen.

Ik leg het briefje op de tafel in de hal neer.

Haar ogen flitsen. 'Luister, Nanny heet je toch? Als jij je werkgeefster gaat vertellen dat je mij hier hebt aangetroffen, dan bespaar je mij de moeite om een slipje te laten slingeren.' Ze loopt het appartement in en laat de deur achter zich dichtknallen.

***

'Je bedoelt, echt een slipje?' vraag Sarah de volgende dag, terwijl ze bij de Stila-stand een ander kleurtje roze lippenstift probeert.

'Ik weet het niet! Moet ik ernaar gaan zoeken? Ik heb het idee dat ik moet gaan zoeken.'

'Hoeveel betalen die lui je? Ik bedoel, heb jij een grens? Is er een grens die ze kunnen overschrijden?' Sarah tuit driftig haar lippen. 'Te roze?'

'Als de billen van een baviaan,' zeg ik.

'Probeer deze pruimentint eens,' stelt de make-upspecialist achter de toonbank voor. Sarah pakt een tissue en begint opnieuw.

'Mrs X komt morgen terug. Ik heb het idee dat ik *iets* moet doen,' zeg ik, en ik leun geërgerd tegen de toonbank.

'Ontslag nemen?'

'Nee, ik bedoel, in de echte wereld, waar ik de huur moet betalen.'

'Moen!!!' Sarah en ik verstijven en kijken naar de andere kant van het plein in het winkelcentrum, waar twee stapels tassen de bijnaam roepen die Sarah op highschool had, die rijmde op 'schoen'. De tassen banen zich een weg langs het balkon naar ons toe en gaan in twee helften uiteen, waardoor we Alexandra en Langley zien, twee klasgenoten van Chapin highschool.

Sarah en ik kijken elkaar aan. Op highschool waren ze praktisch vergroeid met hun Birkenstocks en zagen ze er als zombies uit. Nu staan ze voor ons, Alexandra ruim één meter vijfenzeventig en Langly amper één meter zestig, in jassen van geschoren wol, kasjmier truitjes en een walgelijke hoeveelheid Cartier.

'Moen!!!' roepen ze weer, en Alexandra omhelst Sarah, waarbij ze haar bijna met een van haar tassen tegen het hoofd slaat.

'Moen, hoe is het?' vraagt Alexandra. 'Vertel, heb je een vent?'

Sarahs ogen gaan verder open. 'Nee. Nou ja, ik had iemand, maar...' Ze begint te zweten en op haar voorhoofd verschijnen druppeltjes op haar foundation.

'Ik heb een gewèèèldige vent – een Griek. Hij is fantastisch. Volgende week gaan we naar de Rivièra,' kirt Alexandra. 'Wat doen jullie?' vraagt ze aan mij.

'Hetzelfde, hetzelfde. Werk nog steeds met kinderen.'

'Aha,' zegt Langly zacht. 'Wat ben je volgend jaar van plan?'

'Nou, ik hoop met naschoolse activiteiten te gaan werken.' Hun ogen vernauwen zich, alsof ik onverwachts op een andere taal ben overgegaan. 'Aandacht voor creatieve werkvormen. Als middel voor zelfexpressie. En, eh, samenwerking.' Ze kijken me uitdrukkingsloos aan. 'Kathie Lee doet aan het project mee,' probeer ik nog in een laatste poging om... wat te doen?

'Juist. En jij?' fluistert Langly bijna tegen Sarah.

'Ik ga voor *Allure* werken.'

'O, wat geweldig!' kirren ze.

'Nou,' zegt Sarah, 'ik neem alleen de telefoon op, maar...'

'Nee, gaaf, zeg. Ik ben gék op *Allure*,' zegt Alexandra.

'Wat doen jullie volgend jaar?' vraag ik.

'Ik ga met mijn man mee,' zegt Alexandra.

'Ganja,' zegt Langly zacht.

'Nou, we moeten opschieten – we hebben om één uur met mijn moeder bij Côte Basque afgesproken. O, Moen!' Sarah wordt nog eens door Alexandra mishandeld en ze vertrekken om in hun *fruit de mers* te gaan prikken.

'Grapjas,' zeg ik tegen Sarah. '*Allure?*'

'Wat een trutten. Kom mee, wij gaan echt lekker eten.'

We besluiten onszelf te trakteren op een chique lunch van rode wijn en pizza's met robiola-kaas bij Fred's.

'Luister, zou jij echt een slipje in iemands huis laten liggen?'

'Nan,' onderbreekt Sarah me. 'Ik begrijp niet waarom het je iets kan schelen. Je werkt je scheel voor die Mrs X en ze geeft je bij wijze van bonus oordingen van dode beesten! Hoever gaat jouw loyaliteit?'

'Sarah, ongeacht hoe geflipt ze als werkgever is, ze blijft Grayers moeder, en dat mens maakt een nummertje met haar man in haar bed. En in Grayers huis. Ik vind het zo misselijk. Zoiets verdient niemand. En dat idiote mens! Ze wil betrapt worden. Waar slaat dat nou weer op?'

'Nou, als mijn getrouwde minnaar aarzelde om bij zijn vrouw weg te gaan, dan zou ik ook willen dat hij werd betrapt.'

'Dus als ik het zeg, dan wint Miss Chicago en gaat Mrs X kapot. Als ik het niet zeg, is het een vernedering voor Mrs X...'

'Nan, dat is in de verste verte jouw verantwoordelijkheid niet. Jij hoeft niet degene te zijn die het haar vertelt. Echt – dat staat niet in je taakomschrijving.'

'Maar als ik het niet zeg en dat slipje ligt daar ergens, en ze komt er op die manier achter... Bah! Walgelijk. O god, stel dat Grayer het vindt! Het is zo'n gemeen serpent dat ze het ergens laat liggen waar hij het vindt.'

'Hou toch op, Nan. Hoe moet hij nu weten dat het van haar is?'

'Omdat het waarschijnlijk een zwart kanten string is en hij het misschien nu niet begrijpt, maar op een dag zit hij bij de therapeut en dan komt het als een mokerslag aan. Pak je jas.'

***

Sarah komt Josh in de hal tegemoet met een glas wijn in haar hand. 'Welkom bij de Jacht naar het Slipje! We spelen om astronomische prijzen, waaronder oorwarmers en een uitstapje naar de bezemkast. Wie wordt onze eerste deelnemer?'

'Ooo, ik, ik!' zegt Josh, terwijl hij zijn jack uittrekt. Ik lig op handen en voeten in de halkast om alle jassen en laarzen te doorzoeken. 'Jezus, Nan, dit is niet te filmen. Het is net het Metropolitan Museum.'

'Ja, en ongeveer even gezellig,' zegt Sarah, terwijl ik koortsachtig de woonkamer in ren.

'We hebben geen tijd om te kletsen!' roep ik over mijn schouder. 'Neem een kamer!'

'En krijgen we voor alle soorten ondergoed punten, of moet er een vuurrode O op staan?' vraagt Josh.

'Extra punten voor kruisloos of eetbaar.' Sarah legt de regels uit voor het spel waar ik de humor niet van inzie.

'Oké!' zeg ik. 'Luister! We gaan het systematisch aanpakken. We beginnen met de kamers die het meest gebruikt worden, waar het slipje het snelst zou worden gevonden. Joshua, jij neemt de grote slaapkamer, de kleedkamer van Mrs X en haar werkkamer. Sarah Anne!'

'Yes, sir!'

'Keuken, bibliotheek, kamers van de hulp. Ik neem de woonkamer, de eetkamer, de studeerkamer en de waskamer. Oké?'

'En Grayers kamer dan?' vraagt Josh.

'Je hebt gelijk. Dan begin ik daar.'

In het voorbijgaan doe ik alle lichten aan, zelfs de zelden gebruikte plafondlampen die huize X tot in de donkerste hoeken verlichten.

***

'Je kunt niet zeggen dat we het niet hebben geprobeerd, Nan,' zegt Josh, die me op de trap, naast de containers voor herbruikbaar afval een sigaret aangeeft. 'Waarschijnlijk blufte ze in de hoop dat jij het Mrs X zou vertellen, zodat ze het appartement naar eigen smaak kan inrichten.'

Sarah steekt nog een sigaret op. 'Trouwens, wie dat slipje in dat appartement nog vindt, verdient het om het te vinden – het is zo goed verstopt. Weet je zeker dat die vrouw met Mr X samenwerkt en niet met de CIA?' Ze geeft me de aansteker terug.

Josh heeft nog steeds het porseleinen Pekinese hondje dat hij bij het zoeken tegenkwam in zijn handen. 'Zeg het nog eens.'

'Ik weet het niet, twee-, misschien drieduizend dollar,' zegt Sarah.

'Ongelooflijk! Hoezo? Waarom? Wat zie ik niet?' Hij kijkt ongelovig op het hondje neer. 'Wacht even, ik haal iets anders.'

'Dat moet je *precies* terugzetten waar je het hebt gevonden,' zeg ik, te moe om achter hem aan te lopen om te controleren of hij dat ook doet. 'Het spijt me dat ik jullie de hele avond naar een slipje heb laten zoeken,' zeg ik, en ik druk de sigaret tegen de metalen trapleuning uit.

'Hé,' zegt ze, een arm om mijn schouders leggend. 'Jij redt je wel. De X'en hebben juwelen die juwelen dragen – die redden zich ook wel.'

'En Grayer dan?'

'Nou, die heeft jou. En jij hebt HS.'

'Oké, ik heb nog niks. Ik heb een bandje van mijn antwoordapparaat in mijn sieradenkistje zitten en een plastic lepel die ik in mijn tas heb zitten, en verder kom ik misschien niet eens.'

'Jaja, tuurlijk. Mag ik die plastic lepel gebruiken voor mijn speech op de bruiloft?'

'Lieverd, als het zover komt, mag jij de plastic lepel op de bruiloft *dragen*. Kom, we gaan Josh halen en onze vingerafdrukken uitwissen.'

Als ik thuiskom knippert het lichtje van mijn antwoordapparaat.

'Hallo, Nanny. Dit is Mrs X. Ik weet niet of je al naar Parijs bent. Ik kreeg je op je mobieltje weer niet te pakken. Misschien moeten we je een nieuwe geven met een groter bereik. Ik bel je omdat Mr X me een week in de Golden Door voor kerstmis heeft gegeven. Heerlijk, hè? Lynford Key is zo vreselijk en ik ben nog niet hersteld van de feestdagen – ik ben gewoon uitgeput, dus ik heb besloten komende week te gaan. Mr X is er wel, maar ik vroeg me af of jij al terug was, zodat ik tegen hem kan zeggen dat jij er bent als hij je nodig heeft. Dan weten we dat dat geregeld is. Ik ben vanavond op mijn kamer. Bel alsjeblieft terug.'

Mijn eerste reactie is haar te bellen om te zeggen dat ze haar huis nooit meer mag verlaten.

'Mrs X? Hallo, met Nanny.'

'Ja?'

Ik haal diep adem.

'Lukt dat?'

'Natuurlijk,' zeg ik, opgelucht dat ze niets vraagt over mijn bezoekje aan het appartement.

'Mooi. Nou, dan zie ik je maandagochtend – morgen over een week. Mijn vlucht gaat om negen uur, dus als je er om zeven uur zou kunnen zijn, dan zou dat fijn zijn. Doe eigenlijk maar kwart voor zeven, voor de zekerheid.'

***

Ik ga voor de achtste keer in het afgelopen kwartier op mijn andere zij liggen. Ik ben zo moe dat mijn lichaam loodzwaar aanvoelt, maar elke keer als ik indommel, echoot Grayers blafhoest door het appartement. Ik steek een arm uit en trek de wekker naar me toe om de cijfers te lezen: 2.26. Jezus.

Ik sla met mijn hand op het matras en rol op mijn rug. Met mijn blik op het plafond van de logeerkamer van de X'en probeer ik de uren dat ik de afgelopen drie nachten heb geslapen bij elkaar op te tellen, en het totaal maakt me nog zwaarder. Ik ben door en door moe van het voortdurend bezighouden van Grayer, wiens stemming daalt en koorts stijgt.

Toen ik aankwam kwam ze me bij de lift tegemoet met een lijst in haar hand, haar tassen lagen al in de koffer van de limo beneden. Ze wilde 'alleen nog even' zeggen dat Grayer 'een klein beetje oorpijn' had en dat zijn medicijn op het aanrecht stond, het nummer van de arts lag ernaast – 'voor het geval dat'. En de uitsmijter: 'We willen niet hebben dat Grayer voor de televisie hangt. Veel plezier!'

Zodra ik hem op zijn buik op de grond naast zijn treintje zag liggen, terwijl hij een wagon over zijn arm liet rijden, wist ik dat 'veel plezier' er niet in zou zitten.

'Enig idee hoe laat Mr X vanavond thuiskomt?' had ik Connie gevraagd, die vlakbij aan het afstoffen was.

'Hopelijk heb je je pyjama bij je,' antwoordde die, en ze schudde misprijzend haar hoofd. Ik ben naar Connie's komst gaan uitzien. Het is een opluchting om iemand anders in het appartement te hebben, ook al is ze de hele tijd aan het afstoffen en zuigen. De thermometer wijst onveranderd min vijftien graden aan, dus we zijn sinds mijn komst onder huisarrest. Dat zou best te doen zijn geweest, ideaal zelfs, als HS niet meteen weer naar college moest. Hij zei dat ik Grayer mee naar boven mocht nemen om Max te aaien, maar ik denk dat ze er geen van beiden voor in zijn. Grayers 'kleine beetje' oorpijn mag dan bijna genezen zijn, maar het hoesten is alleen maar erger geworden.

En uiteraard schittert zijn vader door afwezigheid – hij kwam de eerste avond gewoon niet opdagen. Na talloze telefoontjes kwam ik bij de voicemail van een suite van het Sheraton in Chicago terecht. En intussen wordt Mrs X in het kuuroord afgeschermd voor alle telefoontjes, alsof ze Sharon Stone is. Ik ben vanmiddag met Grayer naar de dokter geweest, maar die adviseerde alleen maar dat Grayer zijn kuur van het roze amoxicilline af maakte en dat we het zouden afwachten.

Weer een raspende hoestaanval – hij ademt nu nog zwaarder dan tijdens het eten. Het is zo donker en zo laat en dit appartement is zo groot dat ik het gevoel krijg dat niemand ooit nog terugkomt om ons op te halen.

Ik sta op, sla de kasjmier omslagdoek als een cape om mijn schouders en schuifel naar het raam. Ik trek de zware chintz gordijnen een stukje open, laat het licht van de straatverlichting van Park Avenue de kamer in stromen en leun met mijn voorhoofd tegen het koude raam. Aan de overkant stopt een taxi en er komen een jongen en een meisje uit rollen. Zij heeft hoge laarzen aan en een minuscuul jackje. Ze leunt tegen hem aan als ze langs de portier het gebouw in zwalken. Ze moet het ijskoud hebben. Mijn voorhoofd wordt al snel koud van het glas en ik ga rechtop staan, mijn hand tegen het glas leggend. Het gordijn valt dicht en het licht wordt weer buitengesloten.

'Naaanny?' klinkt Grayers krakende stemmetje.

'Ja, Grove, ik kom eraan.' Mijn stem weerkaatst in de grote kamer. In het donker schuifel ik door het appartement, waar de koplampen van voorbijrijdende auto's vreemde schimmen doorheen jagen. De warme gloed van zijn Grover-lampje komt me samen met het zoemen van zijn Supersonic 2000 luchtfilter tegemoet. Zodra ik zijn kamer binnenkom, knijpt mijn maag zich samen – het gaat niet goed met hem. Hij ademt moeilijk en zijn ogen tranen. Ik ga op de rand van zijn bed zitten. 'Hallo, liefje. Ik ben er, hoor.' Ik leg mijn hand op zijn voorhoofd. Dat is gloeiend heet. Zodra mijn vingers zijn huid raken, begint hij te jammeren.

'Het is goed, Grover, je bent gewoon heel ziek en ik weet dat het naar is.' Maar ik weet het niet meer. Zijn piepende ademhaling baart me zorgen. 'Ik ga je optillen, Grover.' Ik steek mijn armen onder hem en de kasjmier omslagdoek valt op de grond. Hij begint nu echt te huilen. Als ik hem tegen me aantrek doet die beweging hem pijn. Ik schakel over op de automatische piloot en ga na wat voor opties ik heb. De dokter. Het ziekenhuis. Mam.

Ik draag hem naar de telefoon in de gang en leun tegen de muur terwijl ik bel. Mijn moeder neemt na de tweede keer bellen op.

'Waar zit je? Wat is er?'

'Mam, ik kan er nu niet over uitweiden, maar ik ben bij Grayer en hij heeft een oorontsteking gehad en hij hoest erg. Ze hebben hem antibiotica gegeven, maar het hoesten wordt erger en ik kan Mrs X niet bereiken omdat de receptioniste zegt dat ze de hele dag in een of andere isolatietank zit en hij ademt zo moeilijk en ik weet niet of ik hem naar het ziekenhuis moet brengen omdat hij zo'n hoge koorts blijft houden en ik heb al twee nachten niet geslapen en...'

'Laat me hem eens horen hoesten.'

'Wat?'

'Hou de telefoon bij zijn mond zodat ik hem kan horen hoesten.' Haar stem klinkt rustig en beheerst. Ik hou de telefoon bij Grayers mond en een seconde later heeft hij er een diepe hoest uitgegooid. Op de plek waar zijn borst tegen de mijne rust voel ik de trilling van de inspanning die het hem kost.

'O god, mam ik weet niet wat ik moet—'

'Nanny, het is kroep. Hij heeft kroep. En jij moet eens diep ademhalen. Je mag nu niet instorten. Doe maar mee, diep inademen...'

Ik concentreer me op haar stem, haal diep adem voor Grayer en voor mezelf. 'En uit. Luister, het komt wel goed met hem. En met jou. Hij heeft gewoon veel vocht in zijn borst. Waar zit je nu?'

'Park Avenue 721.'
'Nee, ik bedoel, waar in het appartement?'
'In de gang.'
'Is dit een snoerloze telefoon?'
'Nee, die vindt ze niet mooi.' Op het moment dat hij begint te jammeren voel ik paniek in me opkomen.
'Oké, ik wil dat je naar zijn badkamer gaat, de douche open draait en het water lekker warm maakt – niet te heet, gewoon warm. Dan ga je op de rand van het bad zitten met hem op schoot. Hou de deur dicht zodat het flink gaat dampen. Daar blijf je zitten tot hij niet meer piept. Je zult zien dat de stoom helpt. Zijn lichaam probeert de koorts omlaag te brengen en tegen de ochtend zal hij wel weg zijn. Alles komt echt goed. Bel over een uur maar terug, goed? Ik blijf wachten.'
Ik voel me iets geruster, nu ik weet dat ik iets voor hem kan doen. 'Oké, mam. Ik hou van je.' Ik hang op en draag hem in het donker terug naar zijn badkamer.
'Ik doe nu het licht aan, Grayer. Ogen dicht.' Hij drukt zijn zweterige gezicht in mijn nek. Het licht is verblindend na al die tijd in het donker, en ik moet een paar keer knipperen voor ik de glanzende kraan kan onderscheiden. Ik hou hem goed vast terwijl ik me voorover buig om de douche open te draaien en ga dan op de rand van het bad zitten met hem op schoot. Als het water tegen onze benen komt, moet hij huilen.
'Ik weet het, schatje, ik weet het. We blijven hier zitten tot die fijne stoom je borst weer beter maakt. Zal ik een liedje voor je zingen?' Hij leunt alleen maar tegen me aan en huilt en hoest in de stoom die de badkamer begint te vullen.
'Ik... wil... mijn mama.' Hij siddert van de inspanning en lijkt zich niet bewust van mijn aanwezigheid. Mijn pyjamabroek wordt nat. Ik laat mijn hoofd tegen het zijne rusten en wieg langzaam heen en weer. Tranen van uitputting en bezorgdheid druppelen langs mijn gezicht op zijn haar.
'O, Grove, ik weet het. Ik wil mijn mama ook.'

***

De zon schijnt tussen de lamellen door en we zitten tussen Grovers knuffels op suikerbeschuit te knabbelen.
'Zeg het nog eens, Nanny. Zeg dan – suikerbuik.'

Ik lach en por hem zachtjes in zijn buik. Zijn ogen staan helder, en ik ben zo blij dat hij weer zevenendertig vijf heeft dat we er allebei giebelig van zijn. 'Nee, Grove. Suikerbeschuit. Kom op, zeg eens samen met mij.'

'Zeg dan "suikerbuik". Zeg jij eens samen met *mij*...' Hij klopt me afwezig op mijn haar en de kruimels vallen om ons heen op het bed.

'Suikerbuik? Gekkie. Wat krijgen we daarna? Broodbillen?'

Hij giechelt voluit om mijn grapje. 'Ja! Broodbillen. Ik heb zo'n honger, Nanny. Ik rammel van de honger. Mag ik broodbillen?'

Ik kruip over hem heen en pak zijn bord.

'Hallo. Hallo, mama is er weer!' Ik sta doodstil. Grayer kijkt als een opgewonden puppy naar me op, krabbelt van zijn bed op de grond. Hij rent langs me heen en in haar armen, want ze staat bij de deur.

'Hallo! Wat doen al die kruimels op je gezicht?' Ze veegt hem schoon en wendt zich tot mij. Ik zie de kamer door haar ogen. Een berg kussens, dekens en natte handdoeken op de plek waar ik uiteindelijk ben ingestort toen Grayer om zes uur vanochtend in slaap viel.

'Grayer is behoorlijk ziek geweest. We zijn bijna de hele nacht wakker geweest en...'

'Nou, hij ziet er nu prima uit, op die kruimels na, dan. Grayer, ga naar de badkamer om je gezicht te wassen, dan zal ik je je cadeautje laten zien.' Hij draait zich met wijdopen open naar me om en huppelt naar de badkamer. Ik ben verbijsterd dat hij daar nog wil komen.

'Heeft hij zijn medicijn niet genomen?'

'Jawel, hij moet nog twee dagen. Maar hij ging heel erg hoesten. Ik heb geprobeerd u te bellen.'

Ze zegt streng: 'Tja, Nanny, volgens mij hebben we afgesproken waar we willen dat Grayer eet. Je kunt nu gaan, ik neem het wel over.'

Glimlachen, denk ik. 'Oké, ik zal me even omkleden.' Ik loop langs haar heen met het bord in mijn hand en herken het appartement, dat nu in het zonlicht baadt, nauwelijks. Ik stop alles in mijn tas, trek mijn broek en trui aan en laat bij wijze van verzet mijn bed onopgemaakt achter.

'Dag!' roep ik met mijn hand op de deurknop. Ik hoor Grayers blote voeten op het marmer en hij komt aanrennen in zijn pyjama, met een veel te grote cowboyhoed op zijn hoofd.

'Dag, Nanny!' Hij spreidt zijn armen uit voor een knuffel en ik hou hem stevig vast, verbluft om het verschil met zijn ademhaling van een paar uur geleden.

'Mrs X? Hij moet nog twee dagen antibiotica nemen, dus...'

Ze komt aan het andere eind van de gang staan. 'Nou, we hebben een belangrijke dag vandaag – we moeten naar de kapper en naar Barney's om een cadeautje voor papa op te halen. Kom, Grayer, we gaan ons aankleden. Dag, Nanny.'

Mijn dienst zit erop – dat is duidelijk. Hij loopt achter haar aan naar zijn kamer en ik sta even alleen in de gang, pak mijn tas en weersta de verleiding om de antibiotica naast haar mobieltje te leggen.

'Dag, cowboy.' Zacht trek ik de deur achter me dicht.

De oude bediende liep dolblij de trap op, met
pijnlijke knieën en veel geklepper van oude voeten,
om haar meesteres te vertellen dat haar meester
thuis was.

Odyssee

Zes

Liefde, à la Park Avenue

Ik sla de backspace-toets aan en zie mijn vijfde poging tot een paper letter voor letter verdwijnen. Jean Piaget... wat moet je daar nou over zeggen?

Ik leun achterover, laat mijn hoofd langs de rugleuning van de stoel rollen. Buiten drijven de wolken langzaam boven de daken van bruinrode bakstenen. George slaat naar mijn bungelende hand. 'Piaget,' zeg ik hardop, wachtend op inspiratie terwijl ik plagend met mijn hand naar hem wapper. De telefoon gaat en ik wacht tot het antwoordapparaat zijn werk doet. Het is óf Mrs X die wil weten of er nog bloed onder mijn nagels zit, dat ze er nog niet onder vandaan heeft gehaald, óf het is mijn moeder die belt om te vragen hoe het ervoor staat.

'Hoi, dit is het antwoordapparaat van Charlene en Nan. Spreek na de piep een boodschap in.'

'Hallo, hardwerkende vrouw. Ik wilde gewoon...' Mijn lievelingsstem vult de kamer en ik steek een arm uit om de hoorn van de haak te grissen.

'Hoi.'

'Hé! Wat doe jij dinsdag om kwart voor twee thuis?'

'Wat denk jij dat je doet, me op dinsdag om kwart voor twee helemaal vanuit "Haah-vaahd" bellen?' Ik duw mijn stoel naar achteren en trek met mijn sokken een grote cirkel op de hardhouten vloer.

'Ik was eerst.'

'Nou, het blijkt dat Jean Georges de reservering van de X'en voor Valentijnsdag was kwijtgeraakt, dus ze stuurde me onmiddellijk weer naar huis met een uitgetypte lijst van viersterrenrestaurants die ik hun kop gek mag gaan zeuren.' Ik kijk naar mijn rugzak, waarin het document nog zit opgevouwen.

'Waarom belt ze ze zelf niet?'

'Ik vraag me al lang niet meer af waarom.'

'En, waar heb je nu gereserveerd?'

'Nergens! Valentijnsdag is morgen al. Volgens mij weigert ze in te zien dat je bij dat soort tenten minstens een maand van tevoren moet reserveren en dat ze me al de hele veertiende januari – een zondag, dank u zeer – heeft laten opofferen om ze te bellen. En zelfs toen kon ik alleen iets om tien uur 's avonds krijgen, en ik moest de reserveringspersoon zweren dat ze om elf uur weer buiten zouden staan. Inderdaad, geen succes. Ze boffen nog als ze iets bij Burger King kunnen krijgen.' Ik stel me Mr X voor die verstrooid met een frietje in de ketchup zit te roeren terwijl hij het economiekatern van zijn krant leest.

'Heb je het slipje nog gevonden?'

'Nee. Je zult het wel jammer vinden als we niet meer over het slipje hoeven te praten, hè?'

Hij lacht.

'Gisteren,' vertel ik verder, 'hadden we nog vals alarm. Ik dook in blinde paniek boven op een zwarte goochelaarscape met Snoopy erop.'

'Misschien is het niet eens zwart. Je zou eens in een andere kleur moeten denken – het kan ook een pastelkleur zijn, of een tijgerprint, of doorschijnend...'

'Zie je wel! Jij vindt dit een veel te leuk onderwerp,' zeg ik berispend.

'Vertel dan eens wat je doet tussen de reserveringen en de slipjesjacht door.'

'Ik probeer een paper te schrijven over Jean Piaget.'

'O ja, Jean.'

'Je gaat me toch niet vertellen dat je nog nooit van hen hebt gehoord, hè? En die bakstenen bunker noemen ze nog wel een Ivy League.'

'Niet een Ivy League, lieverd, dé Ivy League...' zegt hij met een hete-aardappel-accent.

'Juist. Nou, hij is de grootvader van de kinderpsychologie, bij wijze van spreken dan. Ik schrijf over zijn theorie over egocentrisme – dat kinderen de wereld om zich heen zien vanuit hun eigen, beperkte perspectief.'

'Klinkt als je werkgeefster.'

'Ja. En het interessante is, ze kan haar haar ook niet zelf wassen. Zouden ze ook eens onderzoek naar moeten doen. Jasses! Ik zit hier alleen maar tijd te rekken. Ik heb de luxe van een hele middag vrij en heb het gevoel alsof ik mijn tijd mag verlummelen. Maar genoeg over mij, waar heb ik het genoegen van dit telefoontje aan te danken?'

De harde piep van de telefoon valt hem in de rede.

'...over assistentschap. Die vent kwam vandaag college geven en het was bere-interessant. Hij...'

Piep.

'...oorlogsmisdaden in Kroatië. Er is een oorlogstribunaal in Den Haag om die misdadigers aan te klagen...'

Piep. Geen antwoordapparaat waar ik me achter kan verschuilen.

'Sorry! Wil je even blijven hangen?' Ik druk op de wisselknop en hou mijn adem in.

'Nanny! Ik ben zo blij dat ik je te pakken heb.' De stem van Mrs X brengt me terug naar de echte wereld. 'Ik zit aan Petrossian te denken omdat ze daar voornamelijk kaviaar serveren en ik denk dat de meeste mensen voor deze gelegenheid een volledige maaltijd verwachtten. Maar voor ons is het prima! Heb je ze al gebeld? Wil je ze meteen bellen? Kun je ze nu bellen?'

'Tuurlijk. Ik heb Le Cirque op de andere lijn, dus—'

'O! Geweldig. Oké. Nou, zie maar, zelfs een tafel bij de keuken is goed.'

'Mooi. U hoort het wel.'

'Wacht even! Nou, dat van die keuken moet je maar niet meteen zeggen, wacht eerst af of ze iets beters hebben, en dan, als er niets beters is, dan kun je over de keuken vragen.'

'O, ja. Prima, ik zal me eraan houden. U hoort het wel als ik iets heb gevonden.'

'Oké. Je weet dat je me ook op mijn mobieltje kunt bellen.' Ik voel dat ze op het punt staat me haar nummer te geven.

'Mooi. Goed zo. Ik heb uw nummers voor me liggen. Dag.' Ik klik terug naar de andere lijn. 'Sorry, waar waren we? Iets over criminelen?' Ik loop naar mijn bed en zet George op mijn buik.

'Ja, dus ik dacht erover om van de zomer te solliciteren naar dat assistentschap in Den Haag. Na dit college over het conflict in Kroatië zou het mooi zijn er wat dichter bij te zitten, snap je? Om iets te kunnen doen. Ze staan er hier voor in de rij, hoor, maar ik dacht, laat ik eens een gokje wagen.' Zwijmel.

'Ik zit te zwijmelen.'

'Mooi.' Er valt een warme stilte tussen ons. 'Maar goed, ik wilde je na college meteen bellen om het je te vertellen.'

'Kijk, dat hoor ik nou graag.'

'Ik baal ervan dat je moet werken op Valentijnsdag. Ik wil zo graag iets leuks met je doen.'

'Ja, nou, ik ben niet degene die van het voorjaar naar Cancun gaat.'

'Kom op, hoe moest ik nou weten dat ik jou zou tegenkomen?'

'Dat je niet helderziend bent, is echt geen excuus.'

Ondanks de vele telefoontjes, hebben we het sinds de trap van het Met niet verder gebracht dan praten. Eerst had hij tentamens, daarna had ik Grayers griep overgenomen, niet bepaald sexy. Twee weekends geleden kwam hij 's avonds naar mij toe, maar Charlene's vlucht was gecanceled en het draaide erop uit dat ik een romantisch diner voor vier maakte. Ik dacht er nog over om naar hem te gaan, maar hij woont met drie jongens samen, en ik weiger gewoon om tijdens mijn eerste nacht met hem (a) om drie uur 's nachts het bed uit te dreunen door het stemgeluid van Marilyn Manson dat door de muur heen loeit en (b) de ochtend daarna hen koffie te zien zetten met een onderbroek als filter.

Piep.

'Shit. Sorry! Blijf nog één keertje hangen.' Ik klik naar de andere lijn. 'Hallo?' Zeg ik, en ik zet me schrap.

'En? Zitten we bij de keuken?' Vraagt ze enigszins buiten adem.

'Wat? Nee, eh, ik sta nog bij ze in de wacht.'

'Petrossian?'

'Nee, Le Cirque. Ik bel u wel als ik erdoor kom.'

'Oké. Maar denk eraan, niet met de keuken beginnen, hè? En ik bedacht dat je het bij 21 ook maar moest proberen. Daar is het niet romantisch, dus misschien hebben ze nog een tafel. Dus hierna 21, oké? Nee, eigenlijk komt hierna Petrossian en daarna 21. Ja. 21 is mijn derde keus.'

'Prima! Ik moet nu weer op Le Cirque gaan wachten, hoor.'

'Ja, ja. Bel me zodra je iets weet.'

'Dag!' Diepe zucht. Andere lijn. 'Ja, iets leuks. Dat zou ik ook wel willen.'

'Leuk om te weten. Hé, mijn volgende college begint bijna. Luister, ik ben in april in elk geval een paar dagen thuis. Dan organiseren we iets. Succes met Jean.'

'Hé!' Hij heeft nog net niet opgehangen. 'Ik vind dat van Den Haag echt geweldig voor je.'

'Nou, ik vind jou echt geweldig. Ik bel je nog. Doei.'

'Doei!' Ik leg neer en George rekt zich uit op de plek waar hij naast mijn hoofd opgekruld heeft gelegen en springt van het bed op de grond.

De telefoon gaat weer. Ik staar naar het antwoordapparaat.

'...Charlene en Nan. Spreek na de piep een boodschap in.'

'Met je moeder. Misschien herken je me niet, want het is nu niet twee uur 's morgens en je hebt geen kind in ademnood op schoot, maar ik zweer je dat ik het weer ben. Luister, meisje, vandaag, morgen, volgende week gaan we hier echt een keer over praten. Intussen zal ik je verrijken met twee wijze woorden over dat baantje van je: "niet goed." Ik hou van je. Over en uit.' Juist, dat baantje van me. Hoe los ik die reservering nu op?

'Oma?'

'Schat!'

'Ik wil een Valentijnsdiner boeken in een tent waar ze geen papieren placemats gebruiken. Wat kun je voor me doen?'

'We gaan meteen voor de hoofdprijs vandaag, hè? Kunnen we niet met iets makkelijks beginnen, zoals een middagje met de kroonjuwelen om?'

'Ik weet het, maar het is voor Grayers moeder. Het is een lang verhaal, maar ze blijft me mijn kop gek zeuren tot ik ergens een tafeltje heb gevonden.'

'Dat oorwarmermens? Ze verdient de kruimels van je bord nog niet.'

'Weet ik, maar wil je alsjeblieft eens met je toverstokje zwaaien?'

'Hmm. Bel Maurice bij Lutèce en zeg maar dat ik hem volgende week het recept voor de cheesecake stuur.'

'Je bent te gek, oma.'

'Nee, lieverd. Ik ben gek. Kusje.'

'Kusje terug.' Nog een telefoontje en dan buig ik me weer over *les petits egocentriques.*

***

De stad zindert van de Valentijnsdrukte en ik loop naar Elizabeth Arden voor een afspraak met mijn oma. Omdat de laatste kerstetalages nu zijn verdwenen, zie ik nu bij alle winkels Valentijnsharten. Zelfs de ijzerwarenhandel heeft een rode toiletbril in de etalage. De afgelopen jaren stond ik met Valentijnsdag altijd geërgerd in de rij achter mannen en vrouwen die oester/champagne/condooms kochten, terwijl ik alleen mijn grapefruit/bier/Kleenex wilde afrekenen en verder gaan met mijn leven. Dit jaar ben ik het geduld zelve.

Dit is de eerste Valentijnsdag waarop ik niet single ben. Maar om niet te breken met oude survivalmethodes voor die ene dag waarop single zijn niet leuk is, hebben Sarah en ik elkaar sexy foto's van Tiger Beat gemaild en ga ik met oma naar onze jaarlijkse verwensessie.

'Schat, regel nummer één van Sint Valentijn,' laat ze weten, als we aan ons citroenwater zitten en onze gelakte tenen bewonderen. 'Het is belangrijker jezelf wat liefde te geven dan een man te hebben die je iets geeft in de verkeerde kleur en maat.'

'Bedankt voor de pedicure, oma.'

'Graag gedaan, liefje. Ik ga weer naar boven voor mijn algenpakking. Hopelijk vergeten ze me niet, zoals vorig jaar. Echt, ze zouden je een pieper in je hand moeten geven. Stel je voor dat je wordt gevonden door die arme portier, bedekt met een laag algen en in een deken gewikkeld. Regel nummer twee: boek nooit de laatste afspraak van de dag.'

Ik bedank haar hartelijk, neem afscheid en ga mijn sexy afspraakje ophalen van de kleuterschool. Om twaalf uur komt hij naar buiten rennen met een groot papieren hart in zijn handen dat een spoor van glitter achterlaat.

'Wat heb je daar, vriendje?'

'Een Valentijn. Heb ik gemaakt. Jij mag hem vasthouden.' Ik neem het hart van hem over en geef hem het pakje sap dat ik in mijn zak heb warmgehouden. Intussen klimt hij in de buggy.

Ik kijk naar het hart in de veronderstelling dat het voor Mrs X is.

'Mrs Butters heeft gezegd hoe ik het moest schrijven. Lees dan, Nanny. Lees dan.'

Ik kan bijna niet praten. 'IK HOU VAN NANNY, GRAYER ADDISON X.'

'Ja, dat moest erop staan.'

'Ik vind het prachtig, Grover. Dank je wel,' zeg ik, en ik sta met de tranen in mijn ogen achter de buggy.

'Je mag hem vasthouden,' zeg hij gul, terwijl hij zijn sap aanpakt.

'Weet je wat? Ik stop hem veilig in de mand van de buggy, dan gaat hij niet kapot. We hebben een speciale middag vandaag.'

Ondanks het feit dat het een van de koudste middagen van het jaar is, heb ik strikte orders gekregen hem pas na zijn Franse les thuis te brengen. Daarom heb ik als zelfsturende eenheid besloten de normale regels te negeren en met hem te gaan lunchen in California Pizza Kitchen en daarna door naar Third Avenue om de nieuwe Muppet Movie te zien. Ik had me zorgen gemaakt dat hij bang zou zijn in het donker, maar hij zingt en klapt de hele voorstelling door.

'Dat was leuk, Nanny! Leuk zeg,' zegt hij terwijl ik hem weer in de buggy gesp. Op weg naar Franse les zingen we de beginmelodie van de film.

Nadat ik hem bij Mme Maxime heb afgezet, ren ik Madison over naar Barney's om een kleinigheid voor HS te kopen.

'Kan ik u helpen?' Het beruchte blonde kreng spuugt het meer uit dan ze het vraagt. Ik heb het haar nooit vergeven dat ze Sarah er ooit van heeft beschuldigd de tonic die ze wilde teruggeven, te hebben gestolen.

'Nee, dank je. Ik kom even snuffelen.' Ik laat mijn keus vallen op een andere verkoper, een lange, Aziatisch uitziende man in een duur uitziend, zwart overhemd. 'Hallo, ik zoek een Valentijnscadeau voor mijn vriend.' Heerlijk om te zeggen. Mijn vriend, mijn vriend, mijn vriend. Ja, ik heb een schat van een vriend. Mijn vriend houdt niet van wollen sokken. O, mijn vriend werkt in Den Haag!

'Oké, waar houdt hij van?' O ja. Ik ben weer terug.

'O, ik weet het niet. Eh, hij ruikt lekker. Hij scheert zich nat. Misschien iets voor het scheren?'

Hij laat me alles zien wat een aankomend fotomodel die een zak geld bij Barney's te besteden heeft maar kan willen gebruiken.

'Eh, lipliner? Je meent het,' zeg ik. 'Hij speelt lacrosse...'

Hij schudt zijn hoofd om mijn kortzichtigheid en haalt nog meer new age-balsems en -lotions te voorschijn.

'Ik wil hem niet de boodschap geven dat hij niet goed is zoals hij is. Je weet wel, iets geven waarmee je een foutje wegwerkt. Dat heeft hij niet nodig.' Uiteindelijk kies ik een roestvrijstalen scheermes en kijk toe terwijl hij het in rood vloeipapier wikkelt en een rood lint om de zwarte doos doet. *Parfait.*

Ik haal Grayer op bij de deur van zijn lokaal en hou zijn jas op. '*Bonsoir*, *Monsieur X. Comment ça va?*'

'*Ça va très bien, Nanny. Merci beaucoup. Et vous?*' vraagt hij, en hij wappert met zijn swinghanden naar me.

'*Oui, oui, très bien.*'

Maxime steekt haar hoofd om de hoek en kijkt naar de rij zitjes, waar ik Grayer sta aan te kleden. 'Het gaat het goed met zijn werkwoorden.' Vanaf haar hoge plaats op haar Charles Jourdan-pumps glimlacht ze naar Grayer. 'Maar als u wat zelfstandig naamwoorden met hem zou willen oefenen, zou dat *fantastique* zijn. Als u of uw man...'

'O, ik ben zijn moeder niet.'

'*Ah, mon Dieu! Je m'excuse.*'

'*Non, non, pas de problème*,' zeg ik.

'*Alors*, tot volgende week, Grayer.'

Ik probeer hem snel naar huis te duwen omdat er een ijskoude wind over de Park Avenue jaagt.

'Als we boven zijn,' zeg ik terwijl ik in de lift op mijn hurken ga zitten om zijn sjaal los te maken, 'doe ik wat vaseline op je wangen, goed? Je hebt wat velletjes op je wang.'

'Oké. Wat gaan we vanavond doen, Nanny? We kunnen gaan vliegen! Ja, dat moeten we doen als we boven zijn.' Ik laat hem in zijn kamer wel eens op mijn voetzolen balanceren zodat hij 'vliegt'.

'Als je in bad bent geweest, Grove. Dan is het vliegtijd.' Ik duw de buggy over de drempel. 'Wat wil je eten?'

Ik hang mijn jas op en Mrs X komt in een enkellange avondjapon en met krulspelden in haar haar de gang op lopen. Ze is druk bezig met de voorbereiding voor haar Valentijnsdiner met Mr X.

'Hallo, jongens. Hebben jullie een leuke middag gehad?'

'Happy Valentine, mama!' roept Grayer bij wijze van begroeting.

'Happy Valentine. Oeps, pas op dat je mama's jurk niet vies maakt.' Plukreflex.

'Wauw, u ziet er fantastisch uit,' zeg ik, terwijl ik mijn laarzen uittrek.

'Vind je?' Ze kijkt nadenkend naar haar taille. 'Ik heb nog wat tijd – de vlucht van Mr X uit Chicago landt pas over een halfuur. Kun je me misschien even komen helpen?'

'Ja, hoor. Ik wilde alleen net beginnen met koken. Volgens mij heeft Grayer een reuzehonger.'

'O, nou ja, bestel maar wat. Er ligt geld in de la.' Krijg nou wat.

'Te gek! Grayer, kom je me helpen met bestellen.' Voor noodgevallen heb ik een geheime voorraad menu's in de waskamer liggen.

'Pizza! Ik wil pizza, Nanny! Alsjeblieft?'

Ik trek een wenkbrauw op omdat hij weet dat ik niet kan zeggen: 'Maar je hebt vanmiddag al pizza gehad' waar zijn moeder bij is.

'Prima. Nanny, bestel maar een pizza, zet een video op en kom me helpen,' zegt ze, de kamer uit lopend.

'Hahaha, pizza, Nanny, we eten pizza,' lacht Grayer en hij klapt uitgelaten in zijn handen bij deze ongelooflijke meevaller.

'Mrs X?' Ik duw de deur open.

'Hier!' roept ze vanuit haar kleedkamer. Ze heeft een andere enkellange rode japon aan en er hangt er nog een achter haar.

'Goeiedag zeg! Prachtig!' Deze heeft bredere schouderbandjes en roodfluwelen applicaties in de vorm van boombladeren op de rok. De kleur is in combinatie met haar dikke zwarte haar oogverblindend.

Ze kijkt in de spiegel en schudt haar hoofd. 'Nee, hij zit niet goed.' Ik kijk goed naar haar in de jurk. Ik besef dat ik haar armen of borstbeen nog nooit heb gezien. Ze is net een balletdanseres, tenger en pezig. Maar ze vult het decolleté van de japon niet helemaal en hij hangt niet mooi om haar heen.

'Misschien is het lijfje niet goed gesneden,' zeg ik voorzichtig.

Ze knikt. 'Borstvoeding,' zegt ze met een spottende lach. 'Ik zal die andere eens proberen. Wil je een glaasje wijn?' Ik zie een aangebroken fles Sancerre op de kast staan.

'Nee, dank u. Ik kan beter niet drinken.'

'Ach, kom nou. Ga eens een glas bij de bar halen.'

Ik loop naar de pianokamer, waar ik de kreten 'Hakuna Matata!' uit de bibliotheek hoor komen.

Als ik weer in de kleedkamer kom, heeft ze een prachtige Napoleontische japon van ruwe zijde aan, en ziet eruit als Josephine.

'O, stukken beter,' zeg ik. 'De empirelijn staat u erg goed.'

'Ja, maar het is niet zo sexy, hè?'

'Nou, nee, het is wel mooi, maar het hangt ervan af wat voor indruk u wilt maken.'

'Adembenemend, Nanny. Ik wil adembenemend zijn.' We glimlachen beiden als ze weer achter het Chinese kamerscherm gaat staan. 'Ik heb er nog een.'

'Houdt u deze allemaal?' Ik laat mijn blik over nullen gaan die op de prijskaartjes staan.

'Nee, natuurlijk niet. Ik geef de japonnen die ik niet draag weer terug. O, nu ik er toch aan denk, wil je de rest morgen terugbrengen naar Bergdorf's?'

'Geen probleem. Dat doe ik wel als Grayer bij zijn speelafspraak is.'

'Mooi. Wil je de rits even dichtdoen?' roept ze. Ik zet mijn wijnglas neer en loop om het scherm heen om haar verbluffend sexy jaren '30 jurk dicht te ritsen.

'Dat is het,' zeggen we allebei zodra ze in de spiegel kijkt.

'Prachtig,' zeg ik. En ik meen het. Het is de eerste die goed gebruik maakt van haar figuur. Hij geef haar een nimf-achtig uiterlijk, in plaats van een uitgemergeld voorkomen. Terwijl ik naar haar spiegelbeeld kijk, merk ik dat ik voor haar duim, voor hen duim.

'Wat denk je? Oorbellen of geen oorbellen? Ik wil dit collier om, want ik heb het van mijn man gekregen.' Ze houdt een snoer diamanten omhoog. 'Mooi, hè? Maar ik wil geen kerstboom worden.'

'Heeft u kleine oorknopjes?"

Ze begint door al haar juwelenkistjes te rommelen en ik neem mijn wijn mee naar de fluwelen bank.

'Deze?' Ze houdt een stel diamanten knopjes omhoog – 'Of deze?' – en een stel met robijnen.

'Nee, de diamanten zijn beter. Je kunt het rood beter niet overdrijven.'

'Ik ben naar Chanel geweest om de perfecte kleur lippenstift te kopen, en kijk eens!' Ze steekt een voet naar voren. Haar teennagels zijn gelakt met Chanel Redcoat.

'Perfect,' zeg ik, en ik neem een slok. Ze doet de knopjes in en brengt een beetje lippenstift aan.

'Wat vind je ervan?' Ze draait voor me rond. 'O, wacht eens!' Ze loopt naar de tas van Manolo Blahnik op de grond en trekt er een doos uit waar een paar fijne sandaaltjes van zwarte zijde in zitten. 'Is het té?'

'Nee, nee. Ze zijn te gek,' zeg ik, en ze schuift ze aan haar voeten en draait zich weer van me af.

'Wat vind je ervan? Moet er nog iets bij?'

'Nou, ik zou de krullers uitdoen.' Ze lacht. 'Nee, echt, het is perfect zo.' Ik neem haar nog eens helemaal in me op. 'Alleen, eh...'

'Wat?'

'Heeft u een string?'
Snel kijkt ze naar haar achterkant in de spiegel. 'O, god. Je hebt gelijk.' Ze begint door de plastic zakjes in haar lingeriela te rommelen. 'Volgens mij heb ik er een van Mr X gekregen toen we op huwelijksreis waren.'

O, briljant idee, Nan! Briljant! Laat haar die slipjesla maar eens doorzoeken. 'U kunt ook altijd nog naturel gaan,' zeg ik dringend vanaf de fluwelen bank, waar ik de rest van mijn wijn achterover sla.

'Hebbes!' zegt ze en ze houdt een fijne zwarte La Perla-string omhoog met crèmekleurige, zijden borduursel, waarvan ik bid dat hij van haar is.

Er wordt aangebeld. 'Nááánnyyyy! De pizza is er!

'Bedankt, Grayer!' roep ik terug.

'Deze is goed. Ik ben klaar. Reuze bedankt, hoor.'

Als Grayer en ik een halve medium pizza naar binnen hebben gewerkt, haal ik een kartonnen doosje uit mijn rugzak. 'En nu krijgen we een speciaal Valentijnstoetje,' zeg ik, en ik haal twee chocoladecakejes te voorschijn met rode hartjes erop. Grayers ogen worden groot bij het overslaan van het gesneden fruit en sojakoekjes. Ik schenk voor ons allebei een glas melk in en we vallen aan.

'O, wat zie ik daar?' We blijven stokstijf zitten, met de cakejes halverwege onze mond.

'Nanny heef sjpesjale walentijnskeegjesj meegenomem,' verdedigt Grayer met een mond vol chocolade.

Mrs X heeft haar haar in een losse chignon opgestoken en legt de laatste hand aan haar make-up. Ze ziet er beeldig uit. 'O, wat aardig. Heb je Nanny bedankt?'

'Dank je wel,' sproeit hij.

'De auto kan er elk moment aan komen.' Ze gaat op de rand van het bankje zitten, alle spieren van haar lichaam gespannen wachtend op de zoemer van de intercom. Ze doet me denken aan mezelf toen ik op highschool zat, helemaal opgetut, wachtend op het telefoontje dat me zou vertellen wiens ouders de stad uit waren, waar we elkaar zouden zien, waar *hij* zou zijn.

In een verlegen stilte eten we onze cakejes op terwijl zij nerveus naast ons zit.

'Nou...' Ze staat op terwijl ik Grovers kleren afklop voordat ik hem uit zijn stoel haal. 'Ik ga in mijn werkkamer wachten. Wil je me het laten weten als ze er zijn?' Ze loopt weg, een laatste snelle blik op de intercom werpend.

'Tuurlijk,' zeg ik, en ik vraag me af hoe laat Mr X het deze keer durft te maken.

'Oké, nu gaan we vliegen, Nanny. Zullen we gaan vliegen – ja?' Hij spreidt zijn armen uit en cirkelt om me heen terwijl ik de borden opstapel.

'Grove, ik denk dat je buik een beetje vol zit. Pak de kleurboeken maar, dan gaan we kleuren tot we de zoemer horen, goed?'

Grayer en ik zitten een uur lang in stilte kleurtjes aan elkaar door te geven, af en toe opkijkend naar de zwijgende intercom.

Om acht uur roept Mrs X me in haar werkkamer. Ze zit op de rand van haar bureaustoel en er ligt een oud nummer van de *Vogue* opengeslagen op haar bureau. Haar mink ligt op de fauteuil te wachten.

'Nanny, zou jij Justine willen bellen om te vragen of zij iets weet? Het nummer staat op de lijst met noodnummers in de provisiekast.'

'Ja hoor.'

Op kantoor wordt niet opgenomen, dus ik bel haar mobiele nummer.

'Hallo?' Op de achtergrond hoor ik bestek rinkelen en ik vind het vreselijk om haar tijdens haar Valentijnsetentje te storen.

'Hallo, Justine, met Nanny. Ik vind het vervelend je te moeten storen, maar Mr X is erg laat en ik vroeg me af of jij wist wat zijn vluchtnummer was.'

'Dat ligt allemaal op kantoor...'

'Mrs X wordt gewoon een beetje zenuwachtig,' zeg ik, in een poging te laten merken hoe dringend de situatie is.

'Nanny! Ik kan het rode potlood niet vinden!' roept Grayer vanaf het bankje.

'Luister, eh... Ik weet zeker dat hij van zich laat horen.' Er valt een stilte waarin ik hoor dat het restaurant in vol bedrijf is. 'Het spijt me, Nanny, ik kan je echt niet helpen.' En op dat moment weet ik het, ik voel het gewoon.

'Nanny! Ik kan niet verder. Ik móet het róód hebben!'

'Oké, bedankt.'

'En?' vraagt Mrs X achter me.

'Justine was niet op kantoor, dus ze heeft zijn vliegroute niet bij zich.' Ik loop om haar heen om in het emmertje potloden op tafel te zoeken, terwijl Grayer zich op zijn kleurboek laat zakken. Misschien is dit het moment wel. Misschien moet ik gewoon iets zeggen. Maar wat dan? Wat weet ik nou eigenlijk zeker? Ik weet dat Ms Chicago hier een maand geleden is geweest – misschien is er sindsdien iets veranderd. Hoe weet ik dat hij niet gewoon laat is? 'Hé, u kunt ook even naar het weerbericht kijken,' stel ik voor, me voorover buigend om het rode potlood te pakken dat onder de bank is gerold. 'Misschien hebben de vluchten vanuit O'Hare vertraging.' Ik leg het potlood naast Grayers vuist op tafel en kom overeind. 'Ik zal de luchtvaartmaatschappij bellen. Met welke vliegt hij?'

'Dat weet Justine wel. O, en kun je Lutèce bellen om ervoor te zorgen dat ze onze reservering niet aan iemand anders geven?' Ze loopt haastig de kamer uit, naar de bibliotheek. Grayer laat zich van de bank glijden en rent haar achterna.

Justine's voicemail slaat drie keer aan, maar omdat ze me aan mijn lot heeft overgelaten, blijf ik bellen.

'Hallo?' Ze klinkt geïrriteerd.

'Justine, het spijt me vreselijk. Met welke maatschappij vliegt hij?'

'American. Maar Nanny, ik zou echt niet...' Haar stem sterft weg.

'Wat?'

'Ik weet zeker dat hij wel belt. Ik zou niet...'

'Oké. Nou, bedankt. Dag.'

Ik vraag het nummer op, want ik weet niet wat ik anders moet doen.

'Hallo, dank u voor uw belangstelling voor American Airlines. Met Wendy, kan ik u helpen?'

'Hallo. Ja. Ik bel om te vragen of de vluchten vanuit Chicago naar New York vertraging hebben, en of passagier X van vlucht is veranderd.'

'Het spijt me, maar ik kan u geen gegevens over een bepaalde passagier geven.'

'Nou, kunt u me dan zeggen of er vertragingen zijn?'

'Momentje, dan kijk ik even.' De andere lijn piept.

'Hallo, met het huis van de familie X. Met wie spreek ik?' zeg ik.

'Met wie spreek ik?' vraagt een mannenstem.

"Hallo, met Nanny...'

'Wie?'

'Nanny...'

'Maakt niet uit. Luister, zeg tegen Mrs X dat mijn vliegtuig hier in Chicago is ingesneeuwd. Ik bel haar morgen wel.'

'Ze zal zeker even met u willen...'

'Gaat nu niet.' De verbinding wordt verbroken.

Ik klik naar de andere lijn.

'Hallo mevrouw? Bedankt voor het wachten. Er zijn geen vertragingen. Alle vluchten vliegen op schema.'

'Dank u,' zeg ik, en ik hang op. Shit. Shit. Shit.

Langzaam loop ik door de woonkamer en ga voor de deur van de bibliotheek staan, waar Mrs X en Grayer op de marineblauwe leren bank naar het weerbericht in het Midden-Westen zitten te kijken.

'Dus blijf kijken, want na de reclame praten we met Cindy in Little Springs over wat voor weer het in haar achtertuin is,' jubelt een stem uit de televisie. Ik voel me onwel.

'Nanny?' Ze komt door de deuropening en loopt bijna tegen me op. 'Ik bedacht net – bel Justine en vraag of ze het nummer van zijn hotel heeft. Het weer is prima – misschien is de vergadering uitgelopen.'

'Eh, Mr X heeft net op de andere lijn gebeld, terwijl ik de luchtvaartmaatschappij aan de lijn had, en dat zei hij. Dat de vergadering was uitgelopen. Dus hij zei dat hij morgenavond zou terugbellen en, eh...'

Ze heft een hand om me te onderbreken. 'Waarom heb je me niet geroepen?'

'Hij, eh, hij zei dat hij moest ophangen...'

'Aha.' Ze perst haar lippen op elkaar. 'En wat zei hij nog meer?'

Ik voel zweetdruppeltjes in mijn taille omlaag lopen. 'Hij zei, eh, hij zou de nacht daar doorbrengen.' Ik kijk naar de grond om haar blik te ontwijken.

Ze doet een stap naar me toe. 'Nanny. Ik wil. Dat. Je me. Precies. Vertelt. Wat. Hij. Heeft gezegd.'

Dwing me alsjeblieft niet het te zeggen.

'Nou?' Ze wacht op een antwoord.

'Hij zei dat hij was ingesneeuwd en dat hij u morgen zou bellen,' zeg ik zacht.

Ze siddert.

Ik kijk op. Ze kijkt alsof ik haar net een klap in het gezicht heb gegeven en ik kijk weer naar de grond. Ze loopt de bibliotheek weer in, pakt de afstandsbediening en doet de televisie uit, zodat de kamer stil en donker wordt. Ze blijft bewegingloos staan. Haar silhouet tekent zich af tegen de lichten van Park Avenue, haar rode zijden japon glanst in het diepblauwe duister van de kamer, haar hand ligt nog om de afstandsbediening.

In het donker kijkt Grayer me vanaf zijn zitplaats met grote ogen aan, zijn handen zorgvuldig gevouwen op schoot. 'Kom, Grayer. We gaan naar bed.' Ik steek mijn hand uit, waarop hij van de bank klimt en me zonder tegensputteren achterna loopt.

Tijdens het tandenpoetsen en pyjama aantrekken is hij ongewoon stil. Ik lees voor uit *Muis gaat naar bed*, over een muisje met een eenvoudig doel in het leven.

'"Muisje poetste haar tanden." Heeft Grayer zijn tanden gepoetst?'

'Ja.'

'"Muisje waste haar gezicht en handen." Heeft Grayer zijn gezicht en handen gewassen?'

'Ja.' Enzovoort tot hij gaapt en zijn open steeds vaker dichtvallen.

Ik sta op om hem een kus te geven en besef dat zijn hand zich om mijn trui klemt. Zachtjes maak ik zijn vingers los. 'Slaap lekker, Grover.'

Voorzichtig loop ik het koude, grijze licht van de marmeren hal in. 'Mrs X?' roep ik. 'Ik ga, hoor.' Geen antwoord.

Ik loop de lange donkere gang door naar haar slaapkamer, door de talloze kringen van licht die op de schilderijen vallen.

De deur staat open. 'Mrs X?' Ik loop haar slaapkamer in en hoor achter de gesloten deur van haar kleedkamer gesmoorde snikken. 'Eh, Mrs X? Grayer slaapt. Kan ik nog iets voor u doen?' Stilte. 'Ik ga nu, oké?' Ik sta pal tegen de deur en hoor haar aan de andere kant zacht huilen. Bij het idee dat ze in haar mooie japon opgekruld op de grond ligt, druk ik mijn hand tegen mijn borst.

'Nanny?' roept een stem, uit alle macht proberend vrolijk te klinken. 'Ben jij dat?'

'Ja.' Ik pak onze lege wijnglazen van het nachtkastje en zorg ervoor dat ze niet tegen elkaar rinkelen.

'Oké, ga maar naar huis. Tot morgen.'

'Eh, er is wat pizza over. Wilt u dat ik het voor u opwarm?'

'Nee, dat hoeft niet. Tor morgen.'

'Weet u het zeker? Het is geen moeite, hoor.'

'Nee, echt niet. Ga nu maar.'

'Oké, tot morgen.' Ik loop weer door de lange beige gang naar de keuken, zet de glazen in de gootsteen en zet een schaaltje fruit kaar, voor het geval dat. Ik besluit beneden pas te bellen om hun reservering af te zeggen.

Ik loop de gang op, pak mijn jas en laarzen en haal mijn papieren hart uit de mand van Grayers buggy. De zwart-witte tegels worden bestrooid met een laagje rode glitter. Ik ga op mijn knieën zitten en druk mijn hand op het glinsterende laagje. Snel veeg ik het in mijn rugzak.

Haar lage snikken gaan over in een diep, dierlijk jammeren, en zachtjes trek ik de deur achter me dicht.

Ze hadden allemaal het gevoel dat het feit dat ze met z'n allen in een huis woonden, niets betekende, en dat mensen die elkaar toevallig in een café ontmoetten, meer met elkaar gemeen hadden dan zij, de leden van de familie Oblonsky en hun bedienden. Mevrouw kwam haar eigen vertrekken niet uit en haar man was de hele dag van huis. De kinderen zwierven door het hele huis en wisten niet wat ze met zichzelf aan moesten.

Anna Karenina

Zeven

Het is onze plicht u mede te delen

Op maandagmiddag sta ik op het schoolplein te wachten. Ik heb Mrs Butters alle dik aangeklede leerlingen op het hoofd zien kloppen en ze naar hun nanny's zien sturen, maar geen spoor van Grayer.

'Mrs Butters?' vraag ik.

'Ja?'

'Is Grayer vandaag niet naar school gekomen?'

'Nee.' Ze grijnst naar me.

'Oké, bedankt,' zeg ik.

'Geen dank.'

'Goed.'

'Nou...' Ze knikt om aan te geven dat deze zinvolle uitwisseling ten einde is en kuiert het gebouw weer in, haar fluwelen patchworksjaal achter haar aan wapperend. Ik sta even stil en weet niet goed wat ik moet doen. Net als ik mijn mobieltje wil pakken, krijg ik een enorme dreun tegen de achterkant van mijn been.

'Hallo!!'

Ik draai me om en zie een kleine vrouw een uit de kluiten gewassen jongen in karatehouding een standje geven. 'Nee, Darwin,' zegt ze, 'je mag mensen niet trappen.'

'Waar is Grayer? Ik wil met zijn speelgoed spelen.'

'Neem me niet kwalijk, kan ik jullie helpen?' vraag ik over mijn been wrijvend.

Zachtzinnig duwt ze de vingers van de jongen van haar gezicht en antwoordt geduldig: 'Ik ben Sima. Dit is Darwin. We zouden vandaag met Grayer spelen.'

'Ik wil zijn speelgoed zien. Ik wil het NU zien!' schreeuwt haar pupil naar me, en hij houdt beide armen in karatehouding.

'Leuk je te leren kennen, Sima. Ik ben Nanny. Ik denk dat Grayer vandaag thuis is gebleven, maar ik wist niet dat hij een speelafspraak had. Ik zal zijn moeder even bellen.' Ik toets het nummer, maar krijg de voicemail van Mrs X aan de lijn en verbreek de verbinding. 'Oké, laten we naar huis gaan!' zeg ik, en ik probeer opgewekt te doen, maar weet niet zeker wat we daar zullen aantreffen. Ik help Sima met Darwins tas en we banjeren door de natte sneeuw naar nummer 721. Ik heb nu al een hekel aan Darwin, omdat ik drie hele minuten met hem heb doorgebracht en nu al voortdurend ineenkrimp van pijn. Sima is juist heel zachtzinnig, bijna elegant, in haar inspanningen om Darwins meppen af te weren.

Ik steek mijn sleutel in het slot en duw de deur langzaam open. 'Hallo! Ik ben er met Darwin en Sima!'

'Lieve hemel,' mompelt Sima naast me en we kijken elkaar aan. De geur van rozen is overweldigend. Omdat Mr X niet is teruggekomen van wat zijn langste zakenreis tot nu toe is geworden, heeft hij in zijn afwezigheid elke ochtend sinds Valentijnsdag vierentwintig langstelige rozen naar Park Avenue 721 laten sturen. Mrs X wil ze niet in haar eigen vleugel of in die van Grayer hebben, maar kan het ook niet over haar hart verkrijgen om ze weg te gooien. Meer dan dertig vazen staan verspreid over de woonkamer, eetkamer en keuken. Daarom staat de airconditioning aan, maar die lijkt de doordringende geur alleen maar van het ene eind van het appartement naar het andere te blazen.

Naar aanleiding van wat ik op de kaartjes bij de boeketten heb gelezen, had Mr X beloofd zijn vrouw en kind afgelopen weekend mee naar Connecticut te nemen, om eens met het gezin samen te zijn. De afgelopen twee hemelse dagen waren het eerste helemaal vrije weekend sinds Valentijnsdag, nu een maand geleden.

'GRAYER! GRAYERR!' brult Darwin zo hard als hij kan voordat hij zijn jas op de grond gooit en naar Grayers kamer rent.

'Doe je jas maar uit en ga zitten, ik ga kijken waar Grayers moeder is om te zeggen dat we er zijn.' Ik zet zijn tas naast de bank in de hal en trek mijn laarzen uit.

'Dat hoeft niet. Ik hou mijn jas wel aan, dank je.' Aan haar glimlach zie ik dat ik de ijzige temperatuur en de begrafenisboeketten niet hoef uit te leggen. Ik baan me een weg tussen de vazen door naar de werkkamer van Mrs X, maar die is leeg.

Ik ga op het geluid van het hyenagelach in Grayers kamer af, waar zijn bed dienst doet als barricade in een oorlog tussen een in pyjama gehulde Grayer en Darwin.

'Hé, Grover.'

Hij is bezig Darwin met knuffels te bekogelen en kijkt heel even op om te laten weten dat hij me heeft gehoord. 'Nanny, ik heb honger. Ik wil nu mijn ontbijt hebben!'

'Je bedoelt je lunch. Waar is je moeder?' Hij duikt om een vliegende kikkerknuffel te ontwijken.

'Weet ik niet. En ik bedoel ontbíjt!' Nee zeg.

In het kantoor van Mr X tref ik Connie aan, die Grayers fort weer in een bank verandert. De kamer is het vuilste deel van het appartement dat ik ooit heb gezien sinds ik hier werk. Op de vloer staan bordjes met restjes pizza en alle Disney-video's liggen uit het doosje verspreid op de grond.

'Hallo, Connie. Leuk weekend gehad?' vraag ik.

'Je kijkt naar de resten ervan.' Ze gebaart naar de rommel. 'Ik ben het hele weekend hier geweest. Mr X is niet komen opdagen, en zij wilde niet alleen met Grayer zijn. Ze liet me vrijdagavond om elf uur helemaal uit de Bronx komen. Ik moest mijn kinderen naar mijn zus brengen. Ze wilde niet eens voor de taxi betalen. Ze heeft het hele weekend geen boe of bah tegen dat jongetje gezegd.' Ze pakt een bord van de grond. 'Uiteindelijk heb ik gisteravond gezegd dat ik naar huis moest, maar ze vond het niet leuk.'

'O god, Connie, wat vervelend. Dat is echt balen. Ze had mij moeten bellen – dan had ik in elk geval de nachten kunnen doen.'

'Jaja, en zo het kindermeisje laten weten dat ze haar eigen man niet naar huis kan krijgen?'

'Waar is ze?'

Ze wijst naar de ouderslaapkamer. 'Hare Hoogheid is een uur geleden binnengekomen en liep regelrecht door naar haar kamer.'

Ik klop op de deur. 'Mrs X?' vraag ik voorzichtig. Ik duw de deur open en het duurt even voor mijn ogen aan het donker zijn gewend. Ze zit op het ecru vloerkleed, omgeven door tassen met aankopen, en haar flanellen nachtpon piept onder haar bontjas vandaan. De zware gordijnen zijn dichtgetrokken.

'Wil je de deur dichtdoen?' Ze leunt tegen het bureau en ademt zwaar in een prop lavendelblauw vloeipapier dat ze uit een van de tassen heeft getrokken. Ze veegt haar neus af en kijkt naar het plafond. Ik ben bang dat wat ik ook vraag, het verkeerde zal zijn en wacht tot zij iets zegt.

Ze staart het donker in en vraagt dan op vlakke toon: 'Leuk weekend gehad, Nanny?'

'Ja, hoor.'

'Wij hebben een enig weekend gehad. Het was... erg leuk. Connecticut was prachtig. We hebben gesleed. Je had Grayer en zijn vader moeten zien. Het was schattig. Echt een fantastisch weekend.'

Aha.

'Nanny, zou je misschien morgen kunnen komen en...' Ze lijkt uitgeput. 'Misschien kun je Grayer helpen opstaan en naar school brengen. Hij is zo... Hij wilde zijn roze broek aan en ik had de kracht niet...'

'IK HEB JOU DOODGESCHOTEN! JE BENT DOOD!'

'NEE! JIJ BENT DOOD! DOOD, DOOD!'

De stemmen van de jongens komen dichterbij, net als het geluid van knuffels die door de gang gekeild worden.

'Nanny, neem ze mee naar buiten. Ga met ze naar het museum of zo. Ik kan... ik moet...'

'JIJ BENT DOOD! DOOD, ZEI IK!'

'Natuurlijk, we nemen ze mee naar buiten. Kan ik iets voor u...'

'Nee, ga maar alsjeblieft.' Haar stem breekt en ze grijpt nog een prop vloeipapier uit haar tassen.

Net als ik de deur zacht achter me dichttrek, springt Grayer aan het eind van de lange gang te voorschijn. Zijn ogen schieten van de deur naar mij. Hij smijt met net iets te veel kracht zijn Winnie de Poeh naar mijn hoofd.

Ik adem snel in. 'Oké, stoere vent, aankleden.' Ik pak zijn hand en trek hem en Winnie naar zijn kamer.

'Jij hebt nog een pyjama aan, stomkop,' zegt Darwin behulpzaam, terwijl ik Grayer naar de kast toe dirigeer.

Als hij zijn favoriete kleren aan heeft, de Collegiate sweater die hij sinds de kerst bijna elke dag heeft aangehad, trekt hij een van zijn vaders stropdassen van een haakje en hangt hem om zijn nek.

'Nee, Grove, die kan jij niet om,' zeg ik. Darwin probeert het ding uit zijn handen te grissen. 'Nee, Darwin, dat is Grayers stropdas.'

'Zie je wel!' zegt Grayer triomfantelijk. 'Nou heb je het gezegd. Hij is van mij. Mijn das. Heeft mama gezegd. Zij heeft hem aan mij gegeven.' Ik wil niet terug naar haar kamer om het echte verhaal eruit te krijgen en leg een snelle knoop zodat de das naast het visitekaartje van zijn vader bungelt.

'Oké, jongens. Actie in de tent. We hebben van alles te doen! Ik heb heel spannende plannen voor vanmiddag. De eerste die zijn jas aanheeft, is ook de eerste die weet wat het is!' De jongens rennen langs me heen tussen de bloemenvazen door. Als ik de kamer uit loop, grijp ik een armvol knuffels en gooi ze weer op het bed.

In de hal doet Sima pogingen te voorkomen dat Darwin Grayer wurgt, die plat tegen de deur is gedrukt. 'Hij moet ademhalen, Darwin.'

'Ik dacht dat we misschien naar Play Space konden gaan,' zei ik. Terwijl Darwin Grayer loslaat, besef ik dat ik mijn jas nog aan heb.

'JAAAHH!' De jongens springen op en neer en tegen elkaar aan.

'Oké.' knikt Sima. 'Play Space klinkt prima.' Ik geef haar Darwins jack en trek mijn laarzen aan.

Er zijn twee Play Spaces, een op de East Eighty-fifth en een op Broadway, maar we gaan naar de eerste omdat die net iets schoner zand heeft. Deze overdekte speeltuinen zijn Manhattans versie van een volledig ingerichte speelkamer. En, zoals alles in de Big Apple, ze zijn te huur. Net als in hotels waar je kamers voor een uur kunt huren, kun je je voor twintig dollar flink afmatten op de speeltoestellen die er staan.

Sima staat met de jongens op de stoep en ik haal de buggy's uit de kofferbak van de taxi.

'NIETES!'

'WELLES!'

'Kan ik je helpen?' vraagt ze, een schop van Darwin ontwijkend.

'Nee,' grom ik, veel te blij dat ik buiten het bereik van Darwin ben.

Ik duw de buggy's naar de stoep en we grijpen beiden een handje. De Space is op de eerste verdieping, waarschijnlijk om te voorkomen dat perverselingen naar binnen gluren, en je kunt er alleen komen door een enorme, met blauwe loper bedekte trap met treden op kindgrootte, die helemaal naar de nanny-hemel lijken te gaan. Grayer laat zich niet kennen, grijpt de trapleuning, die op kinderhoogte zit, en begint zich naar boven te trekken.

'Darwin, ga naar boven, naar boven,' zegt Sima. 'Niet naar beneden. Naar boven.' Darwin, die haar volledig negeert, speelt een soort hinkstap-sprong waardoor de systematische Grayer achterover de trap af gegooid dreigt te worden. Ik loop er vlak achteraan, met mijn hakken over de rand van de treden.

Als we uiteindelijk boven komen, parkeer ik de buggy's in de Buggystal en ga in de rij staan om te betalen. Door het slechte weer zit de Place tjokvol en staan we in een rij met dik aangeklede kinderen, geïrriteerde nanny's en een enkele moeder die hier is voor quality time met haar kind.

'Elizabeth, als we hebben betaald kunnen we gaan plassen. Hou het nog even op!'

'Hallo, welkom bij Play Space! Wie wil betalen?' vraagt een overenthousiaste man van in de dertig achter de felrode balie.

'Hij!' zeg ik, en ik wijs naar Grayer. De man kijkt verward. 'Wij, bedoel ik,' zeg ik, terwijl ik hem de pas van Mrs X geef. Hij zoekt haar op in de bestanden en als ik de twintig dollar geef, krijgen we naamkaartjes voor onszelf en eentje voor aan de buggy, voor het geval die vriendjes wil maken.

'Hallo, ik ben **Grayer**. Ik hoor bij **Nanny**,' staat er op de zijne.

'Hallo, ik ben **Nanny**. Ik hoor bij **Grayer**,' staat er op de mijne. We moeten ze op een goed zichtbare plaats dragen. Ik plak het mijne links op mijn borst, en Grayer drukt de zijne liever aan de zoom van zijn shirt, net boven het bungelende visitekaartje en naast zijn vaders das. Als Sima en Darwin ook van etiketten zijn voorzien, gaan we onze jassen ophangen en laarzen uittrekken in de voor ons bestemde hokjes. In het eetgedeelte diep ik weer twintig dollar op voor de lunch – twee kleine sandwiches met pindakaas en jam en twee pakjes sap.

'DOOD! DOOD!'

'SCHIET HEM IN ZIJN STOMME KOP!'

'Oké, dat is wel weer genoeg!' De Slechte Heks heeft hoofdpijn. 'Als jullie niet als twee aardige, vredelievende jongemannen kunnen eten, dan moeten Darwin en Sima aan een andere tafel gaan eten.' De rest van de maaltijd weten ze minder hard verder te ruziën, terwijl Sima en ik boven hun hoofden scheef naar elkaar glimlachen. Zij knabbelt aan haar bologna-sandwich en ik doe een paar pogingen om een gesprek te beginnen, maar Darwin kiest dit moment uit om haar Goldfish in het gezicht te gooien.

Voordat we ze mogen loslaten, gaan we eerst handen wassen. In de Technicolor toiletruimtes hangen kleine wastafeltjes, lage wc'tjes en zitten er hoge schuiven op de deuren. Grayer plast als de beste en staat dan toe dat ik zijn mouwen opstroop zodat hij zijn handen kan wassen.

'NEE! IK WIL NIET! DOE JIJ HET MAAR! PLAS JIJ MAAR!' horen we Darwin in de wc naast ons brullen.

Ik buk en druk een kus op Grayers kruin. 'Oké, Grove, in de benen,' zeg ik, en ik geef hem een papieren handdoekje zodat hij zijn handen kan afdrogen en het gemorste water kan opdeppen.

'Dat zegt papa altijd in Asperine.'

'O ja? Kom maar.' Ik gooi het handdoekje weg en steek mijn hand uit, maar hij blijft staan.

'Wanneer gaat papa met me naar Asperine?' vraagt hij.

'O, Grove...' Ik ga op mijn hurken zitten. 'Ik weet het niet, ik weet niet zeker of je dit jaar wel gaat skiën.' Hij blijft me vragend aankijken. 'Heb je het aan mama gevraagd?'

Hij wendt zich van me af, en slaat zijn armen voor zijn das over elkaar. 'Mama zegt dat ik niet over hem mag praten, dus daar mag je niet over praten. Dat mag niet.'

'Kom op, Grayer!' schreeuw Darwin, die tegen de onderkant van de deur schopt.

'Hé, er zijn er nog meer die moeten plassen!' Een vrouw begint boven hem op de deur te bonken.

'Grover, je mag met mij overal over praten...' zeg ik, terwijl ik overeind kom en de schuif van de deur doe.

'Je mag niet tegen me praten,' zegt hij en hij rent langs me heen naar Darwin, die bij de poort staat.

'Jij hebt lef!' De vrouw die heeft staan wachten duwt haar kind naar de wc. 'Ik vind het asociaal als je een klein meisje zo lang laat wachten!' Ze knijpt haar zwaar opgemaakte ogen tot spleetjes. 'Voor wie werk je?' Ik kijk naar haar stijf gelakte haar, haar centimeters lange nagels en haar Versace-bloes. 'Ik meen het, voor wie werk je?'

'Mens,' mopper ik als ik langs haar heen loop om Grayer de speelplaats in te duwen.

Sima en ik tillen de jongens op de knalblauwe glijbaan. Ik kijk haar aan om in te schatten of zij zo'n iemand is die denkt dat hij geen meter van de zijde van zijn kind mag wijken, en hem overal moet volgen.

'Ik denk dat ze het wel...' zegt zij, een korte stilte inlassend in een duidelijke poging mij in te schatten.

Ik knik; ik heb op een teken gewacht.

'...redden met z'n tweeën. Wat denk jij?'

'Ja, hoor,' zeg ik opgelucht, vanwege Grayers stemming en Darwins agressie. 'Ik trakteer op een toetje.'

Als we eenmaal een tafeltje met uitzicht op de glijbaan hebben gevonden, geef ik Sima een cakeje en een servetje. 'Ik ben blij dat je het niet erg vindt de jongens zelf te laten spelen. Ik probeer Grayer meestal los te laten en hier te zitten, zodat ik een oogje op hem kan houden terwijl ik mijn huiswerk doe. Maar er komt altijd een of andere bemoeizieke nanny met de melding "Eh, Grayer zit in de *zandbak*." En dan moet ik de zaal door vliegen met de kreet "Nee! Niet in de zandbak!!!"' Ik lach en hou mijn hand voor mijn mond om te voorkomen dat er kruimels uit vallen.

Sima giechelt. 'Gisteren hadden we een speelafspraak waar de moeder wilde dat ik samen met Darwin ging tekenen. Maar als ik mijn potlood op zijn tekening zet, dan schreeuwt hij het uit. Maar ze liet me de hele middag zo zitten, met een potlood naast het papier.' Ze pakt haar cakeje uit. 'Ben je al lang bij Grayer?'

'Zeven maanden – sinds september. En jij?' vraag ik op mijn beurt.

'Ik ben nu twee jaar bij Mr en Mrs Zuckerman.' Ze knikt en haar donkere haar valt voor haar gezicht. Ik schat haar voor in de veertig. 'Met het andere meisje speelden we vaak samen, dat was een leuke meid. Hoe heette ze ook weer?' Ze glimlacht en neemt een slokje uit haar piepkleine pakje sap.

'Caitlin. Ja, volgens mij ging die terug naar Australië.'

'Ze had een zus die ziek was. In het ziekenhuis. De laatste keer dat we een speelafspraak hadden spaarde ze voor een vliegticket om er op bezoek te gaan.'

'Dat is vreselijk, ik wist het niet. Ze was hartstikke goed. Grayer mist haar nog steeds erg...' Uit mijn ooghoek zie ik Darwin op de gele trap boven Grayer staan. Hij trekt de stropdas van Mr X strak om Grayers nek, waardoor die even geen adem krijgt. Zijn gezicht loopt rood aan en hij grijpt naar zijn keel.

Na een korte ruk laat de knoop in de das los. Darwin rukt hem van Grayers nek af en rent lachend naar de andere kant van de zaal, waar hij in het klimrek verdwijnt. Sima en ik springen op en verspreiden ons over de strijdende partijen.

'Stil maar, Grove,' roep ik terwijl ik naar hem toe ren.

Hij richt zijn woede met zo'n felheid tegen Darwin dat de hele zaal er stil van wordt. 'GEEF TERUG!! DIE IS VAN MIJN VADER! GEEF

TERUG!!!!' Hij begint te snikken en te trillen. 'MIJN VADER WORDT HARTSTIKKE KWAAD OP JE! HARTSTIKKE KWAAD!!'

Hij stort in en zijn lichaam schudt door het harde snikken. 'Mijn vader wordt hartstikke kwaad!'

Ik trek hem op schoot en begin zacht in zijn oor te mompelen en wieg en hem een weer. 'Je bent zo'n lieve jongen. Niemand is kwaad op jou. Je vader is niet kwaad op je, je moeder is niet kwaad op je. We houden allemaal heel veel van je, Grove.'

Ik draag hem naar het eetgedeelte, waar Sima met de das staat te wachten.

'Ik... wil,' hijgt hij, hij ademt in horten en stoten, 'mijn... moeder.' Ik knoop de das losjes om zijn nek, help hem op een van de groene banken naast me te klimmen en maak met mijn sweater een kussen voor zijn hoofd.

'Simaah? Ben jij Simaah?' vraagt de vrouw van de wc.

'Ja?'

'Jouw Darwin zit alleen op de glijbaan,' verkondigt ze.

'Dank je.' Sima glimlacht lief.

'Alleen, hoor,' zegt de moeder weer, alsof Sima doof is.

'Oké, bedankt.' Sima rolt met haar ogen, maar gaat erheen om te zien of Darwin zich niet op de een of andere manier bezeert op de glijbaan van amper een meter hoog. Intussen wrijf ik over Grayers rug en valt hij in slaap.

Ik zie Sima haar hand uitsteken om Darwin te helpen boven op de glijbaan zijn benen voor zich uit te strekken en naar beneden te glijden. Hij slaat haan aanbod af door haar boven op haar hoofd te slaan, lacht en glijdt omlaag. Ze blijft even met beide handen op haar hoofd staan, loopt dan langzaam terug naar onze tafel en gaat zitten.

'Darwin lijkt me een beetje hyper,' zeg ik. Eigenlijk vind ik hem meer een potentieel moordzuchtige maniak, maar ze zal wel een reden hebben om dit werk te doen; tien dollar per uur is niet genoeg om vrijwillig te worden afgetuigd.

'O, nee. Hij moet veel agressie kwijt omdat er thuis een nieuw babybroertje bij is gekomen.' Ze wrijft weer over haar hoofd.

'Heb je het er ooit met hen over gehad dat hij je slaat?' vraag ik voorzichtig.

'Nee. Nou ja, ze hebben het ook zo druk met de baby. En hij kan ook heel lief zijn.' Onder het praten haalt ze snel en oppervlakkig adem. Dit is echt niet de eerste keer dat ik dit heb gezien; in elke speeltuin is er wel een nanny die bont en blauw wordt geslagen door een boos kind. Ze wil er duidelijk niet over praten, dus ik verander van onderwerp.

'Je hebt zo'n mooi accent.' Ik vouw de verpakking van mijn cakeje in een klein vierkantje.

'Ik ben twee jaar geleden uit San Salvador gekomen.' Ze veegt haar handen aan een servet af.

'Heb je daar nog familie wonen?' vraag ik.

'Nou, mijn man en zonen wonen er.' Ze knippert een paar keer met haar ogen en kijkt naar de grond.

'O,' zeg ik.

'Ja, we waren met z'n allen gekomen, om werk te zoeken. Ik was ingenieur in San Salvador. Maar er was geen werk meer en we hoopten dat we hier geld konden verdienen. Toen kreeg mijn man geen verblijfsvergunning en moest hij terug met onze zonen, want ik kon niet werken én voor hen zorgen.'

'Hoe vaak zie je ze?' vraag ik, terwijl Grayer onrustig in zijn slaap beweegt.

'Ik probeer elk jaar met kerstmis twee weken terug te gaan, maar dit jaar wilden Mr en Mrs Zuckerman dat ik meeging naar Frankrijk.' Ze vouwt Darwins trui op en strijkt hem weer glad.

'Heb je een foto van je kinderen bij je? Het zijn vast schatjes.' Ik weet niet hoe ik een positieve draai aan dit gesprek kan geven. Als mijn moeder hier zou zijn, zou ze Sima meteen hebben ontvoerd.

'Nee, ik heb geen foto bij me. Dat vind ik... te moeilijk.' Ze glimlacht. 'Als Grayer bij Darwin komt spelen, laat ik ze je wel zien. En jij? Heb jij kinderen?'

'Nee. Ik? God zij dank niet.' We lachen allebei.

'Een vriendje dan?'

'Daar wordt aan gewerkt,' en ik begin te vertellen over HS. Temidden van alle felle lichten en kleuren, omgeven door een kakofonie van kreten vertellen we elkaar dingen uit ons leven, dingen waar de Zuckermannen en de X'en niets mee te maken hebben en niets over weten. Buiten begint het te sneeuwen. Ik trek mijn kousenvoeten onder me, terwijl zij haar kin op haar uitgestrekte arm laat rusten. Zo kom ik de middag door met een vrouw die een hogere graad heeft dan ik ooit zal bereiken, in een onderwerp waar ik geen voldoende in kan halen, en die de afgelopen twee jaar een maand thuis is geweest.

***

De afgelopen week was ik elke dag om zeven uur in het appartement om Grayer aan te kleden, om hem dan bij Mrs Butters af te leveren en me als een idioot naar college te haasten. Mrs X komt 's morgens haar kamer niet uit en is 's middags altijd weg, dus ik was verbaasd toen Connie zei dat ze me in haar werkkamer wilde spreken.

'Mrs X?' Ik klop op de deur.

'Kom binnen.' Enigszins op mijn hoede duw ik de deur open, maar zie haar aan haar bureau zitten, geheel gekleed in een kasjmier vest en broek. Ze heeft haar best gedaan met de blusher, maar ziet er nog betrokken uit.

'Wat doe je hier zo vroeg?' vraagt ze.

'Grayer heeft ruzie gekregen met een pot groene verf, dus ik moest hem naar huis brengen om andere kleren aan te trekken voordat hij ging schaatsen...' De telefoon gaat en ze gebaart dat ik moet blijven staan.

'Hallo? [...] O, hallo Joyce. [...] Nee, ik heb de brieven nog niet in de bus gekregen... [...] Ik weet het niet. Geen postcode misschien...' Haar stem klinkt nog steeds hol. 'Alle scholen waarvoor je haar had opgegeven? Echt waar? Geweldig, zeg... Nou, welke school hebben jullie uitgekozen? [...] Nou, ik weet niet zo veel over scholen voor meisjes. [...] Je zult echt de juiste beslissing wel nemen. [...] Mooi. Dag.'

Ze wendt zich weer tot mij. 'Haar dochter is toegelaten tot alle scholen waarvoor ze was opgegeven. Ik snap het niet, ze is niet eens leuk om te zien... Wat zei je ook weer?'

De verf – maakt u zich maar geen zorgen, hij droeg het Collegiate-shirt niet toen het gebeurde. Hij heeft een heel mooie tekening van een boom gemaakt...'

'Hoort hij op school geen reservekleren te hebben?'

'Ja, het spijt me – die heeft hij vorige week gebruikt toen Giselle een pot lijm over hem uitgoot, en ik ben vergeten die te vervangen.'

'En als hij nu eens geen tijd had gehad om zich om te kleden?'

'Het spijt me. Ik zal morgen reservekleren meenemen.' Ik begin weg te lopen.

'O, Nanny?' Ik steek mijn hoofd om de hoek van de deur. 'Nu je er toch bent, wil ik met je praten over Grayers aanmeldingen voor school. Waar is hij?'

'Hij staat te kijken bij Connie, die is aan het afstoffen.' Jouw stoelspijlen. Met een tandenborstel.

'Mooi. Ga zitten.' Ze wijst naar een van de oorfauteuils tegenover haar bureau. 'Nanny, ik moet je iets heel vreselijks vertellen.' Ze kijkt naar haar handen die wringend op schoot liggen.

Ik kan niet ademhalen. Ik zet mezelf schrap voor het slipje.

'We hebben vanochtend heel slecht nieuws gekregen,' zegt ze langzaam, worstelend om de woorden eruit te krijgen. 'Grayer is afgewezen voor Collegiate.'

'Nee.' Snel haal ik de opgeluchte uitdrukking van mijn gezicht. 'Ik geloof het niet.'

'Ik weet het. Het is vreselijk. Bovendien, en dat maakt het nog erger, is hij op de wachtlijst van St Davids en St Bernards terechtgekomen. De wachtlijst.' Ze schudt haar hoofd. 'Dus nu is het duimen voor Trinity. Maar als dat om de een of andere reden ook niet lukt, dan hebben we alleen de tweede-keusscholen nog, en ik ben helemaal niet te spreken over de college-indeling van die scholen.'

'Maar het is zo'n mooi ventje. Hij is slim en heeft een grote woordenschat. Hij is grappig. Hij kan zich heel goed uitdrukken.' Ik snap het gewoon niet. 'Ik bedoel maar, kom op zeg, hoe kun je dit jongetje nu niet leuk vinden?

'Ik heb er de hele morgen over lopen nadenken, geprobeerd het te begrijpen.' Ze kijkt uit het raam. 'Onze aanmeldingscoach heeft gezegd dat Collegiate een makkie voor hem was.'

'Mijn vader heeft gezegd dat ze dit jaar meer aanmeldingen hebben gehad dan ooit. Ze zijn overspoeld met slimme, leuke leerlingen en waarschijnlijk hebben ze een paar heel moeilijke keuzes moeten maken.' Besef nou eens dat de aangemelde kinderen *vier* jaar zijn en je niet van ze kunt verwachten dat ze een mening hebben over de staatsschuld of dat ze weten wat ze over vijf jaar willen doen.

'Ik dacht dat je vader Grayer wel mocht toen hij hem had ontmoet,' zegt ze scherp, doelend op de regenachtige middag waarop ik hem heb meegenomen naar mijn ouders' huis om Sophie te aaien.

'Dat is ook zo. Ze hebben samen *Rainbow Connection* gezongen.'

'Hmm, interessant.'

'Wat?'

'Nee, niets. Het is gewoon interessant, meer niet.'

'Mijn vader heeft niet echt iets met de toelating te maken.'

'Oké. Nou, ik wilde met je praten omdat het dragen van dat Collegiate-shirt Grayer misschien valse hoop heeft gegeven en ik wil zeker weten dat—' Ze wordt onderbroken door de telefoon. 'Wacht even.' Ze neemt op. 'Hallo? O, hoi, Sally. [...] Nee, we hebben onze brieven nog niet gehad. [...] O, Collegiate. Gefeliciteerd, fantastisch, zeg. [...] Nou, Ryan is ook een heel bijzonder jongetje. [...] Ja, dat zou geweldig zijn. Grayer zou het ook leuk vinden om met Ryan naar school te gaan. [...] Ja, laten we eens samen eten. [...] O, met z'n vieren? Ik moet even in de agenda van mijn man kijken. Laten we er na het weekend nog op terugkomen. [...] Leuk. Dag!' Ze haalt diep adem en klemt haar kaken op elkaar. 'Waar was ik gebleven?'

'Grayers valse hoop?'

'O, ja. Ik ben bang dat jij hem te veel hebt aangemoedigd zich op Collegiate te richten en dat dit een potentiële afbreuk van zijn zelfbeeld kan betekenen.'

'Ik...'

'Nee, alsjeblieft, je hoeft je niet schuldig te voelen. Eigenlijk is het mijn schuld omdat ik jou je gang heb laten gaan. Ik had je beter in de gaten moeten houden.' Ze zucht en schudt haar hoofd. 'Maar ik heb vanmorgen mijn kinderarts gesproken en die heeft gezegd dat we een Lange-termijn Ontwikkelings Consultant in de arm moeten nemen, die is gespecialiseerd in het begeleiden van ouders en verzorgers bij de overgang naar school. Morgen komt ze langs, als Grayer pianoles heeft, en ze heeft speciaal gevraagd of ze jou afzonderlijk kon spreken om jouw rol in het geheel te beoordelen.'

'Goed, dat lijkt mij een prima idee.' Ik loop de kamer uit. 'Eh.' Ik steek mijn hoofd weer om de hoek. 'Dus ik kan hem vandaag die sweater beter niet laten aantrekken?'

'Wat?' Ze steekt haar hand naar haar kop koffie uit.

'Het sweatshirt.'

'O, nou, vandaag kan hij het nog wel aan, dan laten we het aan de consultant over hoe we met deze situatie omgaan.'

'Oké, prima.' Ik loop weer naar Grayer toe, die op het bankje toekijkt hoe Connie het fornuis poetst, terwijl hij afwezig met de das speelt die om zijn nek hangt. Ik vraag me af of we ons geen zorgen maken om het verkeerde kledingstuk.

***

Ik zit in de stoel naast het bureau van Mrs X op de consultant te wachten en probeer onopvallend de aantekeningen van Mrs X, die ondersteboven liggen, te lezen. Ook al is het waarschijnlijk weinig meer dan een soort boodschappenlijstje, het feit dat ik hier alleen word gelaten, geeft me het idee dat ik alles stiekem moet doen. Als ik een verborgen camera in een knoop op mijn sweater had zitten, dan zou ik als een idioot alles op haar bureau proberen te fotograferen. Net als ik om mezelf begin te lachen bij het idee, komt de vrouw binnen, met haar koffertje voor zich uit.

'Nanny.' Ze steekt haar hand uit en schudt de mijne. 'Ik ben Jane. Jane Gould. Hoe is het met jou?' Ze praat net een beetje te hard, neemt me over de rand van haar bril op en zet haar koffertje op het bureau van Mrs X.

'Goed, dank je.'

Ze slaat haar armen over haar cranberrykleurige blazer en knikt ritmisch naar me. Ze heeft heel grote lippen die zijn gestift in precies dezelfde cranberrykleur, die in de lijntjes om haar mond wegloopt.

Ik knik terug naar haar.

Ze kijkt op haar horloge. 'Zo, Nanny. Ik zal mijn schrijfblok even pakken, dan kunnen we beginnen.' Ze kondigt elke handeling die ze uitvoert aan, en gaat uiteindelijk in de stoel van Mrs X zitten, met de pen in aanslag.

'Nanny, ons doel is in de komende drie kwartier het bepalen van Grayers percepties en verwachtingen. Ik zou van je willen weten wat jouw beeld is van je huidige rol en verantwoordelijkheden aangaande Grayers traject met betrekking tot de volgende fase van zijn schoolcarrière.'

'Oké,' zeg ik, in mijn hoofd haar mededeling herhalend om erachter te komen wat de vraag is.

'Nanny, hoe zou jij jouw optreden van de afgelopen drie maanden met betrekking tot Grayers academische activiteiten kenschetsen?'

'Goed. Ik bedoel, ik heb hem van school opgehaald. Maar eerlijk gezegd was daar niet veel academische activiteit—'

'Ik begrijp het. Dus je beschouwt jezelf niet als een actieve, dynamische deelnemer in zijn proces. Hoe zou je je agenda tijdens zijn geplande speeltijd beschrijven?'

'Nou... Grayer speelt graag met zijn trein. O, en verkleden vindt hij leuk. Dus ik probeer dingen te doen die hij leuk vindt. Ik was me er niet van bewust dat hij een agenda voor speeltijd had.'

'Laat je hem puzzels maken?'

'Hij houdt niet van puzzels.'

'Wiskunde?'

'Hij is nog wat jong—'

'Wanneer was de laatste keer dat je de cirkels met hem hebt gedaan?'

'Volgens mij hebben we vorige week nog met de krijtjes—'

'Speel je de Suzuki-bandjes af?'

'Alleen als hij in bad zit.'

'Heb je hem uit het *Wall Street Journal* voorgelezen?'

'Nou, eigenlijk—'

'The Economist?'

'Niet echt...'

'The Financial Times?'

'Moet dat dan?'

Ze zucht diep en krabbelt als een bezetene op haar schrijfblok. Ze begint weer. 'Hoe veel tweetalige maaltijden eet je per week met hem?'

'Op woensdagavond praten we Frans, maar meestal geef ik hem een vegetarische hamburger.'

'En hoe vaak ga je naar het Guggenheim?'

'We gaan meestal naar het Museum of Natural History – hij is dol op die stenen.'

'Welke methodologie gebruik je om hem aan te kleden?'

'Hij kiest zijn kleren uit of zijn moeder doet het. Zolang hij zich er maar lekker in voelt...'

'Gebruik je dan geen Kleurenschema?

'Niet echt...'

'En ik neem aan dat je zijn keuzes ook niet bijhoudt op een garderobediagram?'

'Ja, nee.'

'En je laat hem zeker zijn kleuren en maat ook niet in Latijn vertalen.'

'Misschien later dit jaar nog.'

Ze kijkt me weer aan en blijft even knikken. Ik verschuif in mijn stoel en glimlach. Ze buigt zich over het bureau en zet haar bril af.

'Nanny, ik zal je een waarschuwing moeten geven.'

'Oké.' Ik buig me enigszins naar haar toe.

'Ik vraag me af of je je vaardigheden bagatelliseert om afbreuk te doen aan Grayers prestaties.' Nu de aap uit de mouw is, leunt ze achterover en laat ze haar handen in haar schoot rusten. Ik voel dat ik me beledigd moet voelen. Vaardigheden bagatelliseren? Iemand enig idee?

'Het spijt me dat te horen,' zeg ik oprecht, want het enige dat overduidelijk is, is dat het mij moet spijten.

'Nanny, ik heb begrepen dat je gaat afstuderen in "Kunst in de opvoeding" dus eerlijk gezegd ben ik verbaasd over het gebrek aan diepte in je elementaire kennis in dezen.' Oké, nu weet ik dat ik word beledigd.

'Nou, Jane.' Bij het horen van haar naam gaat ze rechtop zitten. 'Ik ben opgeleid om met kinderen te werken die veel minder middelen tot hun beschikking hebben dan Grayer.'

'Aha, dus jij beschouwt deze gelegenheid niet als een situatie waarin je een waardevermeerdering tot stand kunt brengen.' Watte?

'Ik wil Grayers waarde vermeerderen, maar op het moment is hij nogal gespannen...'

Ze kijkt me sceptisch aan. 'Gespannen?'

'Ja, gespannen. En ik heb het idee – ik ben nog maar een student, Jane, dus ik weet dat je dit met een korreltje zout zult nemen – dat het beste wat ik hem kan geven tijd is om tot zichzelf te komen zodat zijn fantasie kan groeien zonder dat die in een bepaalde richting wordt gedwongen.' Het bloed stijgt me naar de wangen en ik weet dat ik te ver ben gegaan, maar nog eens in deze kamer door een middelbare vrouw voor schut gezet te worden, dat is meer dan ik aankan.

Ze krabbelt nog een paar aantekeningen en kijkt me met een lege glimlach aan. 'Nou, Nanny, ik raad je aan beter na te denken tijdens je werk met Grayer. Hier heb je een lijst met Beste Adviezen van andere verzorgers, en ik stel voor dat je die doorneemt en je eigen maakt. Dit is expliciete kennis, Nanny, expliciete kennis van je leeftijdgenoten die je impliciet moet maken, wil je Grayer de kans geven tot zijn volledige zelf te ontwikkelen.' Ze geeft me een stapel papieren die met een grote klem bovenaan bij elkaar worden gehouden, staat op en schuift haar bril weer op haar neus.

Ik sta ook op, omdat ik het gevoel heb dat ik iets moet rechtzetten. 'Ik wil niet eigenwijs overkomen. Ik geef heel veel om Grayer en volg al Mrs X's instructies op. De afgelopen maanden wilde hij bijna elke dag dat shirt van Collegiate aan. Mrs X heeft er zelfs nog een paar gekocht zodat hij er een aan kon hebben als de rest in de was zat. Ik wil dat je weet dat ik...'

Ze steekt haar hand uit zodat ik die kan schudden. 'Goed. Bedankt voor je tijd, Nanny.'

Ik schud haar hand. 'Ja, dank je. Ik zal dit vanavond doorlezen. Ik weet zeker dat ze goed van pas komen.'

***

'Kom, Grove, eet eens op, dan kunnen we een spelletje doen.' Grayer heeft nu vijf minuten met de tortellini op zijn bordje zitten spelen. Dank zij Jane is het voor ons allebei een lange middag geweest. Ik kijk naar zijn blonde hoofd, dat op zijn arm ligt. Hij staart naar de resten van zijn diner. 'Wat is er? Geen honger?'

'Nee.' Ik pak zijn bord. 'Nee!' Hij grijpt de rand vast, zodat zijn vork op tafel valt.

'Oké, Grayer, je hoeft alleen maar te zeggen: "Nanny, ik ben nog niet klaar." Ik wacht wel even.' Ik ga weer zitten.

'Nanny!' Mrs X komt de kamer in zetten. 'Nanny.' Ze staat op het punt iets te zeggen, maar ziet dan Grayer en de eenzame tortellini. 'Heb je lekker gegeten, Grayer?'

'Ja,' zegt hij tegen zijn arm.

Maar ze heeft haar aandacht alweer op mij gericht. 'Zou je even kunnen meekomen?' Ik loop achter haar aan de eetkamer in, waar ze zich omdraait en zo abrupt stilstaat dat ik per ongeluk op haar voet trap.

'Sorry, doet het pijn?'

Ze trekt een gezicht. 'Het gaat wel. Ik heb Jane net gesproken, en het is essentieel dat we een gezinsbijeenkomst hebben om Grayer te vertellen over de a-f-w-ij-z-i-n-g. Dus ik wil dat je het kantoor van Mr X belt en vraagt wanneer hij een gaatje kan vinden om even thuis te zijn. De nummers hangen in de provisiekast...'

'Mrs X?' roept Jane, die de gang op loopt.

'Ja, hoor, geen probleem. Ik bel meteen.' Snel glip ik de keuken weer in. Grayer trekt nog steeds rondjes met zijn vork, de omloopbaan van de tortellini. Ik buig me even over hem heen en luister naar Jane en Mrs X, die op de gang staan.

'Ja, ik heb Nanny net gesproken. Ik zal kijken hoe snel ik ervoor kan zorgen dat mijn man naar huis komt om die bijeenkomst bij te wonen,' zegt Mrs X, die in haar rol groeit.

'Zijn aanwezigheid is niet echt nodig, zolang Grayer maar weet dat zijn voornaamste verzorger aanwezig is. U moet gewoon zelf met hem gaan praten.' Janes stem beweegt zich naar de voordeur en ik loop naar de telefoon.

'Met het kantoor van Mr X, met Justine. Kan ik u helpen?'

'Hoi, Justine. Met Nanny.'

'Hoi. Hoe gaat het met je?' vraagt ze boven het lawaai van een printer uit.

'Het gaat. En met jou?'

'Druk,' zucht ze. 'Door die fusie is het hier razend druk. Ik kom nu al twee weken niet voor middernacht thuis.'

'Waardeloos, zeg.'

'Nou, hopelijk krijgt Mr X een enorm handhavingsbudget en laat hij ons er een beetje van meegenieten.' Reken daar maar niet op. 'En, vindt Mrs X de bloemen mooi?'

'Wat?'

'De rozen – ik vond het te veel van het goede, maar Mr X zei dat ik elke dag een bos moest laten bezorgen.'

'Ja, zo komt het wel een beetje over,' bevestig ik.

'Ik zal ervoor zorgen dat er morgen wat meer variatie in zit. Wat is haar lievelingsbloem?'

'Ze houdt van pioenrozen,' fluister ik, omdat Mrs X langs Grayer snelt en vol verwachting voor me komt staan.

'Waar moet ik in maart nu pioenrozen vandaan halen?' zucht Justine weer, en de printer maakt een ratelend geluid. 'Jemig, dat ding heeft het alweer begeven. Sorry, maakt niet uit. Komt voor elkaar. Verder nog iets?'

'O ja, Mrs X wil een gezinsbijeenkomst plannen over...' ik werp een blik over mijn schouder naar de tortelliniduwer, 'de kleine. Wanneer kan hij hier zijn?'

'Eens kijken... Ik kan een vergadering opschuiven...' Ik hoor haar pagina's omslaan. 'Pompompom... ja, ik kan zorgen dat hij woensdag om vier uur weer in New York is. Dan is hij er.'

'Geweldig. Dank je, Justine.'

'Graag gedaan.'

Ik leg neer en kijk haar aan. 'Justine zei dat hij woensdag om vier uur hier kan zijn.'

'Nou, als het echt niet eerder kan, dan moeten we het daarmee doen.' Ze werpt een blik op de glinsterende briljant in haar verlovingsring.

'Jane zei dat het *cruciaal* was dat hij erbij was, dus...'
Jaja.

***

'Het *Wall Street Journal*! Nou ja! Hij is vier!'

'Jezus,' roept mijn vader uit, en precies op dat moment duwt Sophie haar snuit tussen onze benen. 'Je moeder wil nog steeds dat je ermee ophoudt.'

'Ik kan het wel aan.' Ik ren een paar passen en Sophie springt om me heen, klaar voor haar volgende sprint. 'En nu kan ik Grayer helemaal niet in de steek laten.'

Papa rent tot onder aan de heuvel. 'Sophie! Kom!' Sophie kijkt verward. 'Hier!' roept hij. Sophie draait zich om en rent in zijn richting, tegen een koude windvlaag in, die haar oren nog verder naar achteren waait. Zodra ze bij hem is en net onder zijn in handschoenen gehulde handen door loopt, roep ik haar. Ze galoppeert weer omhoog naar mij, en daarna rennen we samen de helling af tot we bij hem staan op het hoofdpad, dat door het Riverside Park loopt.

'Ben je klaar voor je gesprek morgen?' Sophie rolt tegen zijn schenen aan in een poging ons in te halen.

'Ik ben wel zenuwachtig, maar professor Clarkson heeft het met ons in de klas geoefend. Ik wil echt graag een baan hebben voor volgend jaar.' Ik trek mijn schouders op tegen een vlaag koude wind.

'Geef ze van katoen. Zet 'm op!' Ik ren de heuvel weer op, naar de rand van het bos, en kijk neer, net op het moment dat de straatverlichting aan floept, zodat het om ons heen donkerder lijkt

Ik kijk op naar de gele gloed, en formuleer een wens alsof ik een gebed opzeg: 'O, elektrische goden van de universiteitshemel, ik wens alleen dat ik een echte, eerlijke, baan krijg met vaste uren en een kantoor waar het ondergoed van mijn baas niet hangt te drogen. Ik hoop ooit meer dan één kind tegelijk te helpen. Kinderen die geen eigen consultants hebben. Dank u wel. Amen.'

***

De metrowagon wordt plotseling overgoten met zonlicht als we hoog boven de straten van de South Bronx uit de tunnel komen. Ik voel de opwinding die ik altijd voel als een treinwagon boven de grond komt en boven de stad zweeft over zijn smalle rails, alsof het een achtbaan in een pretpark is.

Ik haal mijn lesrooster uit mijn rugzak en kijk er voor de miljoenste keer naar. De kans om in een team te werken dat conflicten op scholen in de stad oplost, is precies de baan waarvoor ik ben opgeleid. Bovendien zou het goed zijn om eens met tieners te werken, even iets anders dan de kleintjes.

De metro stopt en ik stap in het koude zonlicht. Ik loop de trap af naar straatniveau en ontdek dat ik niet vier blokken van mijn gesprek vandaan ben maar veertien. Ik moet de vrouw aan de telefoon verkeerd hebben begrepen. Ik kijk op mijn horloge en zet er flink de pas in. Ik was vanochtend te zenuwachtig om iets te eten, maar de wandeling van negentig minuten heeft een flinke eetlust gewekt. Ik loop in een sukkeldraf de lange straten door in de wetenschap dat ik iets moet eten, omdat ik anders de kans loop onder de les flauw te vallen.

Volledig buiten adem, ren ik naar een kleine krantenkiosk, grijp een zakje pinda's en stop hem in mijn rugzak. Een deur verder druk ik op de zoemer naast een met de hand gekleurd stukje papier dat met plakband is opgehangen. Er staat 'Conflictbestrijding in de Buurt'.

Er blèrt een stem iets onverstaanbaars door de intercom en de deur klikt open, zodat ik het trappenhuis in kan. Het is ooit groen geschilderd, en er hangen posters van kinderen in speeltuinen die ernstig in de camera kijken. Terwijl ik de trap op loop, bekijk ik alle posters, en beoordeel naar aanleiding van de kapsels en soulpijpen dat het reclameposters uit de vroege jaren zeventig zijn, rond de tijd dat deze organisatie werd opgezet. Bovenaan bel ik weer aan en word door luid geblaf begroet, en dan trekt een grote hand de deur op een kier.

'Snowflake, blijf! BLIJF!'

'Ik kom voor het sollicitatiegesprek,' zeg ik, om me heen kijkend of ik nog een deur zie, in de veronderstelling dat ik een bewoner van dit gebouw stoor. Er verschijnt een bleek vrouwengezicht in de kier.

'Ja, Conflictbestrijding in de Buurt. Je bent aan het goede adres, kom binnen, maar pas wel op voor Snowflake. Hij probeert altijd uit te breken.'

Ik wurm me door de smalle kier en sta praktisch oog in oog met een kolossale zwarte herder en de rest van een even kolossale vrouw in overal met middellang, grijzend blond haar. Ik glimlach en buig me voorover om Snowflake te aaien, die voorbij haar wijd uit elkaar staande benen probeert te komen.

'Nee!!' gilt ze.

Ik schrik.

'Hij is niet zo'n sociaal iemand. Of wel, Snowflake?' Met haar vrije hand klopt ze de hond ruw op de kop, en met de andere houdt ze een stapel gele mappen vast. Nu ze me fatsoenlijk heeft gewaarschuwd, staat ze toe dat Snowflake me komt besnuffelen, waarbij ik doodstil blijf staan.

'Ik ben Reena, de directeur van Conflictbestrijding. Jij bent?' Ze fixeert me met een scherpe blik. Ik probeer haar in te schatten, om erachter te komen wie ze wil dat ik ben.

'Nan. Volgens mij heb ik afgesproken met Richard.' Ik gok op kordaat en warm, zonder ook maar enigszins vrolijk te willen zijn.

'Nan? Ik dacht dat je Naminia heette. Shit. RICHARD!' blaft Reena naar me, en ik duik bijna in elkaar. Ze wendt zich weer tot haar mappen. 'Hij komt eraan. RICHARD!' gilt ze weer, deze keer naar de dossierkast.

'Oké, ik ga wel even zitten.' Ik probeer te laten zien dat ik iemand ben die voor zichzelf kan zorgen, omdat ik voel dat onafhankelijkheid hier op prijs wordt gesteld. Ik draai me om en zie dat de twee stoelen die de kleine wachtruimte rijk is bijna zwichten onder stapels dozen met gele mappen. Ik blijf dus maar bij de muur staan en ga Reena uit de weg, want ook dat lijkt bij Conflictbestrijding belangrijk te zijn.

Aan de andere kant van de kamer vliegt een deur open, en er komt een man met een bleke gelaatskleur binnen, die eruitziet alsof hij familie is van Reena en van wie ik aanneem dat hij Richard is. Hij tuurt door zijn brillenglazen naar me, en loopt moeizaam om haar en de hond heen om me te verwelkomen. Hij zweet hevig en er steekt een verlepte sigaret achter zijn oor.

'Naminia!'

'Nan,' gromt Reena boven een dossiermap.

'O, Nan... Ik ben Richard, de artistiek directeur. Nou, ik zie dat je Reena en Snowflake al hebt ontmoet. Laten we meteen ter zake komen! Laten we naar de Emotiekamer gaan en met je aan de slag gaan.' Hij schudt mijn hand en kijkt Reena aan.

Ik loop met hem mee naar de Emotiekamer, die ongeveer even groot is als het kantoor, maar dan zonder al de bureaus.

'Ga maar zitten, Nan.'

Dat doe ik, en bereid me erop voor mijn hele, fantastische levensloop op te dissen. Ik ben klaar om ze van katoen te geven.

'Ik zal je over mezelf vertellen...' begint Richard. Hij leunt achterover in de plastic vouwstoel en vertelt dat hij tientallen jaren ervaring heeft in het sociaal werk, dat hij Reena heeft ontmoet bij een conflict met de agent, dat ze samen jaren de wereld rond hebben gereisd om methodes voor conflictbestrijding te verzamelen en over de 'wel duizenden' kinderen die hij persoonlijk heeft opgeleid om 'de wereld een beetje beter te maken'. Hij vertelt ook uitgebreid over zijn slechte jeugd, over de 'buitenechtelijke zoon die hem nooit meer belt', en zijn recente pogingen om te stopen met roken. Ik dwaal af en toe af met mijn gedachten, blijf stralend glimlachen en kan aan niets anders denken dan de pinda's in mijn tas.

Ongeveer een uur later zegt hij eindelijk: 'Dus ik lees hier dat je een bijvak genderstudies doet, wat betekent dat?'

Hij kijkt het cv door, dat ik hem heb gefaxt en knijpt zijn ogen halfdicht om de vage letters te lezen. Ik volg zijn blik naar het bovenste stuk van de pagina en zie dat ik 'Naminia, van de ongeveer 4e East dinges-Street ben.' Aha, Naminia.

'Nou, ik studeer af in kinderontwikkeling en vond het goed om mijn kennis aan te vullen met...'

'Dus je bent niet zo'n vieze feminist?' Hij lacht uit volle borst, pakt een papieren zakdoekje uit zijn zak en veegt zijn voorhoofd droog.

Ik waag een zwak lachje. 'Zoals ik al zei, ik ben mijn scriptie bij professor Clarkson aan het afronden, en heb dit semester een naschools programma in Brooklyn gedaan...'

'Goed. We gaan je even installeren! Ik zal Reena halen en dan beginnen we met je les.' Hij staat op 'REENA!' Luid geblaf uit de andere kamer is het antwoord.

Ik haal mijn lesrooster uit mijn rugzak, terwijl Snowflake komt binnen stormen, gevolgd door Reena. Ik loop naar de andere kant van de kamer en schrijf mijn aantekeningen op het bord.

Ik haal diep adem. 'Ik heb een les voorbereid over de invloed van leeftijdgenoten onder kinderen van veertien op de middelbare school. Je ziet op het bord dat ik sleutelwoorden heb opgeschreven. Ik wil de groep vragen om samen te werken om iets te bedenken...'

'Juf, juf!' Achter in de kamer zit Richard wild te zwaaien.

'Sorry, waren jullie er nog niet klaar voor?' vraag ik. Ik heb geen idee wat er gebeurt.

Hij frommelt een stuk papier op en gooit het naar Reena, die in een nephuilbui uitbarst.

'Juf! Reena heeft een vies woord gezegd!' Reena blijft jammeren, waardoor Snowflake blaffend rondjes om haar heen blijft draaien.

'Sorry, Richard, ik had begrepen dat we gewoon een overzicht zouden bespreken.' Maar ze zitten helemaal in hun rol, blijven proppen naar elkaar gooien en jammeren.

Ik schraap mijn keel. 'Oké, de les die je me vroeg voor te bereiden was voor tieners, maar ik kan hem wel aanpassen aan kleuters.' Ik kijk naar mijn aantekeningen en probeer koortsachtig de opzet te versimpelen voor een andere leeftijdsgroep. Ik kijk weer naar de twee enorme volwassenen en een enorme hond, die zich verschuilen achter stoelen en proppen naar elkaar gooien.

'Eh, mag ik even? Luister even. Oké, IEDEREEN LUISTEREN!' zeg ik hard, mijn frustratie eruit gooiend. Ze draaien zich naar me om.

Reena staat op en valt uit haar rol. 'Wat voel je nu, Nan?'

'Sorry?' vraag ik.

Richard haalt zijn schrijfblok te voorschijn. 'Wat vind je nu van ons? Wat zegt je intuïtie je?' Ze kijken me vol verwachting aan.

'Nou, ik denk dat ik de aanwijzingen misschien verkeerd heb begrepen...'

'Shit, Nan. Voel je geen woede? Haat je ons? We voelen die liefde niet. Ik wil het van je horen. Hoe is je relatie met je moeder?'

'Reena, eerlijk gezegd is het me niet duidelijk wat dat te maken heeft met mijn werk als...'

Reena zet haar handen op haar brede heupen en Snowflake loopt rondjes om haar voeten. 'Wij zijn hier een familie. In de Emotiekamer zijn er geen grenzen. Je mag deze kamer alleen betreden met vertrouwen en liefde. Je moet er gewoon voor gaan. Ik zal het je maar vertellen, Nan. We zijn op het moment eigenlijk niet echt op zoek naar een blanke vrouw.'

Ze vindt deze mededeling zo vanzelfsprekend, dat ik in de verleiding kom te vragen hoe veel plaatsen ze hebben voor blanke, vieze feministen. Nog sterker, waarom een gekleurd iemand minder moeite zou hebben zijn relatie met zijn moeder te bespreken met volslagen vreemden. Blanke vreemden, wel te verstaan.

Richard staat op, doorweekt van het zweet, en hoest een rokershoest. ‘We hebben veel te veel cv’s van blanke meisjes binnengekregen. Jij spreekt zeker geen Koreaans, hè?’ Ik schud sprakeloos mijn hoofd.

‘Nan, we proberen model te staan voor diversiteit, een representatie te geven van een ideale buurt. SNOWFLAKE, NAAST!’ Snowflake kuiert terug van de plek waar hij aan mijn tas heeft staan snuffelen. Met zijn kop omlaag loopt hij langs me heen, de laatste pinda’s weg slikkend.

Ik kijk naar hun erg blanke gezichten tegen de achtergrond van felgekleurde regenbogen die op de afbladderende muur achter hen zijn geschilderd. ‘Nou, bedankt voor deze kans, jullie hebben een erg interessante organisatie.’ Ik zoek mijn spullen bij elkaar.

Ze brengen me naar de deur. ‘Ja, misschien doen we volgend semester wat fundraising in East Side. Zou je dat leuk vinden?’ Ik stel me voor dat ik Reena in het Met aan Mrs X voorstel, zodat ze haar kan ondervragen over haar woede.

‘Eigenlijk ben ik op zoek naar wat praktijkervaring. Maar bedankt.’ Ik kom de deur uit, loop linea recta naar Burger King en bestel een grote portie friet en een cola. Opgevouwen in een aan de grond genagelde stoel slaak ik een diepe zucht en vergelijk Reena en Richard met Jane en Mrs X. Ergens in die wijde wereld moeten er mensen rondlopen die geloven in een tussenweg tussen *eisen* dan kinderen ‘hun woede voelen’ en de agenda van een kind volproppen zodat iedereen kan doen alsof hij geen kinderen heeft. Ik neem een grote slok van mijn cola. Ik denk niet dat ik die snel zal vinden.

‘Kijk, als ik twee jellybeans heb en jij hebt één jellybean, dan hebben we samen drie jellybeans!’ Ik hou hem de jellybeans voor om te laten zien wat ik bedoel.

‘Ik vind de witte lekker en de jellybeans die naar banaan smaken. Hoe doen ze dat, Nanny? Hoe zorgen ze dat het naar banaan smaakt?’ Grayer legt de gekleurde snoepjes achter elkaar als treinrails op het vloerkleed van zijn slaapkamer.

‘Ik weet ‘t niet, Grove. Misschien malen ze een banaan fijn en malen ze alle jellies fijn en dan doen ze het na het koken in een boonvorm?’

‘Ja! Een boonvorm!’ Daar gaat mijn rekenlesje. ‘Nanny, proef deze eens!’ Bij het boeket pioenrozen van gisteren zat een enorm blik jellybeans.

'En deze groene dan? Hoe zorgen ze dat die...' We horen een deur dichtslaan. Maar drie uur te laat. Niet slecht.

'Papa!!' Hij rent de kamer uit en ik loop achter hem aan de gang op.

'Hé, jochie. Waar is je moeder?' Hij klopt Grayer op zijn hoofd terwijl hij zijn das losmaakt.

'Hier ben ik,' zegt ze, en we draaien ons allemaal om. Ze heeft een lichtblauw kokerrokje aan, pumps, een kasjmier truitje met V-hals, en ze heeft oogschaduw, mascara en rouge op gedaan. Tataaa. Als dit voor mij de eerste keer in drie weken was dat ik mijn man zag, dan zou ik me ook optutten. Haar roze gestifte lippen glimlachen beverig.

'Nou, laten we beginnen,' zegt hij, haar amper een blik waardig keurend voordat hij naar de woonkamer loopt, waar Jane haar tabellen en diagrammen heeft achtergelaten. Grayer en zijn moeder haasten zich achter hem aan en ik blijf in de hal achter. Ik ga op het bankje zitten en neem de rol van hofdame weer op me.

'Schat,' begint Mrs X een beetje te enthousiast. 'Zal ik Connie een drankje laten brengen? Of misschien een kopje koffie? CONNIE!' Ik spring uit mijn vel van schrik en Connie komt met nog natte handen de keuken uit stuiven.

'Jezus, moet je zo'n drukte maken? Nee, ik heb net gegeten,' zegt Mr X.

Connie blijft net voor de drempel van de woonkamer staan. We kijken elkaar aan en ik maakt plaats voor haar op het bankje.

'O. Oké. Nou, Grayer, papa en mama willen met je praten over de school waar je volgend jaar heen gaat,' probeert Mrs X nog eens.

'Ik ga naar Collegiate,' zegt Grayer behulpzaam.

'Nee, liefje. Mama en papa hebben besloten dat je naar St. Bernard's gaat.'

'Burnurd?' vraagt hij. Er valt een korte stilte. 'Zullen we nu met de trein gaan spelen? Papa, ik heb een nieuwe trein, een rode.'

'Dus kun je je blauwe sweater niet meer aan, snap je?' zegt ze. Connie rolt met haar ogen.

'Waarom niet?'

'Omdat er Collegiate op staat en jij naar St. Bernard's gaat...' zegt Mr X geërgerd.

'Maar ik vind hem mooi.'

'Ja liefje. We kopen een St. Bernard's-sweater voor je.'

'Ik vind de blauwe mooi!'

Ik leun naar Connie toe en fluister: 'O, laat hem dan in vredesnaam het ding binnenstebuiten dragen. Wat maakt dat nou uit?' Ze gooit haar handen in de lucht.

Mrs X schraapt haar keel. 'Oké, liefje. Daar hebben we het later nog wel over.' Connie verdwijnt weer in de keuken.

'Papa, kom je naar mijn trein kijken? Ik zal je de nieuwe laten zien. Een rode en hij kan hartstikke hard!' Grayer vliegt langs me heen naar zijn kamer.

'Wat een tijdverspilling. Het kan hem duidelijk geen lor schelen,' zegt Mr X.

'Nou, Jane vond het belangrijk...' werpt ze tegen.

'En wie is Jane nou weer?' vraagt hij. 'Luister, heb je enig benul hoe het is om midden in een fusie te zitten? Ik heb hier geen tijd voor...'

'Het spijt me, maar...'

'Moet ik overal over meedenken?' gromt hij. 'Het enige wat ik aan je overlaat, is naar welke school hij gaat en dat heb je helemaal verknoeid.'

'Er waren dit jaar ontzettend veel aanmeldingen!' roept ze. 'En Grayer speelt geen viool!'

'Wat heeft de viool er in jezusnaam mee te maken?'

'Als je een uurtje van je kostbare tijd met ons zou doorbrengen, dan zou hij zijn toelatingsgesprekken misschien beter hebben gedaan,' sist ze terug.

'Mijn kostbare tijd. *Mijn kostbare tijd?* Ik werk me een slag in de rondte zodat jij je parelsnoer kunt dragen, je gordijnen van achtduizend dollar kunt kopen en je "liefdadigheidswerk" kunt doen, en dan heb je kritiek op de manier waarop ik mijn tijd besteed?! Wie betaalt zijn schoolgeld, hè? Jij soms?'

'Schat.' Ze ontdooit. 'Ik weet dat je onder grote druk staat. Luister, je bent nu toch thuis, waarom praten we er niet over tijdens een lekker etentje? Ik heb een tafel gereserveerd bij een restaurant dat jij zo goed vindt, aan de rivier.' Haar stem klinkt zachter. 'We kunnen een kamer in het Pierre nemen, misschien die met de dubbele jacuzzi... ik heb je echt gemist.'

Het blijft even stil en dan hoor ik duidelijk het geluid van zoenen. Hun zachte gelach zweeft de gang op.

Ik wil net naar Grayers kamer sluipen als Mrs X kirt: 'Zal ik samen met het schoolgeld een donatie naar St. Bernard's sturen, zodat we meteen in een goed blaadje bij ze staan?'

‘Een goed blaadje?’ Hij is weer verontwaardigd. ‘Sorry hoor, ik dacht dat ze hem al hadden geaccepteerd...’

‘Maar als we nog een jongetje krijgen...’

‘Luister, ik moet weer naar kantoor. De auto staat beneden te wachten. Ik bel je nog wel.’ Mr X loopt snel voorbij, nog steeds in zijn jas, die hij blijkbaar niet eens heeft uitgetrokken. De deur slaat met een klap achter hem dicht.

‘Papa? WACHT EVEN!!!’ Grayer komt met zijn rode trein zijn kamer uit. ‘PAPA!!!’ Hij werpt zich schreeuwend tegen de voordeur.

Mrs X loopt langzaam de gang op en blijft staan om met een woedende blik dwars door Grayer heen te kijken. Dan krijgen haar ogen een starende blik en loopt ze vlak langs ons heen naar haar slaapkamer.

‘PAPA!!!’ Zijn lichaam schokt van het snikken. Hij klapt dubbel en houdt de deurknop krampachtig vast. ‘IK WIL PAPA!!’ Ik ga op de grond zitten en strek mijn armen uit om hem vast te houden. Hij laat zijn hoofd tussen zijn hangende armen zakken en keert zich van me af. ‘Neeheeheee. Ik wil mijn PAPA!!’ We horen de deur van de lift dicht schuiven. ‘NIET WEGGAAN!!!’

‘Sssjjj, stil maar.’ Ik sla mijn armen om hem heen en trek hem op schoot. ‘Ik weet het, Grove.’ We zitten op de grond en zijn tranen maken een donkere, natte plek op de knie van mijn spijkerbroek. Ik wrijf hem over zijn rug en mompel: ‘Het is goed, Grove. Ssjj, je mag best verdrietig zijn. We blijven hier gewoon even verdrietig zitten wezen.’

‘Oké,’ zegt hij tegen mijn broekspijp.

‘Oké.’

Deel drie

Lente

Mammy had zo haar eigen manier om haar bezitters precies te laten weten hoe ze over bepaalde zaken dacht. Ze wist dat het beneden de waardigheid van deftige blanke mensen was om ook maar de geringste aandacht te schenken aan wat een zwartje zei, zelfs als ze alleen maar wat voor zich uit mompelde. Ze wist dat ze, om die waardigheid in stand te houden, moesten negeren wat ze zei, ook al stond ze in de kamer ernaast en stond ze bijna te schreeuwen.

Gejaagd door de wind

Acht

Glazuur op de taart

Connie,
Ik wil dat je, in plaats van Grayers lakens te strijken, de volgende dingen voor Mr X inpakt:
zijn kostuums
overhemden
stropdassen
ondergoed
sokken
En verder alles wat hij gebruikt. Al die dingen moeten worden ingepakt en om drie uur bij de portier staan. Zorg er alsjeblieft voor dat je alleen zijn koffers gebruikt (kijk naar het monogram).

'Nanny, heb je Grayers vlinderdasje gezien? Ik heb het gisteravond klaar gelegd.' Mrs X en Grayer worden over twintig minuten verwacht op de April Tea voor nieuwe St. Bernard's-gezinnen. Mrs X rommelt door Grayers laden, terwijl ik hem in een strak gesteven overhemd wurm, compleet met baleinen in de boord. Connie is, naar ik aanneem, in de kleedkamer van Mr X bezig met het vullen van zijn koffers met monogram.

'Ik wil een olifant,' zegt Grayer, en hij wijst naar een tekenblok op zijn kleine tafeltje.

'Even wachten, Grayer. Ik moet even je riem...'
'Nee, niet die.' Ze steekt haar hoofd uit Grayers inloopkast.
'Dat is de riem die u heeft klaar gelegd.' Ik voeg eraan toe: 'Op het bed. Sorry.'
'Die is niet goed.'
Ik ga voor hem op mijn knieën zitten, en bekijk hem eens goed. Blauw-witgestreept overhemd, kaki broek, witte sokken, bruine riem. Ik snap niet wat eraan mankeert, maar ik maak de riem los.
'Hier,' zegt ze, en ze geeft me een groen-rood gestreepte riem van canvas.
'Ik wijs naar de gesp aan de riem. 'Kijk, de G van Grayer.'
'G?' vraagt hij, omlaag kijkend. 'Ik moet mijn kaartje hebben.' Ik steek mijn hand uit naar het plastic hoesje op zijn ladekast, waar de overblijfselen van het visitekaartje van Mr X in zitten.
'Nee,' zegt ze, en ze komt de kast uit. 'Vandaag niet, liefje. Net als met de gesprekken. Weet je nog van de gesprekken? Geen kaartje.'
'Ik wil mijn kaartje!'
'Je kunt het in je zak steken, net als een geheim agent,' zeg ik, en ik stop het uit het zicht weg.
'Ik kan nog steeds zijn vlinderdas niet vinden.'
'Nanny, ik wil een *olifant*.' Ik pak een grijs potlood en teken een vormeloze hobbel met flaporen en een slurf, verder rijken mijn artistieke vaardigheden niet. Ze begint stropdassen uit de kast te trekken.
'Ik wil mijn stropdas om,' zegt hij, doelend op de das die tot op de vloer hangt.
'Nee. *Vandaag niet*.' Ze stormt de hal op, waar ik haar stem tegen het marmer hoor weerkaatsen. 'CONNIE! *CONNIE!*'
'Ja, mevrouw?'
Grayer is stil en ik hou mijn potlood in beweging.
'Ik loop al een half uur naar Grayers vlinderdas te zoeken. Weet jij toevallig waar hij is?'
'Nee, mevrouw.'
'Is het te veel gevraagd om op te letten waar Grayers kleren blijven? Moet ik me dan overal mee bemoeien? Het enige wat ik aan jou overlaat...' Ze zucht diep en dan valt er een korte stilte. 'Wat sta je daar nou? Ga zoeken!'
'Het spijt me, ik weet alleen niet waar hij kan liggen, mevrouw. Ik heb hem in zijn kamer bij de andere gelegd.'

'Nou, hij ligt er niet. En dit is deze maand de tweede keer dat er iets van Grayers kleren kwijtraakt. Als je denkt dat het een te grote verantwoordelijkheid voor je is, dan kunnen we je plaats hier wel eens in beraad nemen.'

'Nee, mevrouw. Ik zal gaan zoeken. Maar de kleren moeten om drie uur ingepakt zijn, en het is nu half drie. Als Mr X ze nodig heeft...'

'Wou je ter discussie stellen voor wie je werkt? *Jij* werkt voor *mij*. En *ik* zeg dat je de das moet zoeken. En als je dat verwarrend vindt, laat je het maar weten. Want zover ik me kan herinneren ben ik degene die jou betaalt!'

Trillerig sta ik op en begin Grayers kast zelf te doorzoeken. Hij komt naast me staan en laat zijn hoofd tegen mijn heup rusten. Connie komt naar ons toe en trekt de deur van de kast verder open.

'Connie, ik kijk hier wel,' zeg ik zacht. 'Kijk jij maar in de waskamer.'

Terwijl ze de hal weer door loopt, gaat Mrs X verder: 'We zouden Mr X kunnen bellen om te horen wat hij belangrijker vindt, dat die rotkleren worden ingepakt, of dat zijn zoon de juiste rotdas naar zijn nieuwe school om heeft! Misschien praat hij wel met jou. Misschien neemt hij jouw telefoontje wel aan, Connie.'

'Het spijt me, mevrouw.' Na vijf minuten grondig, ademloos zoeken is er nog niets gevonden.

'Nog niets?' Het gezicht van Mrs X verschijnt waar ze de stofhoes heeft opgetild.

'Nee, sorry,' zeg ik van onder Grayers bed.

'Verdomme! Grayer, kom op. We moeten weg. Doe hem die met de groene stippen maar om.' Ik schuif op mijn buik onder het bed vandaan.

'Ik wil papa's das!' Hij probeert bij het haakje te komen waar zijn vaders das aan hangt.

'Nee, Grove. Die mag je een andere keer om.' Zachtjes trek ik zijn hand weg en probeer hem naar de deur te dirigeren.

'Ik wil hem nu om!' Hij begint te snikken, en hij krijgt rode vlekken op zijn wangen.

'Ssjj, Grove, alsjeblieft.' Ik druk een kus op zijn natte wang en hij staat stil, terwijl de tranen op zijn gesteven kraag druppelen. Ik strik de das en wil hem in mijn armen nemen, maar hij duwt me weg.

'Nee!' En hij rent de kamer uit.

'Nanny?' roept Mrs X schril.

'Ja?' Ik loop weer naar de gang.

'We zijn om vier uur weer terug voor het schaatsen. Connie?' Als Connie haar hoofd om de hoek van de waskamer steekt, schudt ze haar hoofd, alsof ze te boos en teleurgesteld is om iets te zeggen. 'Ik weet niet wat ik nog moet zeggen. We hebben dit soort problemen wel erg vaak, en ik wil dat je serieus nadenkt over je motivering voor je werk hier...'

Haar mobieltje produceert een scherp gepiep.

'Hallo?' Ze neemt op terwijl ze gebaart dat ik haar in haar mink moet helpen. 'O, dag, Justine... Ja, je kunt zeggen dat ze alles heeft ingepakt...' Ze loopt de vestibule in. 'O, Justine? Kun je ervoor zorgen dat ik zijn kamernummer in de Yale Club krijg?... Voor het geval er iets met Grayer is en ik hem moet kunnen bellen... Nee, waarom zou ik jou nu willen bellen?' Ze haalt diep adem. 'Nou, blij te horen dat dat geen zin heeft... Nee, je excuses wil ik niet. Ik wil het telefoonnummer van mijn man... Daar wil ik het niet met je over hebben.' Ze klapt haar mobieltje zo venijnig dicht dat het op de marmeren vloer valt.

Connie en zij laten zich op hun knieën vallen om het telefoontje te pakken, en net op dat moment schuift de deur van de lift open. Mrs X is het snelst. Met een trillende hand pakt ze het ding en laat het in haar tas vallen. Ze legt haar andere hand op de vloer om zich in evenwicht te houden, en haar ijzig blauwe ogen kijken in Connies bruine ogen. 'We lijken elkaar maar niet te begrijpen, Connie,' sist ze tussen op elkaar geklemde tanden door. 'Dus ik zal glashelder zijn. *Ik* wil dat *jij* je spullen pakt en *mijn* huis uit gaat. Ik wil *jou* niet meer in *mijn* huis. Dat wil ik.'

Haar mink rechttrekkend staat ze op, ze duwt een verbijsterde Grayer de lift in en de deur schuift dicht.

Connie trekt zich op aan de tafel in de hal en loopt langs me heen het appartement in.

Ik neem even de tijd om tot mezelf te komen en trek dan de voordeur langzaam dicht. Ik loop de keuken door en tref Connie in de bediendekamer aan. Ze staat met haar rug naar me toe. Haar brede schouders sidderen in de kleine ruimte. 'Jezus, Connie. Gaat het een beetje?' vraag ik zacht vanuit de deuropening.

Ze draait zich naar me om – haar verdriet en woede zijn zo uitgesproken aanwezig op haar gezicht dat ik met mijn mond vol tanden sta. Ze laat zich op het oude tweed bankje zakken en doet de bovenste knoop van haar witte uniform los.

'Ik heb hier twaalf jaar gewerkt,' zegt ze, met haar hoofd schuddend.

'Ik was er vóór haar, en dacht dat ik er na haar nog zou zijn.'

'Wil je iets te drinken?' vraag ik, terwijl ik in de kleine ruimte tussen het bankje en de strijkplank ga staan. 'Een glaasje sap misschien? Ik kan proberen de bar open te maken.'

'Wil *zij* dat *ik* wegga? Wil *zij* dat *ik* wegga?'

Ik ga op de kist zitten waar wasgoed voor de stomerij in zit.

'Ik wil al weg vanaf de eerste dag dat ze hier kwam,' zegt ze snuivend, en ze pakt een half gestreken T-shirt om haar ogen aan af te vegen. 'Ik zal je wat vertellen – toen ze naar Litford of zo gingen kreeg ik niet betaald. Ik krijg *nooit* betaald als ze weggaan. Ik kan er niets aan doen dat ze op vakantie gaan. Ik ga niet op vakantie. Ik heb drie kinderen en een berg rekeningen die betaald moeten worden. En dit jaar – dit jaar – heeft zij tegen hem gezegd dat hij me moest aangeven! Ze geven me nooit aan! Waar moet ik zo'n bedrag vandaan halen? Ik heb geld van mijn moeder moeten lenen om de belasting te betalen.' Ze leunt achterover en trekt haar schort weg. 'Toen Mrs X en Grayer vorig jaar naar de Bahama's vlogen en ik naar mijn familie zou gaan, liet ze me meevliegen. Grayer had bij het opstijgen al zijn sap geknoeid en ze had geen schone kleren voor hem bij zich. Dus heeft hij daar koud en nat zitten huilen, en zij trok gewoon zo'n slaapmasker over haar ogen en negeerde hem de hele vlucht lang. En daar kreeg ik ook niet voor betaald! O, ik was woedend – daarom ben ik geen nanny. Heb je ooit over Jackie gehoord?'

Ik schud mijn hoofd.

'Jackie was zijn kindermeisje vanaf zijn geboorte, maar ze bleef tot hij twee was.'

'Wat is er met haar gebeurd?'

'Nou, ze kreeg een vriendje. Dat gebeurde er.'

Ik kijk haar vragend aan.

'Twee jaar lang heeft ze alleen maar gewerkt. Ze was hier nog maar een paar jaar en had niet zo veel vrienden. Dus ze woonde hier praktisch, en zij en Mrs X konden het redelijk met elkaar vinden. Ik denk dat ze zich verbonden voelden omdat Mr X altijd op reis was, en Jackie geen vriendje had – je weet wel – problemen met mannen. Maar toen leerde Jackie iemand kennen – hij zag eruit als Bob Marley – en toen kon ze op vrijdagavond niet meer werken, en ze wilde in het weekend, als de X'en niet in Connecticut waren, ook liever niet werken. Dus begint Mrs X te zeuren dat het zo lastig is. Maar eigenlijk is ze jaloers. Jackie straalde, je weet wel. Ze had zo'n gloed, en dat kon Mrs

X niet uitstaan. Dus heeft ze haar ontslagen. Grayer ging er bijna kapot aan. Daarna was hij een klein duiveltje.'

'Jemig.' Ik haal diep adem.

'O, je hebt het ergste nog niet eens gehoord. Jackie heeft me zes maanden later gebeld. Ze kon geen nieuwe baan krijgen omdat Mrs X haar geen referentie wilde geven. Je kent het wel, geen referentie, dan denken ze dat je iets hebt gestolen of zo. Dus zit er een gat van twee jaar in haar cv. En het bureau wilde niet meer voor haar bemiddelen.' Ze staat op en strijkt met haar hand langs haar rok. 'Die vrouw is een vat vol gif. Ze hebben vóór Caitlin in vier maanden zes nanny's gehad – niemand bleef. En eentje werd ontslagen omdat ze hem in het park een maïsmuffin had gegeven. Als je hier wilt blijven eten moet je hem nooit iets te eten geven, hoor je? En Mr X – die heeft porno in zijn schoenenkast liggen, het gemene soort.'

Ik probeer het allemaal te bevatten. 'Connie, het spijt me zo voor je.'

'Met mij hoef je geen medelijden te hebben.' Ze gooit het verkreukelde T-shirt op het bankje en beent doelgericht de keuken in. 'Pas jij maar op jezelf.'

Ik loop achter haar aan.

Ze doet een lege Delftsblauwe koekjestrommel open en trekt er een handvol zwart kant uit, die ze op de tafel voor me laat vallen.

EEN SLIPJE!

'En dit heb ik onder het bed gevonden...'

'Zomaar onder het bed?' Ik moet het vragen.

Ze houdt haar hoofd schuin. 'Hmhmm. Hij heeft die ander hier rondrennen, en ze doet alsof ze hier woont. Ik heb er twee dagen over gedaan om de stank van haar parfum uit het appartement te krijgen voordat Mrs X terugkwam.'

'Moet iemand het haar niet vertellen? Denk je dat iemand Mrs X moet vertellen over die vrouw?' vraag ik, duizelig van opluchting dat ik er eindelijk met een lotgenoot over kan praten.

'Nou moet jij heel goed luisteren. Je bent er het afgelopen halfuur toch bij geweest? Het is mijn probleem niet. En je moet het jouw probleem ook niet maken. Het gaat ons niets aan. En nu kun je beter Mr X's spullen in gaan pakken – ik moet ervandoor.' Ze laat haar schort op het aanrecht vallen.

'Wat ga jij nu doen?'

'O, naar mijn zus, die werkt een paar straten verderop. Zij weet altijd wel mensen die een huishoudster of zo nodig hebben. Ik vind wel weer iets. Het zal wel minder betalen, maar ik vind wel iets. Dat lukt altijd.'

Ze loopt de bediendekamer in om haar spullen te pakken, en ik blijf naar de zijden string staren, die schreeuwend als schuttingtaal op de roze marmeren tafel ligt.

***

Nanny,
Vandaag heeft Grayer na tennis een speelafspraak met Carter.
Zorg alsjeblieft dat je hier om drie uur bent. De Miltons wonen op East 67th Street 10 en volgens mij blijven jullie er ook eten.
Zelf eet ik bij Bolo.
Ik kan Grayers vlinderdas nog steeds niet vinden. Heb je hem mee naar huis genomen? Kijk alsjeblieft even.
Bedankt.

Als we eindelijk een taxi weten te krijgen huilt Grayer nog steeds. Ik mag niet met hem door straten zonder deurpersoneel lopen, maar voor zijn naschoolse activiteiten trotseren we uitgestorven, taxiloze buurten waar het elk moment kan gebeuren dat ik moet kiezen tussen Grayer of mijn leven. Ik hijs hem de taxi in, gooi het tennisracket er achteraan en sleep de rest van de spullen mee naar binnen.

'Sixty-seventh en Madison, alstublieft.' Ik kijk naar Grove. 'Hoe gaat het met je hoofd? Al een beetje beter?'

'Gaat wel.' Zijn gehuil is overgegaan in gejammer, maar wel gejammer dat klinkt als een blijvertje. Hij keek net de verkeerde kant op toen de leraar het ballenkanon aanzette.

'Wat denk je van golf, Grove? Dat zouden we eens moeten proberen. Kleinere ballen, minder pijn.' Hij kijkt met natte ogen naar me op. 'Kom eens hier.' Hij laat zich over de achterbank zakken en legt zijn hoofd bij me op schoot. Ik laat mijn vingers door zijn haar gaan en speel met zijn oren, net als mijn moeder vroeger altijd deed. De beweging van de auto maakt hem rustig en nog voor we in het centrum zijn, slaapt hij. Hij zal wel op zijn tandvlees lopen. Wat een verschil zou het voor ons allemaal zijn als hij maar een slaapje mocht doen.

Ik schuif de mouw van mijn regenjas omhoog en kijk op mijn horloge. Wat maakt een kwartiertje nu uit?

'Chauffeur, kunt u een omweg maken via 110th Street en dan langs de West Side weer terug over het Sixty-eighth viaduct?'

'Ja, hoor. Wat u maar wilt.'

Ik kijk uit het raampje naar de grijze lucht en trek mijn jas dichter om me heen. Regendruppels slaan tegen de voorruit; april doet duidelijk wat hij wil.

'Wakker worden, Grover. We zijn er.'

Nog een beetje slaapdronken wrijft hij in zijn ogen terwijl ik met het racket over mijn schouder op de deurbel van het huis druk.

'Hallo?' zegt een Britse stem door de intercom.

'Hoi! Wij zijn het, Nanny en Grayer.' Er komt geen reactie. Ik steek mijn hand uit en druk nog eens op de bel. 'We hebben een speelafspraak met Carter.'

'Echt waar? Nou, kom dan maar naar boven.' De zoemer klinkt en ik duw de dikke glazen deur open, en Grayer struikelt voor me de marmeren hal in. Voorbij de trap ligt een serre, en door de grote ramen kan ik een tuin zien liggen. De regen valt gestaag in de stenen fontein.

'Hallo,' zegt een jonge stem. Met Grayers rits worstelend kijk ik op. Er staat een jongetje van Grayers leeftijd met blond krulhaar op de overloop. Zijn hand steekt tussen de balustrade door en rust op een diagonale spijl. 'Hoi. Ik ben Carter.' Ik heb deze jongen nog nooit gezien en Grayer ook niet, besef ik.

'Ik ben Grayer.'

'Hallo?' Dezelfde Britse stem komt langs de trap omlaag. 'Laat je spullen maar ergens staan en kom maar naar boven.' Ik laat onze natte jassen op de grond vallen en onze spullen ernaast.

'Ga maar, Grove.' Hij rent achter Carter aan. Ik begin aan de klim; op de eerste verdieping kom ik langs een Venetiaanse woonkamer aan de voorkant van het huis en een Art Deco-kamer aan de achterkant. Tegen de tijd dat ik op de tweede verdieping ben, waar ik een Empire ouderslaapkamer zie en een studeerkamer in safaristijl met veel antilopenkoppen en zebrakleden, loop ik zwaar te hijgen. Ik ploeter door naar de derde verdieping, waar een grote Winnie-de-Poeh muurschildering op de overloop is gemaakt, en ik neem aan dat dit Carters verdieping is.

'Blijf klimmen!' hoor ik een bemoedigende kreet van boven.

'Je bent er bijna, Nanny! Luiwammes!'

'Nou, bedankt, Grove!' roep ik terug. Eindelijk sleep ik mezelf zwetend de vierde verdieping op, die is doorgebroken om er een grote woonkamer annex keuken van te maken.

'Hoi, ik ben Lizzie. Wat een trappen, hè? Wil je een glaasje water?'

'Dat zou heerlijk zijn. Ik ben Nanny.' Ik steek de hand uit die ik niet om mijn maag heb geklemd. Ze is blond, ongeveer even lang als ik en misschien een paar jaar ouder en draagt een grijze, katoenen rok, een hemelsblauwe bloes en een donkerblauw vest om haar schouders geknoopt. Ik herken in haar de upper class van de Britse import die dit als een nobel beroep ziet, waar opleiding en certificaten voor nodig zijn, en ze kleden zich dienovereenkomstig. De jongens rennen naar de hoek waar een dorp van plastic Playskool-huizen staat, en ze beginnen iets wat klinkt als FBI'tje.

'Hier.' Lizzie geeft me het glas water. 'Ik dacht dat we ze eerst maar stoom moesten laten afblazen en ze dan voor *Het J-u-n-g-l-e-b-o-e-k* moesten zetten.'

'Klinkt prima.'

'Ik weet echt niet wat ik moet doen als Carter kan spellen. Gebarentaal misschien.'

Ik staar naar de rococo-keukenkastjes, de fabrieksmatig gesleten Franse vloertegels en het stucwerk op de muur. 'Wat een bijzonder huis. Woon jij hier ook?'

'Ik heb een kleine studio op de bovenste verdieping.'

Ik kijk naar de trap en besef dat er inderdaad nog een verdieping is.

'Jij zult wel een geweldige conditie hebben.'

'Probeer het eens met een uitgeputte kleuter in je armen.'

Ik lach. 'Ik heb Carter nog nooit gezien. Naar welke school gaat hij?'

'Country Day,' zegt ze, en ze neemt mijn lege glas aan.

'O, ik heb voor de meisjes van Gleason gezorgd – die gingen daar ook heen. Een leuke school.'

'Ja, Carter, ga van hem af!'

Ik kijk precies op het moment dat Grayer wordt losgelaten uit een wurggreep.

'Wauw, Carter, hoe deed je dat? Doe eens voor!' Grayers ogen glinsteren bij de ontdekking.

'Nou, leuk hoor,' zeg ik. 'Nu gaat hij mij bespringen om me in de wurggreep te nemen.'

'Een snelle trap in zijn kruis en je hebt hem zo op de grond,' zegt ze met een knipoog naar mij. Waar heeft ze het hele jaar gezeten? Ik had een speeltuinvriendin kunnen hebben. 'Hé, wil je het terras zien?'

'Ja, leuk.' Ik loop achter haar aan naar het stenen balkon met uitzicht op de tuin en de bruinstenen huizen aan de andere kant van het blok. We staan onder een afdak en de regendruppels vallen op de punten van onze schoenen.

'Prachtig,' zeg ik, en er komen kleine wolkjes uit mijn mond terwijl ik praat. 'Net een Negentiende-eeuwse enclave.'

Ze knikt. 'Sigaret?' vraagt ze.

'Mag je hier roken?'

'Ja, hoor.'

'Vindt Carters moeder dat niet erg?'

'Neem nou maar.' Ik pak er een.

'Hoe lang werk je hier al?' vraag ik terwijl ze een lucifer afstrijkt.

'Ongeveer een jaar. Het is wel een beetje typisch hier, maar vergeleken met de andere baantjes die ik heb gehad... Ik bedoel, als je bij ze in woont.' Ze schudt haar hoofd en blaast rook de regen in. 'Ze claimen je helemaal en jij mag in de bezemkast wonen. Hier heb ik tenminste een mooie woonruimte. Zie je die ronde ramen?' Ze wijst met haar sigaret. 'Dat is mijn slaapkamer, en dat daar is mijn zitkamer. En ik heb een bubbelbad. Het was bedoeld als gastenverblijf, maar, het is erg onwaarschijnlijk dat hier gasten komen logeren.'

'Niet slecht, zeg.'

'Nou ja, het is wel heel erg fulltime.'

'Zijn ze aardig?'

Ze begint te lachen. 'Zij is best geschikt, veronderstel ik – hij is er eigenlijk nooit, waardoor zij een beetje van slag raakt. Daarom hebben ze een inwonende nanny nodig...'

'Joehoe! Lizzie! Ben je daar buiten?' Ik verstar en probeer niet uit te ademen, maar er komt een dun sliertje rook uit mijn neus.

'Ja, Mrs Milton. We zijn buiten.' Ze drukt haar sigaret nonchalant uit op de balustrade en gooit de peuk in de tuin. Ik haal mijn schouders op en volg haar voorbeeld.

'Daar ben je!' zegt ze als we de keuken weer in komen. Mrs Milton, een platinablonde vrouw, zit op de grond in een perzikkleurige peignoir. Ze snuift en veegt onopvallend haar neus af, terwijl de jongens om haar heen rennen. 'Zeg, wie is dat?' Haar stem heeft een vaag slepend zuidelijk accent.

'Dat is Grayer,' zegt Lizzie.

'En ik ben Nanny.' Ik steek mijn hand uit.

'O, Grayer! Grayer, ik heb je mama bij Swiftie's gezien. Elke keer dat we bij Lotte Berk op de massagetafel liggen, zeggen we tegen elkaar dat onze jongens eens met elkaar moeten spelen. En toen zat ze daar bij Mortimer's en we zeiden, nou, we moeten gewoon een afspraak maken, en nu ben je er, Grayer!' Ze pakt hem op en houdt hem ondersteboven, in haar pluizige slippertjes nog wel. Grayer lijkt te proberen me aan te kijken, en weet duidelijk niet hoe hij op deze lawine van genegenheid moet reageren. Ze zet hem neer. 'Lizzie! Lizzie, lieverd, heb je geen afspraakje vanavond?'

'Ja, maar...'

'Moet je je dan niet omkleden?'

'Het is nog maar vier uur.'

'Onzin. Neem het ervan. Ik wil even met Carter spelen. Trouwens, Nanny kan me toch helpen?' Ze gaat op haar hurken zitten. 'Hé, jongens, willen jullie een taart bakken? Hebben we taartmix, Lizzie?'

'Altijd.'

'Leuk!' Als ze naar de keuken loopt, zweeft haar zijden peignoir achter haar aan, zodat haar lange, gebruinde en erg blote benen te zien zijn. Ik besef als ze zich omdraait dat ze onder haar peignoir helemaal naakt is. 'Nou, eens zien... eieren... melk.' Ze haalt alles te voorschijn en zet het op het aanrecht. 'Lizzie, waar zijn de vormen?'

'In de la onder de oven.' Ze grijpt mijn pols en fluistert: 'Pas op dat ze zich niet brandt.' Voor ik kan vragen of de kans daarop groot is, rent ze de trap op naar haar kamer.

'Ik hou van chocoladetaart,' zegt Grayer om zijn keuze duidelijk te maken.

'We hebben alleen vanille, schattebout.' Mrs Milton houdt de rode verpakking omhoog.

'Ik hou van vanille,' zegt Carter.

'Met mijn verjaardag,' gaat Grayer verder, 'heb ik chocoladetaart gegeten. Hij zag eruit als een voetbal en hij was héél erg groot!'

'Joehoe! Laten we muziek opzetten.' Ze drukt op een knop van de Bang en Olufsen-installatie boven het aanrecht en Donna Summer brult door de kamer. 'Kom dan, ventje van me. Kom eens met mama dansen.' Carter schudt met zijn armen en buigt door zijn knieën. Grayer begint voorzichtig met een wiegend hoofd, maar bij *On the*

Radio laat hij zijn swinghanden wapperen.

'Ziet er goed uit, jongens!' Ze neemt beide jongens bij de hand en ze springen op Donna Summers Greatest Hits door de kamer, tot *She Works Hard for the Money*, terwijl ik maar vast begin met het breken van de eieren en de vorm invet. Ik zet de taart in de oven en draai me om om een kookwekker te zoeken, en zie Mrs Milton een pirouette bij het Playskool-dorp maken. Ik voel me net de moeder van drie kinderen.

'Ik ga even naar het toilet,' zeg ik tegen niemand in het bijzonder. Ik trek alle deuren in de provisiekamer open om de wc te vinden.

Ik doe het licht aan in een klein kamertje en ontdek vier paspoppen die in een V-formatie staan. Elke paspop heeft een jurk met lovertjes aan met een sjerp schuin over het lijfje. Miss Tuscon. Miss Arizona. Miss Souht-west. Miss Southern States. Er liggen diademen en scepters, er hangen ingelijste knipsels en een staf, allemaal zorgvuldig in vitrines uitgestald.

Langzaam bekijk ik alle jurken, alle sjerpen, en loop dan naar de achterste muur, die is behangen met glamourfoto's van Mrs Milton – als showgirl in Las Vegas. Wat waarschijnlijk het logische vervolg is van Miss Southern States. De ene rij foto's na de andere van haar in glinsterende kostuums en hoofdtooien, met een dikke laag make-up en kunstwimpers. Op elke foto zit ze weer bij een andere beroemdheid op schoot. Van Tony Bennett tot Rod Steward. En dan zie ik het, halverwege de muur, bijna verborgen, een foto van Mrs Milton in een kort, snaarstrak wit jurkje, met Mr Milton die zijn ogen omhoog rolt, en de priester. Het onderschrift zegt: 'The All-Night Chapel of Love, 12 augustus, 1996.'

Ik doe het licht uit en vind de wc.

Als ik weer in de woonkamer kom, tuurt Mrs Milton beteuterd in de oven.

'Jij hebt hem gemaakt.'

'Ja, mevrouw.' Ik heb zojuist mevrouw gezegd.

'Jij hebt hem gemaakt.' Ze lijkt moeite te hebben om die informatie te bevatten.

'Hij is bijna klaar,' zeg ik geruststellend.

'O, joepie! Wie wil glazuur?' Ze trekt zes tubes glazuur in verschillende smaken uit de koelkast. 'Carter, pak de kleurstof.' Grayer en Carter komen naar ons toe swingen. Ze pakt strooisel, zilveren balletjes en suikerbloemetjes uit de kast en begint de kleurstof die Carter aangeeft zo in de bakjes te spuiten. 'Ohooo!!' Ze lacht nu onbedaarlijk.

'Mrs Milton,' zeg ik, en ik doe niet-begrijpend een stap achteruit. 'Ik denk dat Grayer en ik weer naar huis moeten.'

'Tina!'

'Pardon?'

'Zeg maar Tina! Je mag niet weg,' roept ze over haar schouder, en ze stopt een vinger met glazuur in haar mond.

'IK WIL NIET NAAR HUIS!' roept Grayer paniekerig met zijn vuisten om een boeket van plastic lepels geklemd.

'Zie je wel? Niemand hoeft naar huis. Nou, wie... wil... er... glazuur?' Ze steekt haar handen in twee bakjes, pakt er twee handenvol glazuur uit en begint er Carter en Grayer mee te bekogelen. 'Glazuurgevecht!' Ze geeft hun ieder een bak glazuur en het glazuur vliegt door de kamer. Ik probeer me achter het kookeiland te verschansen, maar Tina mikt een handvol tegen mijn borst. Ik heb al sinds mijn schooltijd niet meer met eten gesmeten, maar ik pak een bak roze glazuur en smijt een handvol naar haar – om mijn sweater te wreken – en dan maak ik me uit de voeten.

'Ooo, hahaha!' Ze lachen hysterisch. De jongens rollen over de grond en smeren glazuur in elkaars haar. Tina grijpt wat zilveren balletjes en strooit ze als sneeuw over de jongens uit.

'Wat gebeurt er hier allemaal?' roept Lizzie's strenge Britse stem van boven.

'O, jee, nu zwaait er wat,' zegt Tina. 'Carter, ik denk dat we een standje krijgen.' Ze liggen allemaal dubbel. Lizzie komt in haar badstoffen kamerjas en slippers de keuken in.

'O, mijn god.' Ze kijkt rond. Overal zit glazuur op, het druipt van de Franse tegels en de gordijnen.

'O, Lizzie, we maakten gewoon plezier. Lach eens een keer. Doe niet zo Brits.'

'Tina!' Lizzie gebruikt mijn Slechte-Heks-stem. 'Ga in bad!' Tina kijkt teleurgesteld en begint te huilen. Ze zakt in de peignoir in elkaar, ons een gulle blik gunnend op haar indrukwekkende figuur.

'Maar ik... We waren... We waren alleen maar plezier aan het maken. Zeg je alsjeblieft niets tegen John? Jullie vonden het toch ook leuk, jongens?'

'Ik wel. Niet verdrietig zijn.' Grayer geeft haar een zacht klopje op haar hoofd, zodat er stukjes roze glazuur verder haar blonde haar in worden gedrukt.

Tina kijkt Lizzie aan en veegt haar neus aan haar mouw af. 'Oké, oké.' Ze gaat voor de jongens op haar knieën zitten. 'Mama gaat in bad, oké?' Ze aait ze allebei over hun hoofd en loopt dan naar de trap. 'Je komt toch wel gauw terug, hè, Grayer?' mompelt ze in zichzelf, en ze verdwijnt naar beneden.

'Dag, Tina!' roept Grayer. En met een klein wuivend gebaartje achter haar rug, is ze weg. Ik verwacht dat Grayer tegensputtert, maar hij is stil. We kleden de jongens uit en Lizzie geeft me een pyjama van Carter en een plastic zak voor Grayers kleren. We zetten *Het Jungleboek* op en proberen de keuken schoon te maken.

'Verdomme,' zegt Lizzie, op handen en voeten de vloer schrobbend. 'Mr Milton komt vanavond misschien thuis, en als hij dit ziet, stuurt hij haar weer naar Hazelden. Dat is vreselijk voor Carter, als zij voor weken weg is en hij zo veel op reis is. Hij vindt het echt vreselijk.' Lizzie wringt haar spons uit. 'Hij heeft me gevraagd met haar mee te gaan – naar Hazelden. Dan kon ik, je weet wel, kijken wanneer ze weer ging gebruiken en er iets tegen doen.'

'Wat gebruikt ze dan?' vraag ik, hoewel ik het wel kan raden.

'Coke. Alcohol. Slaappillen als ze niet kan slapen.'

'Hoe lang is ze er al mee bezig?'

'O, jaren,' zegt ze, en ze knijpt haar spons boven de emmer uit. 'Volgens mij sinds ze in New York kwam wonen. Ze heeft wat van die rijke junkies leren kennen, beroemde mensen en zo. Hij laat haar de hele tijd aan haar lot over, en dat is moeilijk voor haar. Maar ze zijn in gemeenschap van goederen getrouwd, dus ik denk dat hij gewoon wacht tot ze een overdosis neemt.' Nou, dat plaatst het slipje wel beter in perspectief. 'Ik weet dat ik hier weg moet gaan, maar de verlenging van mijn visum is verbonden aan dit werk. Als ik bij Carter wegga, betekent het dat ik naar huis moet, en ik wil graag in Amerika blijven.' Ik wring mijn spons uit, en weet niet wat ik moet zeggen. 'Luister, gaan jullie maar, ik maak dit hier wel af.'

'Zeker weten?'

'Ja, hoor. Morgen is er weer een dag.'

Grayer en Carter zijn niet van elkaar vandaan te slaan, maar het lukt me hem de trap af en de deur uit te krijgen.

'Dag, Carter!' roept hij terwijl ik een taxi aanhoud. 'Dag, Tina!' We wonen maar een paar honderd meter verderop en een taxi lijkt wat overdreven, maar naast alles wat ik al bij me had, draag ik nu ook een plastic zak met Grayers kleren en mijn regenjas in een boodschappentas, zodat er geen strooisel van mijn sweater op komt.

'Wat is er met jullie gebeurd?' vraagt James als hij ons uit de taxi helpt.

'We hebben een glazuurgevecht gehad bij Tina,' legt Grayer uit, en hij loopt in Carters Poeh-pyjama voor me uit.

Boven draai ik de kraan boven het bad open en ik leg wat tofuburgers in de pan, terwijl Grover in zijn kamer speelt. 'Hallo?' roept een vreemde stem vanuit de bediendekamer.

'Hallo?'

Een vrouw die ik nog nooit heb gezien komt uit het donker te voorschijn in Connie's uniform.

'Hallo, ik ben Maria,' zegt ze met een Zuid-Amerikaans accent. 'Ik was op Mrs X aan het wachten en ben waarschijnlijk in slaap gevallen. Ik wilde op mijn eerste dag niet weggaan zonder gedag te zeggen.'

'O, hallo. Ik ben Nanny. Ik zorg voor Grayer.' Ik stel me voor de derde keer die dag voor. 'Mrs X is uit eten en komt waarschijnlijk pas heel laat thuis. Ga jij maar naar huis, dan zeg ik als ze thuiskomt wel tegen haar dat je hebt gewacht.'

'O, fijn. Dank je wel.'

'Wie ben jij?' Grover staat in zijn onderbroek in de deuropening.

'Grayer, dit is Maria.' Grayer steekt zijn tong uit, draait zich om en rent weer naar zijn kamer. '*Grayer*.' Ik draai me naar haar om. 'Sorry, hoor. Vat het maar niet persoonlijk op. Hij heeft een lange dag gehad. Ik wilde hem net in bad doen. Echt, ga maar naar huis. Dat is wel goed.'

'Bedankt,' zegt ze, en ze legt haar jas over haar arm.

'Geen dank. Tot morgen.' Ik glimlach naar haar. Ik loop door het appartement en knip lampen aan die Connie twee dagen geleden nog heeft schoongemaakt.

Ik loop Grayers kamer in, waar hij in de badkamer nog steeds in zijn onderbroek voor de spiegel staat te dansen. 'Kom, Baryshnikov.' Ik zet hem in bad.

'Dat was wel leuk, hè, Nanny? Weet je nog dat ze glazuur tegen mijn billen gooide?' Hij ligt weer dubbel van het lachen. Ik ga op het toiletdeksel zitten, en hij zeept de muur in, speelt met zijn kikvorsmannen en neuriet een nummer van Donna Summer.

'Grove, ben je bijna klaar?' vraag ik, als ik er genoeg van heb het glazuur met een tandenborstel van mijn sweater te vegen.

'Biepbiep. Toetoet. Biepbiep. Toetoet.' Hij schudt zijn blote billen in het water.

'Kom, joh. Het is al laat.' Ik hou de handdoek op.

'Wat hebben de meisjes gedaan?'

'Wie?'

'De slechte meisjes. Je weet wel, Nanny, *the bad, bad girls*.' Hij wiegt met zijn heupen. 'Waarom zijn ze slecht?'

'Ze hebben niet naar hun nanny geluisterd.'

***

Mrs X heeft toen ze zich langs me heen naar haar slaapkamer haastte blijkbaar niet gezien dat ik in een stortbui de deur uit ging in slechts een T-shirt, en mijn sweater en jas in een boodschappentas had. Ik wacht op de lift, en trek om niet te bevriezen snel mijn trui weer aan. Ik heb in de waskamer zo veel mogelijk glazuur uit mijn haar gekregen, maar als de deur open gaat, sta ik nog er steeds harde stukjes uit te peuteren.

'O, shit.' Hij kijkt geschrokken. 'Hoi!'

'Hoi!' Ik kan mijn ogen niet geloven! 'Wat doe jij nou hier?'

'O, nee, hè,' zegt hij teleurgesteld. 'Ik wilde je verrassen. Ik had een heel plan, met bloemen en zo...'

'Nou, dat is je gelukt! Hoe zit dat nou met Cancun?' Ik stap de lift weer in en sta te trillen bij deze onverwachte ontmoeting met mijn HS in modderige spijkerbroek en mijn NYU-shirt.

'Dat was alleen om je op een dwaalspoor te brengen – ik zou je morgen beneden in de hal in een kostuum opwachten. Dan zouden we gaan dansen.' Ik kijk hem stralend aan en hij bekijkt me eens goed. 'Dat ziet eruit alsof je weer een creatieve middag hebt gehad.'

'Nou, ik ben net terug van een rampzalige speelafspraak bij een cokesnuivende mama. En dan bedoel ik ook echt coke. Ze had zich suf gesnoven en was vastbesloten Betty Crocker te spelen, en we raakten verwikkeld in een...'

'God, wat heb ik je gemist,' valt hij me in de rede. Hij grijnst van oor tot oor en op dat moment schuift de deur naar de hal open. Hij steekt zijn hand uit om restjes glazuur zachtjes van mijn wenkbrauw te vegen en impulsief steek ik mijn hand uit om de knop naar de elfde verdieping in te drukken. De deuren schuiven beleefd dicht.

Er volgt een gloedvolle glazuurworsteling.

***

Gehuld in zijn donkerblauwe laken ga ik op de rand van zijn keukentafel zitten, terwijl hij mijn kleren in de droger doet. 'Honger?' Hij draait zich om en wordt verlicht door het licht in de keuken van de buren.

'Wat heb je?' vraag ik als hij de koelkast opendoet.

'Mijn moeder laat de koelkast meestal goed gevuld achter als ik hier een paar dagen in mijn eentje zit. Tortellini? Hij houdt een pak omhoog.

'Bah, als ik ooit nog één tortellini zie...' Ik schuifel naar hem toe om samen in de koelkast te turen.'

'Lasagna?' vraagt hij.

'Ooo, ja. Lekker.'

'En een glaasje wijn?'

Ik knik, grijp een fles rood en duw de deur met mijn heup dicht. Ik leun tegen de koelkast en kijk toe terwijl hij borden pakt en in zijn stippeltjesshort de tafel voor ons dekt. Helemaal goed.

'Moet ik dit opwarmen?' vraagt hij en hij kust in het voorbijgaan mijn blote schouder.

'Waarschijnlijk wel. Zal ik even helpen?'

'Nee, ga jij maar zitten.' Hij geeft me een glas. 'Jij hebt een zware dag gehad, glazuurmeisje.' Hij pakt bestek uit de la en legt het zorgvuldig op tafel.

'Waar zijn je ouders nu?'

'Ze zijn naar Turkije met mijn broer, die heeft vakantie.'

'Waarom zit jij niet in Turkije?' Ik nip van mijn wijn.

'Omdat ik hier ben.' Hij glimlacht.

'Hier is goed.' Ik schenk nog een glas in en geef het hem.

In het licht van de magnetron kijkt hij naar me. 'Je ziet er mooi uit.'

'O, in dit oude geval? Het is een toga uit de L.L. Bean-collectie.'

Hij lacht.

'Weet je, ik ben nu Latijn met Grayer aan het doen. Hoe oud was jij toen je met Latijn begon?'

'Eh... veertien?' Hij haalt de lasagne uit de magnetron en loopt met twee vorken naar de tafel.

'Nou, dan was je waarschijnlijk een laatbloeier, want hij is vier. Hij draagt nu een das, had ik dat al verteld? Geen kinderstropdas, maar een echte, volwassen tot-aan-de-grond-stropdas.'

'Wat vindt zijn moeder ervan?'

'Ze ziet het niet eens. Ze is behoorlijk tekeer gegaan – heeft Connie ontslagen om redenen die er niet zijn en Connie was er al voordat Grayer was geboren.'

'Ja, die man brengt het slechtste in zijn vrouwen naar boven.'

'Wacht even – wat?'

'Ja, toen Mr X zijn eerste vrouw bedroog, ging ze in de hal over de rooie tegen James waar leden van het bestuur bij waren.'

'Ik verslik me bijna in mijn lasagne. 'Zijn eerste wat?'

'Zijn eerste vrouw, eh, Charlotte, geloof ik.' Hij kijkt ongelovig. 'Wist je het niet?'

'Nee, dat wist ik níet. Is hij al een keer getrouwd geweest?' Ik moet gaan staan, en hijs mijn laken mee.

'Ja, maar dat was een hele tijd geleden. Ik nam aan dat je het wist.'

'Hoe zou ik dat nou weten?! Niemand vertelt me ook wat. O, mijn god. Heeft hij nog andere kinderen?' Ik begin om de tafel de ijsberen.

'Ik weet het niet – ik geloof van niet.'

'Wat was ze voor iemand? Hoe zag ze eruit? Leek ze op Mrs X?'

'Weet ik niet. Ze was mooi. Blond...'

'Jong?'

'Ik was nog klein. Geen idee – voor mij was ze gewoon een mevrouw.'

'Daar heb ik niets aan. Denk eens na. Hoe lang zijn ze bij elkaar geweest?'

'Jee, misschien zeven, acht jaar...'

'En dan geen kinderen?'

'Tenzij ze ze in de kelder verstopte.'

Ik sta stil bij het aanrecht en denk even na.

'Waarom zijn ze uit elkaar gegaan?'

'Mrs X,' zegt hij en hij neemt een hap lasagne.

'Hoe bedoel je: Mrs X?'

'Kunnen we het nog even over jou in het laken praten?' Hij steekt zijn hand naar me uit als ik voorbij kom.

'Nee. Hoe bedoel je: Mrs X?'

'Hij had een affaire met Mrs X.'

'WAT??!!' Bijna laat ik het laken los.

'Wil je nou even gaan zitten en lasagne eten?' Hij wijst met zijn voet naar de stoel tegenover hem.

Ik ga zitten en neem een grote slok wijn. 'Oké, maar dan moet je bij het begin beginnen en niets weglaten.'

'Oké, volgens mijn moeder was Charlotte X een fanatiek antiekverzamelaar. Ze kocht altijd bij Gagosian, waar jouw Mrs X werkte. Blijkbaar heeft Charlotte Mr X erheen gestuurd om een van haar grotere aanschaffen goed te keuren en... toen sloeg de vlam in de pan,' zegt hij grijnzend.

'Mrs X??!!' Ik kan me Mrs X niet met de vlam in de pan voorstellen. Voor geen meter.

'Ja, en soms liet hij haar hier komen als zijn vrouw weg was. De portieren begonnen erover te kletsen. Dus al gauw wist iedereen in het gebouw ervan.' Hij staart naar zijn glas wijn voordat hij een slok neemt.

'Ik kan het gewoon niet geloven, kan het echt niet, echt niet geloven.'

'Nou... het is waar. Ik heb het met mijn eigen twaalfjarige ogen gezien. Ze was een stuk.'

'Hou op,' sputter ik.

'Nee, ze had rode lippenstift op, een strakke jurk aan, hoge hakken, het hele verhaal. Ze was echt bloedmooi.'

'Maak het verhaal maar af.'

'Nou, volgens de legende van nummer 721 heeft Charlotte kousen gevonden die niet van haar waren en is ze ermee naar de hal gestoven om daar tegen James uit haar bol te gaan. Ze wilde weten wie er in het appartement was geweest. Een paar weken later trok ze eruit en trok jouw Mrs X erin.'

Ik zet het wijnglas neer. 'Dat je het me hier niet over hebt verteld,' zeg ik, en ineens heb ik het een beetje koud in mijn laken. De spanning en emoties van de negende verdieping hebben me weer te pakken.

'Nou, je liep de hele tijd zo te stressen...' Hij legt zijn vork neer.

'Dus als ik er niets van weet, dan heb ik er ook geen last van?' Ik zet me abrupt af tegen de tafel, loop naar de droger en haal mijn klamme kleren eruit. 'Wat een fijne mannenlogica weer. Sorry, heb ik je te veel laten meegenieten van dat baantje van me?'

'Luister, Nan. Ik zei toch dat het me speet.' Hij staat op.

'Nee, dat heb je niet gedaan. Je hebt niet gezegd dat het je speet.' Mijn ogen vullen zich met warme tranen en ik probeer onhandig mijn vochtige sweater aan te trekken zonder helemaal onder het laken vandaan te komen.

Hij loopt om de tafel heen en neemt me de sweater zachtaardig af. 'Nan, het spijt me. Ik zal het onthouden: Nan alles vertellen.' Hij legt zijn hand om mijn blote taille.

'Jij bent gewoon de enige die aan mijn kant staat en als ik dan merk dat je dingen voor me achterhoudt...'

'Hé joh,' murmelt hij, en hij trekt me tegen zich aan. 'Ik wóón aan jouw kant.'

Ik druk mijn gezicht tegen zijn sleutelbeen. 'Sorry, ik ben ook zo doodmoe. Ik weet dat ik me veel te veel laat meeslepen door dit werk. Eigenlijk wil ik het me niet aantrekken dat hij al een keer is getrouwd geweest. Ik wil niet de hele nacht over ze praten.'

Hij drukt een kus op mijn hoofd. 'Nou, zullen we dan een muziekje opzetten?' Ik knik en hij loopt naar de stereo-installatie op het aanrecht. 'Geen Donna Summer, zeker?'

Ik lach en dwing mezelf terug te keren naar de elfde verdieping. Ik schuifel naar hem toe en wikkel ons beiden in het laken.

***

Ik neem nog een slok van mijn derde kop koffie en probeer wakker te blijven terwijl ik sta te wachten tot Grayers eten is gaargestoomd. Ondanks mijn roes is het een erg lange dag geweest na slechts twee uur slapen. Ik stroop de mouwen van de verschoten donkerrode sweater op die HS me vanmorgen heeft gegeven zodat ik niet in dezelfde kleren zou komen als gisteren. Niet dat ze het hier zouden merken, ook al zet ik een clownsneus op en heb ik alleen maar tepeldopjes aan.

Net als ik de gestoomde kool op Grayers bord laat glijden, laat Grayer zich van zijn stoel af glijden.

'Waar ga jij heen, mannetje?' vraag ik, terwijl ik een gestoomde wortel in mijn mond wip.

Hij loopt naar de koelkast, draait zich om en zegt vermanend: 'Ik heb gezegd dat je me zo niet moet noemen! Geen "mannetje" meer! Ik wil sap. Doe de koelkast open.' Hij zet zijn handen op zijn heupen en zijn das hangt over zijn pyjamabroek.

'Alsjeblieft,' zeg ik boven zijn hoofd.

'Alsjeblieft! Doe open! Ik wil sap!' Zijn vermoeidheid door de reeks lessen van deze middag begint op te spelen.

Ik trek de koelkast open en steek mijn hand uit naar de melk. 'Je weet dat je geen sap bij het eten mag. Sojamelk of water, kies maar uit.'

'Sojamelk,' besluit hij, en hij reikt met zijn armen omhoog.

'Ik pak het wel, Grove. Ga jij maar weer in de stoel zitten.' Ik loop met een pak Edensoy terug naar de tafel.

'NEE! Ik wil het doen. Ik wil het doen, Nanny. Jij niet, ik wil...' Vlak voordat ik weg moet is hij altijd zo dwars, en dat maakt het laatste uurtje van mijn werkdag het meest vermoeiend.

'Hé, rustig aan. Kom maar hier, dan doen we het samen,' stel ik opgewekt voor. Hij loopt terug en gaat bij de tafel staan. Zijn hoofd komt tot aan de beker. Ze vindt het vreselijk als ik hem laat inschenken. Niet dat ik het zelf leuk vind, want het draait er maar al te vaak op uit dat ik op handen en knieën de vloer kan aandweilen. Maar nu hij zo chagrijnig is, doe ik het liever samen dan dat ik een kwartier voordat ik naar avondcollege moet een woedeaanval over me heen krijg. Hij legt zijn handen onder de mijne om het pak en samen schenken we de sojamelk in en knoeien maar een klein beetje.

'Goed gedaan! Alsjeblieft manne... Grover. Klim maar weer op je stoel, dan maken we de kool soldaat.' Hij klimt op zijn stoel, prikt weinig enthousiast in de slappe groente en vergeet de melk helemaal. Ik kijk op mijn horloge en besluit dat het afspoelen van borden de meest productieve manier is om de laatste paar minuten hier door te komen, hij heeft toch geen zin om te praten.

Ik zet de laatste pan in het droogrek en draai me om naar Grayer, die precies op dat moment zijn beker oppakt en de melk heel doelbewust op de grond giet.

'Grayer!' Ik ren met de spons naar hem toe. 'Grayer! Waarom doe je dat?' Ik kijk op van de grond. Hij zit schaapachtig op zijn lip te bijten en kijkt naar het plafond. Hij is duidelijk van zichzelf geschrokken. Hij schuift van me vandaan in zijn stoel. Ik ga naast hem op mijn hurken zitten. 'Grayer, ik vroeg je iets. Waarom heb je die melk op de grond gegoten?'

'Ik wilde geen melk. Laat die stomme Maria het maar opruimen.' Hij rolt zijn hoofd in zijn nek en kijkt naar het plafond. 'Je mag niet meer tegen me praten.' Er druppelt sojamelk langs mijn polsen en de mouwen van de sweater zijn afgerold. Er trekt een golf van uitputting door me heen.

'Grayer, dit vind ik niet goed. Het is zonde van het eten. Ik wil dat je hier komt en me helpt het op te ruimen.' Ik trek zijn stoel achteruit en hij trapt naar me, waarbij hij mijn gezicht maar op een haar na mist. Ik trek me snel terug, sta op en keer me van hem af om tot tien te tellen. Ik kijk op mijn horloge om een plan te maken voor ik iets doe waar ik spijt van krijg. Jezus, ze is al een kwartier te laat. Mijn college begint over drie kwartier.

Ik draai me weer naar hem om en zeg met vaste stem: 'Oké. Blijf dan maar zitten. Ik ga dit opruimen en dan is het bedtijd. Je gedraagt je heel slecht en daardoor weet ik dat je heel moe bent. Te moe voor een verhaaltje voor het slapen gaan.'

'IK HEB GEEN HONGER!' Hij barst in tranen uit en zakt onderuit in zijn stoel. Ik veeg de melk op, probeer de sweater van HS niet op de natte vloer te laten komen en knijp het doekje uit boven zijn bord.

Tegen de tijd dat ik alles in de afwasmachine heb gezet is Grayer uitgemopperd en bereid het hele voorval te vergeten. Ik hang zijn das over zijn schouder en draag hem naar zijn kamer, wetend dat ik een kleine twintig minuten heb om naar Washington Square te komen voor Clarksons college en dat ik nog geen telefoontje heb gehad van de moeder van dit kind. Ik luister naar het gesnor van de lift en spits mijn oren of zij niet binnenkomt zodat ze het van me kan overnemen en ik naar college kan.

Ik trek Grayers kleren uit. 'Oké, ga naar je badkamer en doe een plas, dan kunnen we je luierbroek aan doen.' Hij rent de badkamer in en ik loop heen en weer; ik vraag alleen maar of ik in godsnaam op donderdagavond om acht uur weg kan. Je zou toch verwachten dat ze dat één dag per week zou redden.

De badkamerdeur zwaait open en Grover staat in zijn blote billen in de deuropening, zijn armen in de lucht en zijn das voor zijn edele delen. Hij rent naar zijn bed en pakt zijn pyjamajasje.

'Als ik hem aantrek, mogen we dan een boek lezen? Eentje maar?' Hij wurmt het gestreepte shirtje over zijn hoofd en mijn hart gaat weer naar hem uit.

Ik ga op het dekbed zitten om hem te helpen en draai hem tussen mijn knieën naar me om zodat hij me aankijkt. 'Grayer, waarom heb je de melk op de grond gegooid?' vraag ik zacht.

‘Had ik zin in,’ zegt hij, en hij legt zijn handen op mijn knieën.

‘Grove, je mij verdriet gedaan omdat ik het moest opruimen. Je mag niet gemeen doen tegen mensen, en je mag ook niet gemeen doen tegen Maria. Ik vind het heel naar als jij “stomme Maria” zegt, want ze is mijn vriendin en ze is altijd lief tegen je.’ Ik buig me voorover en sla mijn armen om hem heen, terwijl hij zijn vingers in mijn haar duwt.

‘Nanny, slaap je bij mij hier op de grond? Blijf maar slapen, dan gaan we morgen met de trein spelen.’

‘Dat gaat niet, Grove. Ik moet naar huis om George eten te geven. Je wil toch niet dat George geen eten krijgt, hè? Ga nou maar een boek uitkiezen, dan kunnen we het lezen. Eentje.’ Hij loopt in de richting van zijn boekenkast. De voordeur klikt gelukkig open en Grover rent de gang op. Vijf minuten! Ik heb vijf minuten om op college te komen! Ik loop achter hen aan en we treffen Mrs X aan in een Burberry trenchcoat, ongeveer drie decimeter van haar werkkamer vandaan. Aan haar opgetrokken schouders en snelle tred is duidelijk te zien dat ze niet van plan was Grayers kamer in te komen.

‘Mama!’ Grayer slaat van achteren zijn armen om haar heen.

‘Ik heb college,’ zeg ik. ‘Ik moet weg. Het begint op donderdag om acht uur.’

Ze draait zich naar me om en probeert intussen Grayer van haar been te plukken. ‘Als je een taxi neemt, haal je het nog wel,’ zegt ze verstrooid.

‘Oké. Nou, het is nu acht uur, dus... Ik pak mijn schoenen. Welterusten, Grayer.’ Ik ren de gang op om mij jas aan te trekken en hoop dat de lift nog boven is.

Ik hoor haar zuchten. ‘Mama is doodmoe, Grayer. Ga maar vast in bed liggen, dan lees ik je één vers voor uit je Shakespeare-werkboek. En dan gaat het licht uit.’

Beneden ren ik langs de portier naar de hoek van de straat en zwaai als een idioot om een taxi te roepen, in de hoop dat ik nog net op tijd ben om de conclusie te horen. Ik draai het raampje helemaal omlaag en beloof mezelf dat ik volgende week mijn collegerooster duidelijk maak, in de wetenschap dat ik dat waarschijnlijk toch niet doe.

***

Een paar dagen later haal ik afgezien van de gebruikelijke junkmail als

J. Crew en Victoria's Secret-catalogus, twee enveloppen uit mijn brievenbus, die me tot nadenken stemmen. De eerste brief is getypt op het crème briefpapier dat ze meestal gebruikt voor haar commissies.

30 april
Beste Nanny,
Ik wil je graag iets laten weten waar Grayers vader en ik ons zorgen over maken. We hebben gemerkt dat je gisteren zo'n haast had om weg te gaan dat er onder het kleine afvalemmertje in Grayers badkamer een plasje van Grayer lag. Ik begrijp dat je academische verplichtingen hebt, maar eerlijk gezegd vind ik het alarmerend dat je je van zoiets niet bewust bent. Zoals we hebben afgesproken, krijgen wij de uren dat je hier werkt jouw voortdurende en alerte aandacht. Zulke aperte onachtzaamheid stemt me tot nadenken over je manier van werken.
Wil je je aan de volgende regels houden:

1. Grayer moet een luierbroek aan als hij gaat slapen.
2. Grayer mag na vijf uur 's middags geen sap meer drinken.
3. Je houdt hem te allen tijde in het oog.
4. Je weet hoe je schoonmaakmiddelen moet gebruiken en gebruikt ze dus ook.

Ik vertrouw erop dat je nadenkt over je eigen prestaties en weet dat als een dergelijk incident zich weer voordoet, ik je niet voor dat uur hoef te betalen.
Ik verwacht niet dat we het hier verder nog over hoeven te hebben.
Ik hoop dat jullie veel plezier hebben

op je speelafspraak met Alex! Zorg er alsjeblieft voor dat je mijn jas bij de kleermaker ophaalt, hij is na tweeën klaar.
Hoogachtend,
Mrs X

Juist.

De tweede enveloppe is rood gestreept. Ik haal er een stapeltje briefjes van honderd dollar uit die bij elkaar worden gehouden door een zilveren geldklem waarop een X is gegraveerd.

Beste Nanny,
De derde week van juni kom ik terug uit Chicago. Ik zou het op prijs stellen als je ervoor kon zorgen dat het volgende in het appartement aanwezig is:
Lillet-Bordeaux – 6 flessen
foie gras – 6
Teuscher champagnetruffels – 1 doos
biefstukken – 2
Godiva chocolade-ijs – 2 bekers
oesters – 40
kreeften – 2
lavendel strijkijzerwater

Hou het wisselgeld maar.
Bedankt, Miss Chicago

Wat hebben die vrouwen toch met lavendelwater?

De gekleurde zuster werd als een enorme last beschouwd, alleen goed om broeksknopen weer dicht te doen, slipjes aan te trekken en haar te borstelen en er een scheiding in te trekken; omdat het een wet van de samenleving leek te zijn dat haar geborsteld moest worden en dat er een scheiding in zat.

The Awakening

Negen

O... mijn... god

Sarah doet haar voordeur zo ver open als de ketting toelaat, zodat we haar flanellen pyjama zien en het potlood dat haar blonde haar in een knotje houdt. 'Oké, een half uur – meer niet. Ik meen het, dertig minuten. Ik ben thuis om te blokken voor mijn tentamen scheikunde, niet om de vuile was van de X'en te doorzoeken.'

'Waarom ben je helemaal naar de stad gekomen om te studeren?' vraagt Josh terwijl Sarah de ketting losmaakt en ons binnenlaat in de hal van de familie Englund.

'Kennen jullie Jill, mijn huisgenote, al?'

'Volgens mij niet,' zegt Josh, die zijn jas uittrekt.

'Doe geen moeite – je mist niets – ze doet theatervakken en haar examen is vijf minuten van haar leven opvoeren voor de leiding van de faculteit – gooi je spullen maar op de bank – dus ze staat om de haverklap op en dan zegt ze: "Verdomme!", en gaat weer zitten. Ik bedoel maar, zo moeilijk is het toch niet om vijf minuten te blijven zitten en een tijdschrift te lezen?' Ze rolt met haar ogen. 'Willen jullie iets te drinken?' We lopen achter haar aan de keuken in, waar nog steeds hetzelfde madeliefjesbehang tegen de muren zit als in de tijd dat we op de kleuterschool zaten.

'Cosmos.' Ik wil Sarahs specialiteit.

'Komt eraan,' zegt ze, en ze rekt zich uit om een cocktailshaker uit een hoog kastje te halen. 'Ga zitten.' Ze gebaart naar de lange groene tafel bij het raam.

'Het zou veel leuker zijn als dit een ronde tafel was, dan waren wij de

Ridders van de Ronde Tafel in de Orde van het Slipje,' zegt Josh.

'Josh,' zeg ik, 'het gaat nu niet om het slipje – wel om de brief.'

'We hebben een ronde salontafel in de woonkamer,' biedt Sarah aan.

'We moeten dit echt aan een ronde tafel doen,' beslist Josh.

'Je weet de weg, Nan,' zegt Sarah, en ze geeft me een zak Chipito's. Ik loop voor Josh uit naar de woonkamer en laat me op het Perzische tapijt bij de salontafel vallen. Sarah komt er achteraan met een blad Cosmo's. 'Oké, de klokt tikt door. Kom maar op,' zegt ze, terwijl ze het blad voorzichtig op de salontafel schuift.

'Laat maar zien,' zegt Josh, die een slok neemt.

Ik steek mijn hand in mijn rugzak, haal het plastic zakje en de brief van Miss Chicago eruit en leg ze met een plechtig gebaar midden op tafel. We blijven er even zwijgend naar kijken, alsof het eieren zijn die op het punt staan uit te komen.

'Man, dit is echt een Ronde Tafel in de Orde van het Slipje,' mompelt Josh, en hij steekt een arm uit naar het zakje.

'Nee!' zeg ik met een tik op zijn hand. 'Het slipje blijft in de zak – dat is de enige voorwaarde van de Ronde Tafel. Gesnopen?'

Preuts vouwt hij zijn handen in zijn schoot en zucht: 'Oké. Zou je om het Hof in te lichten de feiten nog eens willen voorleggen?'

'Je kent het verhaal – vier maanden geleden trof ik Miss Chicago praktisch in het bed van Mrs X aan, en nu krijg ik zomaar ineens een brief *thuis*...'

'Bewijsstuk nummer één,' zegt Sarah, met de brief zwaaiend.

'Wat inhoudt dat ze weet waar ik woon! Ze heeft me opgespoord! Ben ik dan nergens meer veilig?'

'Ze gaat te ver,' bevestigt Sarah.

'O, kan dat dan bij Nanny?' vraagt Josh.

'Jazeker! De Eighty-sixth Street, dat noem ik te ver. Ze mogen niet bij me thuis komen!' Ik voel dat ik hysterisch word. 'Ik heb een scriptie die ik moet schrijven, tentamens die ik moet leren, een baan die ik moet zoeken! Wat ik niet heb is tijd. Ik wil niet door de NYU rond rennen met het ondergoed van de minnares van Mr X in mijn tas. Ik kan geen college lopen en tegelijk met al hun geheimen rondlopen!'

'Luister, Nan,' zegt Sarah zacht, en ze legt haar hand op mijn rug. 'Je kunt nog steeds iets doen. Laat het achter je. Geef het allemaal terug en zet er een punt achter.'

'Aan wie moet ik het teruggeven?' vraag ik.

'Aan dat mens,' zegt Josh. 'Stuur die troep terug naar haar en laat haar weten dat je niet meedoet.'

'En Mrs X dan? Als het allemaal uitkomt en ze ontdekt dat ik dat slipje had en het haar niet heb verteld...'

'Wat kan ze doen? Je vermoorden?' vraagt Sarah. 'Je voor de rest van je leven in de bak gooien?' Ze heft haar glas. 'Stuur het terug en neem ontslag.'

'Dat kan niet. Ik heb geen tijd om naar een andere baan te zoeken en mijn echte baan – bij welke school dan ook die ik kan overhalen me in dienst te nemen – begint pas in september. Trouwens...' Ik trek de zak kaaswurmpjes open, mijn aanval van zelfmedelijden is voorbij, 'ik kan Grayer niet in de steek laten.'

'Je zult hem toch eens moeten achterlaten,' herinnert Josh me.

'Ja, maar ik kan geen ruzie met haar hebben als ik een rol in zijn leven wil blijven spelen. Maar je hebt gelijk. Ik stuur dit wel terug,' zeg ik.

'Uit de kunst. Dit heeft maar twintig minuten geduurd,' zegt Sarah. 'Nu heb ik nog tien minuten waarin jullie me mooi kunnen overhoren.'

'Wat een feest,' zeg ik.

Josh buigt zich naar me toe en geeft me een knuffel. 'Maak je niet zo druk, Nan, het komt allemaal goed. Hé, je moet niet vergeten dat je wist dat het slipje van Miss Chicago een string van zwart kant zou zijn. Dat was maanden voordat het werd gevonden. Je kunt de toekomst voorspellen.'

Ik drink mijn glas leeg. 'Nou, als je een quiz weet waarin ik dat kan omzetten in geld, laat het me dan weten.'

***

Ik werp een blik op de slordige stapel boeken, de kopietjes met strepen markeerstift en de lege pizzadozen om me heen die ik heb verzameld sinds ik vrijdag van mijn werk thuiskwam. Het is vier uur in de morgen en ik ben nu al achtenveertig uur aan het schrijven, wat heel wat minder tijd is dan ik mezelf had toebedeeld. Maar er zat niets anders op, of ik had Grayer alleen in het appartement moeten laten aanmodderen.

Ik kijk naar de bruine envelop die sinds de Ronde Tafel in de Orde van het Slipje nu al een week tegen mijn printer staat. Hij zit dicht en er zitten postzegels op, ik hoef hem alleen nog maar plechtig in de brievenbus te deponeren als ik mijn scriptie binnen vier uur heb afgerond. Daarna zullen Miss Chicago en de NYU snel een vage herinnering worden.

Ik grijp nog een handje M&M's uit de familiezak. Ik moet nog zo'n vijf pagina's, maar kan mijn ogen amper nog open houden. Achter het kamerscherm barst een oorverdovend gesnurk los. Die verdomde harige piloot.

Ik rek mijn armen uit en gaap, precies op het moment dat een volgende snurk de stilte verstoort, waardoor George doelbewust door de kamer schiet en in een berg vuile was duikt.

Ik ben zo moe dat mijn ogen aanvoelen alsof ze vol zandbakzand zitten. In een wanhopige poging weer enigszins alert te worden, loop ik voorzichtig tussen de puinhopen door, zoek mijn koptelefoon en steek hem in mijn stereo-installatie. Ik zet hem op mijn hoofd en ga op mijn hurken zitten om aan de knop van de zenderzoeker te draaien, tot ik een bonkende dansmuziek heb gevonden. Ik schud met mijn hoofd op de maat van de muziek, draai het volume open tot ik voel dat het dreunende ritme tot in mijn schildpaddensokken zakt. Ik sta op en dans rond in een het kleine kringetje dat het snoer van de koptelefoon me toestaat. Mijn oren worden gevuld met bongoritmes, en met mijn ogen dicht schuifel ik tussen de boeken door, zodat mijn adrenaline me kan wakker schudden.

'NAN!' Ik doe mijn ogen open en krimp subtiel in elkaar bij de aanblik van Mr Harige Piloot in een T-shirt en boxershort, waarin één hand nonchalant krabbend is verdwenen. 'WAT NOU WEER? HET IS VIER UUR 'S MORGENS!' brult hij.

'Wat zeg je?' Ik schuif de koptelefoon af en merk dat hierdoor het volume van de muziek niet verandert. Hij wijst geërgerd naar de stereo, en ik zie dat de stekker van de koptelefoon er door mijn gedans uit is gevallen.

Ik duik naar de uit-knop. 'Lieve hemel, sorry hoor. Ik moet morgen mijn scriptie inleveren en ik ben zo vreselijk moe. Ik probeerde alleen maar wakker te worden.'

Hij banjert naar de andere kant van de flat. 'Ja, ja,' gromt hij in het donker.

'Zolang jij maar lekker slaapt!' zeg ik zonder geluid in zijn richting. 'Zolang jij maar tevreden bent, en hier mag slapen, zelfs als Charlene een hele nacht weg is op een vlucht naar Jemen! Zolang ik je maar niet stoor, terwijl ik wel de huur betaal zonder 's nachts naar de wc te kunnen.' Ik rol met mijn ogen en loop weer naar de computer. Vier uur, vijf pagina's. Ik grijp nog een handvol M&M's; aan de slag, Nan.

***

De wekker maakt me om half zeven wakker, maar het duurt nogal wat piepen en één zeer ontstemd 'WAT NOU WEER?' voor ik mijn moeie hoofd van het kussen til. Ik kijk op de klok; zestig minuten slaap in achtenveertig uur, moet genoeg zijn. Ik rek me uit, uit de foetushouding waarin ik slechts een paar seconden geleden ben ingeslapen en steek mijn hand uit naar een spijkerbroek.

Door het raam valt roze licht de kamer in. Het schijnt op de rommel, die eruitziet alsof er een orgie voor bibliothecarissen is geweest. Het luide zoemen van de computer vermengt zich met het sjilpen van de vogels buiten. Ik buig me over de stoel heen en schuif de muis heen en weer om de screensaver weg te werken en klik dan op afdrukken. Ik klik weer op OK, en stel het op prijs dat de computer zich verplicht voelt om alle belangrijke beslissingen minstens twee keer te laten bevestigen. Ik hoor de printer zich zoemend opwarmen en schuifel slaapdronken naar de badkamer om mijn tanden te poetsen.

Tegen de tijd dat ik terugkom is er nog geen letter vooruitgang geboekt. 'Jezus,' mopper ik, en ik klik het printmenu aan om te zien wat er aan de hand is. Er verschijnt een melding op het scherm om me ervan op de hoogte te stellen dat Fout Zeventien is gemaakt en dat ik de computer opnieuw moet opstarten of het servicecentrum moet bellen. Goed hoor.

Ik klik op 'bewaren' en sluit de computer af. Ik haal wel eerst de diskette eruit waarop de versie van half zes staat. Ik start de computer weer op, zoals me is geadviseerd, terwijl ik laarzen en een bloes aantrek, bind een sweater om mijn middel en wacht tot het scherm weer oplicht. Ik kijk op mijn horloge: tien voor zeven. Een uur en tien minuten om deze molensteen om mijn nek onder Clarksons deur door te schuiven. Ik sla een aantal willekeurige toetsen aan, maar het scherm blijft donker. Mijn hart bonkt. Geen enkele toets kan mijn computer nieuw leven inblazen. Ik gris de diskette van mijn bureau, mijn portefeuille, sleutels, de envelop voor Miss Chicago en ren de flat uit.

Ik ren naar Second Avenue, zwaai met beide armen om een taxi aan te houden. Ik spring in de eerste die op zijn gemak naar de stoep komt rijden, en probeer me te herinneren waar in het doolhof van de NYU-campus het computercentrum ligt. Om de een of andere reden is het me niet gelukt adressen op de campus uit mijn hoofd te leren en ik vermoed dat een of ander Freudiaans verband bestaat tussen logistiek en mijn angst voor bureaucratie er de oorzaak van is.

'Eh, aan de West Fourth, eh, bij Bleecker, geloof ik. Rij die kant maar op en dat zeg ik het wel als we in de buurt zijn!' De chauffeur rijdt weg en remt abrupt bij elk stoplicht. De straten zijn praktisch leeg, op de veegmachines na, die brommend rijden langs mannen in pakken en regenjassen, die met hun koffertje voor zich uit in metro-ingangen en kantoorgebouwen verdwijnen. Waarom deze scriptie voor achten ingeleverd moet worden ontgaat me ten enen male. Sommige mensen sturen hun scriptie met de post. O, wie hou ik nou voor de gek? Als dat zou kunnen, zou het een wilde taxirit naar het postkantoor worden.

Ik spring op Waverly Place de taxi uit, pak de diskette, mijn portefeuille en sleutels, en op dat moment duwt een meisje in een glanzende outfit en uitgelopen make-up me opzij om in de taxi te stappen. Ik ruik de onmiskenbare lucht van een lange nacht stappen – bier, sigarettenrook en Drakkar Noir. Ik troost me met de gedachte dat mijn leven nog slechter had kunnen zijn – ik had een tweedejaars kunnen zijn die de Taxirit der Schaamte deed.

Het is even over zevenen als ik, bijna op de geur af, de weg vind naar het hoofdcomputercentrum op de vijfde verdieping van het onderwijsgebouw.

'Mag ik je kaart zien?' mompelt een meisje met groen haar en witte lippen van achter een beker van Dunkin' Donuts die ze op kinhoogte vasthoudt. Ik rommel door mijn portefeuille, en dan herinner ik me dat de kaart waar ze nu naar vraagt onder in mijn rugzak ligt, en daar ligt George op dit moment waarschijnlijk vredig op te slapen.

'Heb ik niet bij me. Maar ik hoef alleen maar iets te printen; het duurt maar vijf minuten, echt.' Ik klem mijn handen om de rand van de balie en kijk haar doordringend aan. Ze rolt met haar zwart omrande ogen.

'Gaat niet,' zegt ze, en ze wijst met weinig overtuiging naar de lijst met regels die achter haar tegen de muur hangen.

'Oké, oké! Eens kijken, ik heb mijn tweedejaarskaart en...' Ik trek wild kaarten uit de leren gleufjes. 'Een biepkaart voor het Loeb Student Center. Kijk, er staat 'vierde jaar' op!'

'Maar geen foto.' Ze bladert door haar X-men stripboek.

'ALSJEBLIEFT, ik smeek je. SMEEK. Ik heb achtentwintig minuten om dit te printen en in te leveren. Het is mijn scriptie; mijn hele studiecarrière hangt ervan af. Je mag wat mij betreft kijken terwijl ik hem print!' Ik begin te hyperventileren.

'Mag niet achter de balie vandaan.' Ze duwt haar kruk een paar centimeter naar achteren, maar kijkt niet op.

'Hé! Hé, jij daar met je muts op!' Een graatmagere jongen met een naamkaartje dat aan een ketting om zijn nek bungelt, kijkt op van de plek waar hij bij de kopieermachine stond te hangen.

'Werk jij hier?'

Hij slentert in zijn blauwe, leren broek naar de balie. 'Wil printen, maar heeft geen collegekaart,' zegt het baliemeisje behulpzaam.

Ik raak zijn arm aan en rek me uit om zijn naamkaartje te lezen. 'Dylan! Dylan, ik heb je hulp nodig. Wil je me naar een printer brengen zodat ik mijn scriptie kan printen, die ik een halve kilometer verderop over vijfentwintig minuten moet inleveren?' Terwijl de twee overleggen, probeer ik rustig adem te halen.

Hij bekijkt me sceptisch. 'Het probleem is... er komen wel eens mensen naar het centrum om dingen voor zichzelf te doen. Geen studenten bedoel ik, dus...' Zijn stem sterft weg.

'Om half acht 's morgens, Dylan? Meen je dat?' Ik probeer me te beheersen. 'Luister, ik wil je zelfs voor het papier betalen, ik zal iets met je afspreken. Jij kijkt toe terwijl ik print. En als wij SAMEN iets anders voortbrengen dan een scriptie, dan mag je me eruit gooien!'

'Nou...' Hij hangt tegen de balie. 'Misschien ben je wel van Columbia of zo.'

'Met een tweedejaars kaart van de NYU?' Ik zwaai de plastic kaart voor zijn gezicht heen en weer. 'Dylan, denk eens na, man. Waarom zou ik daar dan niet printen? Waarom zou ik hier helemaal naar toe komen om langs jou en je collega te sluipen, als ik drie meter van mijn studentenkamer, *helemaal in de stad* een computerlab zou hebben? O, god, ik kan niet nog zestig seconden met je staan praten. Wat zal het zijn? Krijg ik hier, op het linoleum een hartstilstand en word ik een drop-out, of geven jullie me VERDOMME VIJF MINUTEN OP EEN VAN JE TIG COMPUTERS?' Ik dreun met mijn sleutels op de balie om mijn woorden te onderstrepen. Ze staren me nietszeggend aan terwijl de Leren Broek mijn bewijsmateriaal in overweging neemt.

'Ja... Oké. Maar als het iets anders dan je scriptie is dan... dan moet ik hem verscheuren.' Ik ben al langs hem heen, ram mijn diskette in terminal nummer zes en klik als een bezetene op 'afdrukken.'

***

Langzaam word ik wakker uit een peilloos diepe slaap en trek mijn sweater van mijn gezicht om te kijken hoe laat het is. Ik ben bijna twee uur van de wereld geweest. Ik was te moe om het naar Josh te halen, en op de een of andere manier heb ik in een dichte mist van slaap, deze stinkende bank in een uithoek van de Business School gevonden waar ik eindelijk kon toegeven aan mijn uitputting.

Ik ga overeind zitten en veeg het slijm van mijn mondhoek, wat me op een hitsige blik komt te staan van een man die in een stoel vlakbij met een markeerstift in zijn *Wall Street Journal* zit te strepen. Ik negeer hem en haal mijn portefeuille en sleutels te voorschijn uit hun schuilplekje onder mijn billen tussen de oranje kussens en besluit mezelf te trakteren op een uitgebreide koffie in de Italiaanse espresso shop.

Ik loop over LaGuardia Place en het is volop lente. De meilucht is warm en de hemel blauw. De bomen voor de Citibank zitten vol dikke knoppen. Ik glimlach naar de wolkeloze hemel. Ik ben een vrouw die er brutaal tegenaan is gegaan en het heeft gered! Ik ben een vrouw die, hoe onwaarschijnlijk het ook leek, waarschijnlijk afstudeert aan de NYU!

Ik neem mijn kopje koffie van vijf dollar mee naar een bankje in Washington Square park, zodat ik tegen het glanzende smeedijzer van de bank kan leunen en me kan laven aan de zon. Er zijn om deze tijd weinig mensen in het park, de meesten zijn kinderen en drugdealers, en geen van beide groepen kunnen mijn rêverie verstoren.

Er kuiert een vrouw naar de bank aan de overkant van het pad met een kleuter in een buggy voor zich en een papieren zak van McDonald's onder haar arm. Ze gaat zitten, rolt het kind met het gezicht naar zich toe en pakt twee Egg McMuffins uit waarvan ze er een aan de buggy geeft. De duiven strijken rond mijn voeten neer en pikken tussen de stenen. Ik heb nog een uur voor ik Grayer moet ophalen; misschien zou ik moeten gaan windowshoppen om een leuk zomerjurkje te vinden, iets wat ik aan kan tijdens de warme zomernachten die gaan komen, waarin ik martini's met HS op de Hudson kan drinken.

Ik zie de vrouw nog een doos uit de zak halen en bedenk hoe heerlijk frietjes nu zouden smaken. Ik staar afwezig naar het kleine rugzakje dat losjes aan een van de handvatten van de buggy hangt. Ja, frietjes en een milkshake, chocolade misschien. Mijn ogen gaan langs de roze rand om het stripfiguurtje op de voorkant van de rugzak. Kleine peervormige figuurtjes. Allemaal in een andere kleur, en ze hebben van die vormen op hun hoofd. Het zijn allemaal... Ik knijp mijn ogen halfdicht om de namen te kunnen lezen. Het zijn allemaal Teletubbies. Ik spuug de koffie een goeie anderhalve meter voor me uit.

O, nee. O, NEE! Ik worstel om adem te halen en de duiven vliegen op. Flitsen van een Halloween-feest, de donkere rit naar huis in de limousine, de mink die dicht om het gezicht van Mrs X sluit, Grayer die uitgevloerd naast me ligt. Ik herinner me een snurkende Mr X en Mrs X die maar praat en praat. Almaar door ratelt over het strand. Het klamme zweet breekt me uit. Ik leg mijn handen op mijn voorhoofd en probeer alle stukjes op hun plaats te krijgen.

'O, nee,' zeg ik hardop, wat voor de vrouw aanleiding is het eten te pakken en snel naar een bank dichter bij de straat te lopen. Op de een of andere manier is het me de afgelopen zeven maanden gelukt de herinnering te onderdrukken aan mijn toezegging in de limo aan de X'en dat ik met hen naar Nantucket zou gaan, dat ik met een emmer wodka-tonics in mijn maag heb uitgeroepen: 'Ik ga mee.'

'O, nee.' Ik beuk met mijn vuisten op de bank. Shit. Ik bedoel, ik wil niet, absoluut niet met hen in één huis leven. Hier in de stad, waar ik aan het eind van de dag naar huis kan, is het al erg zat. Krijg ik nu Mr X in zijn pyjama te zien. In zijn ondergoed? Krijg ik hem sowieso te zien?

Waar zou ze nou eigenlijk op hopen? Een gezellige gezinsvakantie? Gaan ze ruzie maken op het haardkleed? Elkaar met kanopeddels de hersens inslaan? Miss Chicago in het gastenverblijf stoppen? Miss Chicago...

'KUT!' Ik spring op en klop op mijn kleren. 'Kut. Kut. Kut.' Ik heb sleutels, ik heb koffie, ik heb een portefeuille. 'Ik heb geen envelop.' Ik draai me met een ruk vijf verschillende kanten op en ga na waar ik de afgelopen twee uur ben geweest, waar ik hem kan hebben laten liggen. Ik sprint naar de koffieshop, de oranje bank, de brievenbus van Clarkson.

Ik sta zwetend en met een gierende ademhaling voor de balie van het computercentrum.

'Luister, je moet nu echt naar buiten, anders bellen we de beveiliging.' Dylan probeert autoritair te klinken.

Ik kan niets uitbrengen. Ik word niet goed. Ik probeerde integer te zijn. Maar nu ben ik het meisje dat achthonderd dollar en een gebruikt slipje heeft gestolen. Ik ben een crimineel en een viezerik.

'Hé man, ik meen het, je kunt beter gaan. Bob heeft middagdienst en die is lang zo relaxt niet als ik.' Middagdienst. Juist. Moet Grayer in de kraag vatten en hem meezeulen naar Darwins verjaardagsfeestje.

***

'Hou op! Dat is niet leuk!' schreeuwt Grayer, terwijl zijn gezicht wordt platgedrukt tegen de reling die langs het bovendek van de boot loopt.

Ik ga op mijn hurken zitten en fluister zijn belager in het oor: 'Darwin, als je Grayer nu niet binnen twee seconden loslaat, gooi ik je overboord.' Darwin draait zich geschrokken om naar mijn glimlachende gezicht. Goede Fee/Slechte Heks spelen op drie uur slaap en achthonderd dollar lichter, met mij valt vandaag niet te spotten, jochie.

Hij wankelt drie stappen achteruit en Grayer, die een rode afdruk op zijn wang heeft waar hij tegen de reling werd gedrukt, slaat zijn armen om mijn been. Grayer is pas een paar minuten het mikpunt van Darwins marteltrucs, en werd voorgegaan door vijftig andere gasten van zijn verjaardagsfeestje, die de afgelopen twee uur gevangen hebben gezeten op de Circle Line Jazzfest Cruise.

'Darwin! Schatje, het is bijna tijd voor je taart. Ga maar naar de tafel, dan kan Sima je helpen met de kaarsjes.' Mrs Zuckerman zweeft naar ons toe op haar platte Gucci-ballerina's en bijpassende wielrenbroek. Ze is een wolk van roze en goud, gecombineerd met bergen briljanten. In het zonlicht is ze dan ook oogverblindend.

'Nou, Grayer, wat is er met jou? Wil je geen taart?' Ze wappert met haar glinsterende handen naar Grayer en leunt naast me tegen de reling. Ik ben veel te moe voor koetjes en kalfjes, maar kan nog wel mijn gezicht trekken in een, naar ik hoop, charmante glimlach.

'Geweldig feest,' weet ik uiteindelijk uit te brengen, terwijl ik Grayer op mijn heup en in veiligheid hijs, zodat hij over mijn schouder naar het schuimende kielzog achter ons kan kijken.

'Sima en ik hebben hier maanden aan gewerkt. We hebben echt de koppen bij elkaar gestoken om het nog leuker te maken dan vorig jaar bij Gracie Mansion, maar ik zei gewoon "Sima! Creativiteit is een van de bijzondere dingen die jij aan ons gezin bijdraagt, dus doe je best!" En ik kan je wel vertellen, dat is haar gelukt!' Van de achtersteven van de boot stijgen kreten op, en Sima komt in paniek langs rennen, op de voet gevolgd door Darwin die haar belaagt met een brandende Tiffany-aansteker.

'Darwin,' zegt Mrs Zuckerman vermanend, 'ik zei dat je Sima moest helpen, niet dat je haar in brand moest steken.' Ze lacht vrolijk, neemt hen de aansteker af en knipt hem dicht. Ze overhandigt hem met een strenge blik aan een hoogrode Sima. 'Zorg er de volgende keer voor dat hij er niet mee gaat rennen. Ik zou je er niet aan hoeven herinneren dat hij hem van mijn grootvader heeft gekregen.' Sima neemt het zilveren voorwerp aan zonder haar ogen op te slaan. Ze pakt Darwins hand en trekt hem zachtzinnig terug naar zijn taart.

Mrs Zuckerman buigt zich naar me toe, en de gouden letters C op haar bril glanzen. 'Ik heb eigenlijk geluk, Sima en ik zijn net zussen.' Ik glimlach en knik. Zij knikt terug naar mij. 'Wil je de groeten doen aan Grayers mama en vergeet niet te zeggen dat ik haar aan een geweldige scheidingsadvocaat kan helpen. Hij heeft ervoor gezorgd dat mijn vriendin Alice tien procent meer kreeg dan in haar huwelijkse voorwaarden stond.'

Instinctief leg ik mijn hand op Grayers hoofd.

'Nou, veel plezier, jullie tweeën!' Ze gooit haar haar over haar andere schouder en loopt terug naar het gezelschap bij de taart. Ik neem aan dat het permanente verblijf van Mr X bij de Yale Club nu een publiek geheim is.

'En Grove, ben je klaar voor een stuk taart?' Ik hevel hem over naar mijn andere heup, trek zijn das recht en raak de afdruk van de rail op zijn wang aan. Zijn ogen staan glazig en hij is duidelijk net zo moe als ik.

'Ik heb pijn in mijn buik. Ik voel me niet lekker,' mompelt hij. Ik probeer me te herinneren waar ik een bordje van de wc heb gezien.

'Wat voor pijn?' vraag ik, in een poging zeeziekte van maagzuur bij een vierjarig jochie te onderscheiden.

'Nanny, ik...' Hij kreunt met zijn mond tegen mijn schouder en klapt dan dubbel om over te geven. Ik weet hem nog net over de rand te hangen zodat de Hudson het grootste deel van zijn braaksel krijgt, en er maar een derde op mijn sweater belandt.

Ik wrijf over zijn rug. 'Grover, het is een erg lange dag geweest.' Ik veeg zijn mond met mijn hand af, en hij knikt instemmend met zijn hoofd tegen mijn schouder.

***

Twee uur later houdt Grayer de voorkant van zijn broek omhoog en springt hij in de hal van de X'en op zijn Nikes op en neer.

'Grove, nog een paar tellen.' Ik duw voor de laatste keer tegen de deur en eindelijk geeft hij mee. 'Zo. Rennen!!' Hij rent langs me heen.

'Oef!' Ik hoor een bons. Ik duw de deur verder open en zie Grayer op een stapel badlakens liggen, geveld door een Tracy Tooker-doos.

'Gaat het, Grove?'

'Dat was gaaf, Nanny. Man, je had het moeten zien. Ga daar eens staan, dan doe ik het nog een keer.'

'Ja, nee.' Ik buk me om zijn gympen en zijn naar braaksel ruikende windjack uit te doen. 'De volgende keer val je misschien minder goed. Ga plassen.' Hij rent weg. Voorzichtig stap ik over de hoedendoos heen, over de stapel badlakens, twee Lilly Pulitzer-tassen, drie L. L. Bean-dozen en een zak houtskoolbriketten. Nou, we gaan duidelijk naar Nantucket, of we verhuizen naar de suburbs.

'Nanny? Ben jij dat?' Ik kijk op en zie dat de eetkamertafel helemaal bedekt is met de zomerkleren van Mr X, het enige wat Maria en ik nog niet hadden ingepakt.

'Ja, we zijn net thuis,' roep ik, en ik duw twee Barney-tassen aan de kant.

'O.' Mrs X komt te voorschijn met een arm vol kasjmier pastelkleurige truitjes. 'Je zit onder het braaksel.' Ze deinst enigszins terug.

'Grayer heeft een ongelukje gehad...'

'Ik vind dat je wel in de gaten moet houden wat hij op zo'n feestje eet. Hoe gaat het met Mrs Zuckerman?'

'Ik moest u de groeten doen...'

'Ze is ontzettend creatief. Ze organiseert altijd de leukste feestjes.' Ze kijkt me vol verwachting aan, gretig wachtend tot ik de hele middag nog eens dunnetjes overdoe, compleet met handpoppen en gekke stemmetjes. Ik ben er gewoon te moe voor.

'Ze, eh, wilde een adres doorgeven.'

'Ja?'

Ik haal diep adem en zet me schrap. 'Ze zei dat ze een heel goede advocaat kende.' Ik kijk omlaag, naar de kleren van Mr X.

'Nanny, zegt ze ijzig, 'dit zijn de kleren van mijn man *voor de vakantie*.' Ze wendt zich van me af en haar stem krijgt een levendige, opgewekte klank. 'Ik ben zelf nog niet begonnen met inpakken. Niemand weet wat voor weer het wordt. Sommige vrienden kwamen om van de hitte en anderen bevroren weer bijna.' Ze laat de truitjes op tafel vallen, waardoor er een paar opgerolde tennissokken op de grond rollen. 'Maria!'

'Ja, mevrouw.' Maria duwt de klapdeur naar de keuken open.

'Kun je deze opvouwen?'

'Ja, mevrouw. Ik doe het meteen.' Ze duikt de keuken weer in.

'Ik wil niet te veel meenemen, maar ik wil daar ook niet hoeven wassen en ik heb geen flauw idee of ze een behoorlijke stomerij op het eiland hebben. Dat herinnert me eraan, we vertrekken de vijftiende, om acht uur precies.'

'Is dat een vrijdag?' vraag ik. Ze kijkt op. 'Het spijt me, ik wilde u niet in de rede vallen, maar de vijftiende is mijn buluitreiking.'

'Dus?'

'Dus, ik kan niet om acht uur vertrekken...'

'Nou, ik denk niet dat we voor jou later kunnen vertrekken,' zegt ze, en ze loopt naar de tassen in de hal.

'Nee, het is namelijk zo dat mijn oma een feest voor me organiseert, dus eigenlijk kan ik pas zaterdag weg.' Ik loop achter haar aan.

'Nou, de huur begint op vrijdag, dus we kunnen niet pas zaterdag weg,' zegt ze, alsof ze het aan Grayer staat uit te leggen.

'Nee, dat begrijp ik. Ik kan zaterdag wel een bus nemen. Waarschijnlijk ben ik er dan om vijf uur.'

Ik volg haar weer naar de eetkamertafel, waar ze haar tassen bij de rest zet. 'Wat je me dus wilt zeggen, is dat, van de veertien dagen dat we je nodig hebben, je er twee niet beschikbaar bent. Ik weet het niet, hoor Nanny. Ik weet het gewoon niet. We zijn vrijdag bij de Blewers te eten gevraagd en we gaan zaterdag barbecuen bij de Piersons. Ik weet het niet...' Ze zucht. 'Ik moet erover nadenken.'

'Het spijt me echt. Als ik iets anders had... Maar mijn buluitreiking kan ik niet missen.' Ik buig me voorover om de ontsnapte sokken op te rapen.

'Dat zal wel niet. Nou, ik zal het met Mr X overleggen en dan laat ik het je wel weten.' Of ik mijn buluitreiking kan missen?

‘Oké, en ik wilde u ook nog vragen of u kon betalen, want deze week moet ik de huur betalen...’ En u heeft me al drie weken niet betaald. En nu ben ik de vriendin van uw man ook nog *achthonderd dollar* schuldig.

‘Ik heb het ook zo druk gehad. Ik zal van de week proberen naar de bank te gaan. Dat wil zeggen, zodra jij je uren voor me opschrijft, zodat ik ernaar kan kijken...’

Ze wordt onderbroken door een blote Grayer, die om de hoek gluurt.

‘GRAYER!’ roept ze. Grayer en ik staan stijf van schrik. ‘Wat is de huisregel?’

‘Geen penissen in het huis?’

‘Precies. Geen penissen in het huis. Waar blijven penissen dan wel?’

‘Penissen blijven in de slaapkamer.’

‘Ja, in de slaapkamer. Nanny, wil je ervoor zorgen dat hij zich aankleedt?’ Grayer loopt ernstig voor me uit. Zijn blote voeten kletsen op het marmer.

Ik zie het hoopje kleren op de vloer van de badkamer liggen.

‘Ik heb een ongelukje gehad.’ Hij duwt met zijn tenen tegen een van zijn houten auto’s.

‘Dat geeft niet.’ Ik raap de kleren op en draai de kraan boven het bad open. ‘We gaan jou in bad stoppen, oké boef?’

‘Oké.’ Hij houdt zijn armen omhoog zodat ik hem kan optillen. Ik trek mijn vuile sweatshirt uit en til hem op. Terwijl we wachten tot het bad vol is, dans ik zachtjes met hem door de badkamer. Hij laat zijn hoofd tegen mijn schouder leunen en ik vraag me af of hij in slaap valt. Ik loop met hem naar de spiegel, leg een handdoek over hem heen om hem warm te houden en zie dat hij op zijn duim zuigt.

***

Nanny,
ik weet niet of je rekening hebt gehouden met de veerboot, maar ik moet je erop wijzen dat je reis er een uur langer door kan worden. Ik vroeg me af of je (a) vrijdagavond de bus van elf uur kon nemen, dan zou je om zes uur ’s morgens in Nantucket zijn, of (b) zaterdagochtend de bus van zes uur ’s morgens kon nemen, dan zou je er om een uur zijn, en ben je nog op tijd voor de barbecue als we laat vertrekken.
Laat het me weten.

Beste Mrs X,
Ik stel het op prijs dat u aan alternatief vervoer voor me denkt. Ik wil u op geen enkele manier overlast bezorgen, maar vind het toch onpraktisch vroeger te vertrekken omdat ik vrijdagavond een aantal gelegenheden voor de buluitreiking moet bijwonen. Ik ben om zeven uur 's avonds in Nantucket, en natuurlijk verwacht ik dat u de betaling aan het aantal uren aanpast. Wat me eraan herinnert, ik vroeg me af of u al kans had gezien naar de bank te gaan omdat ik mijn huur moet betalen. Ik voeg een lijstje van mijn uren bij, zoals u heeft gevraagd. Nogmaals, ik stel het op prijs dat u meedenkt.
Bedankt!
Nanny

Nanny,
Ik ben een beetje verbaasd over je recalcitrante houding omtrent ons vertrek. Maar ik hoop dat we een compromis kunnen sluiten. Misschien kun je om drie uur in Nantucket zijn en een taxi naar de Piersons nemen?

Beste Mrs X,
Omdat ik het u natuurlijk naar de zin wil maken, denk ik dat ik waarschijnlijk wel om zes uur bij u kan zijn.
Nanny

Nanny,
Laat maar. De vrouw die de huishoudelijke dienst heeft gestuurd, kan op Grayer passen tot jij er bent.
PS Ik wil met je praten over de uren die je voor woensdag de derde hebt opgegeven. Volgens mij ben ik toen met hem gaan winkelen.

Beste Mrs X,
Ik ben het met u eens over woensdag de derde.
Ik wil u er nog aan herinneren dat ik donderdag om twee uur weg moet omdat ik mijn scriptie moet verdedigen.
Bedankt, Nanny

Beste Mrs X,
Nog even een herinnering dat ik morgen mijn scriptie moet verdedigen, dus dat ik om twee uur precies weg moet. Het zou ook mooi zijn als u me kon betalen.

Beste Mrs X,
Tot twee uur!

'Waar is ze nou!' Ik kijk voor de miljoenste keer in vijf minuten op de ovenwekker. 2.28. Over precies zevenenveertig minuten word ik verondersteld mijn scriptie te verdedigen. Mijn hele universitaire carrière beleeft zijn hoogtepunt zonder dat ik erbij ben. Ik zie een commissie van professoren voor me die een lege stoel ondervraagt over kinderontwikkeling!

'Niet schreeuwen.' Grayer kijkt fronsend op.

'Sorry, Grove. Ik moet even iets doen.'

'Ga je plassen?'

'Ja. Vergeet je melk niet.' Ik laat hem met zijn meloen achter en loop het bediendetoilet in. Ik draai de kraan open, doe de deur dicht, trek het toilet door en gil in de handdoek: 'KUT!' Mijn stem wordt geabsorbeerd door de badstof. 'Waar is ze verdomme? Shit, kut.' Ik ga op de grond zitten en in mijn ooghoeken beginnen tranen te prikken.

'Kut.'

Ik had 'twee uur' met lippenstift op alle spiegels in het hele appartement moeten schrijven! Ik had een grote twee aan het eind van haar omslagdoek moeten spelden toen ze vanochtend de deur uit ging! Ik overweeg Grayer te grijpen en Madison over te rennen en als Marlon Brando haar naam uit te gillen. Mijn frustratie wordt een hysterisch, geluidloos gegiechel en de tranen stromen over mijn gezicht.

Ik haal diep adem. Tik een paar keer op mijn wangen, droog mijn tranen en probeer mijn zelfbeheersing terug te vinden voor Grover. Maar als ik de keuken weer in loop en ik haar over hem heen gebogen zie staan, giechel ik nog steeds een beetje.

'Nanny, ik zou het prettig vinden als je hem niet met zijn bestek alleen liet.'

Ik kijk naar de lepel op zijn Linnaeus-placemat. 'Sorry...'

'Gut, wat zie je er keurig uit.' Ze pakt een stukje meloen van Grayers bord.

'Dank u. Dat is eigenlijk voor de verdediging van mijn scriptie, en die begint over vijfendertig minuten.' Ik loop naar de deur.

'O, juist ja. Ik dacht al dat er iets was.' Ze slentert door de keuken en zet haar Kelly-tas van krokodillenleer op het aanrecht. 'Ik ben vanmorgen naar de bank geweest. Laten we even gaan zitten, dan kunnen we het lijstje bespreken dat je me hebt gegeven...' Ze haalt een envelop te voorschijn.

'Dat is fijn, maar ik moet echt opschieten,' zeg ik over mijn schouder.

Ze zet een hand op haar heup. 'Ik dacht dat dit vandaag moest gebeuren.'

'Nou, als ik nu niet ga, kom ik te laat,' roep ik vanuit de hal waar ik mijn aantekeningen heb liggen.

Ze slaakt een luide zucht, en ik kom weer naar de keuken.

'Slim zijn, Nanny!' Grayer rekt zich uit in zijn stoel. 'Je moet slim zijn!'

'Dank je, Grove.'

'Ik heb het vreselijk druk, en nu is het enige moment dat het me uitkomt dit te doen. Ik weet niet wanneer ik er weer tijd voor heb, Nanny. Ik ben helemaal naar de bank gegaan...'

'Fijn. Nee, laten we het nu dan doen. Dank u.' Tussen mijn stapel papieren vind ik een herziene, getypte lijst van alle uren die ik de afgelopen vijf weken heb gewerkt. 'Zoals u kunt zien is het gemiddeld tussen de vierhonderd en vijfhonderd dollar in de week.'

Ze kijkt op de lijst terwijl ik van de ene voet op de andere sta te wippen. 'Dit is wel een beetje meer dan we oorspronkelijk hadden afgesproken.'

'Ja, de vorige lijst die ik u gaf, was twee weken geleden en sinds die lijst heb ik alweer zestig uur gewerkt.'

Ze zucht en begint twintigjes en vijftigjes uit te tellen, waarbij ze de briefjes langzaam tussen haar vingers over elkaar heen wrijft om zeker te weten dat er geen briefjes aan elkaar zijn blijven plakken. Ze geeft ze aan mij en haar Hermès-armbanden vallen rinkelend tegen elkaar. 'Het is wel een hoop geld.'

Ik glimlach terug. 'Nou ja, het is voor ruim vijf weken werk.' Ik draai me op mijn hielen om, strijk over Grayers hoofd als ik langs hem loop. 'Veel plezier vanmiddag, jongens!'

***

Ik smeer crèmespoeling in mijn haar en masseer het idee ontslag te nemen in mijn hoofd. Ik stel me voor dat ik Mr en Mrs X onder de luifel van 721 Park Avenue een goeie trap geef, zoals stripfiguren dat doen, waarna ze in de struikjes in de middenberm belanden. Heerlijk. Maar het beeld wordt een stuk minder helder als Grayer erbij komt. Grover staat met zijn lange stropdas om zijn nek vol verwachting naar me op te kijken, terwijl zijn ouders in het keurig onderhouden struikgewas spartelen. Ik zucht en hou mijn gezicht onder de warme kraan. En dan is het geld er ook nog. Ik word niet goed bij het idee dat ik de helft van wat Mrs X me vandaag heeft betaald naar Miss Chicago moet sturen.

Een zacht miauw onderbreekt mijn gedachtegang. Ik trek het gordijn opzij en zie het silhouet van George tegen het licht van de kaarsen. Hij zit keurig naast het bad te wachten tot ik hem nat spetter. Ik laat wat water op zijn kop vallen en hij schiet achter het toilet de schaduw in.

In elk geval heb ik een rustige avond voor mezelf om een met succes verdedigde scriptie te vieren. En om elf uur een telefoontje met HS om naar uit te kijken. Ik wikkel een handdoek om me heen, raap mijn kleren op en blaas de kaars uit. Ik doe de deur open en sta stil bij het horen van stemmen aan de andere kant van het appartement. Mijn kant, om precies te zijn.

'Hallo?' roep ik in het felle licht. Ik weet het altijd als Charlene thuis is, want ze doet altijd alle lampen aan.

'Ik ben thuis,' roept Charlene weinig enthousiast terug. Wat een teleurstelling. Ik trek de handdoek strak om me heen en loop langs haar scherm naar mijn kant van de kamer. Mijn bureaulamp schijnt op de kaars die ik had aangestoken voordat ik onder de douche ging. Ze staat met Harige Piloot mijn bed op te meten.

'Wat een rommel is het hier, Nanny,' zegt ze, het meetlint oprollend. 'Kom, dan gaan we die kant van de kamer opmeten,' zegt ze tegen haar piloot, die me praktisch opzij duwt en bijna op George gaat staan als hij naast mijn stereo gaat staan.

'Ik moest vandaag mijn scriptie verdedigen, dus ik heb elke avond in de bibliotheek gezeten.' Ik ga aan de kant en duw mijn ondergoed naar een minder zichtbaar plekje in de prop kleren onder mijn arm. Ze loopt naar haar partner toe. 'Sorry, kan ik iets voor jullie doen?'

Ze geeft hem het ene eind van het lint en loopt terug naar de andere muur. 'Ik wilde zien of zijn bank hier zou passen.' Mijn maag knijpt samen. Dit is het tegengestelde van de ontspannen avond die ik in gedachten had. Ze staat op en trekt haar marineblauwe rok recht.'Nanny, ik wilde van de week met je praten, maar je nam de telefoon nooit op...'

'Mijn huur is beëindigd. Aan het eind van de maand trek ik hier in,' legt Harige Piloot uit. Geweldig.

'Dus dan heb je nog, even denken, twee weken om iets anders te vinden. Dat lijkt me lang genoeg,' zegt ze, en ze grijpt een pen van mijn kast om de maten op een Post-it te schrijven. 'Julie en haar verloofde komen over een uur een spelletje kaart spelen. Is dat goed?' Ze loopt langs me heen. 'Wat een stoom hier. Heb je weer in het donker staan douchen? Rare gewoonte, hoor.' Ze schudt haar hoofd.

Harige Piloot loopt achter haar aan, ternauwernood een aanval van George ontwijkend, en ik kom weer tot mezelf. 'Ik was van plan naar de stad te gaan,' zeg ik tegen de vloer. George staat onder mijn kin en vangt een druppel op. Ik pak de telefoon en hoop dat Josh blij is me te zien.

***

De volgende morgen graaf ik in al mijn zakken tot ik het servetje heb gevonden waar Josh de naam van de makelaar op heeft geschreven. Ik doe een schietgebedje voor de dak- en thuislozen en toets het nummer van het kantoor.

'Hah-llo!' Een verschrikkelijk New Yorks accent neemt bij de zevende keer bellen op.

'Hallo, ik ben op zoek naar Pat.'

'Die werkt hier niet meer.'

'O, nou ja, misschien kun jij me dan helpen. Ik zoek een studio voor één juli.'

'Dat zal niet lukken.'

'Wat?'

'Dat zal niet lukken. Het is nog maar het begin van de maand. Als je iets voor juli wilt hebben, moet je aan het eind van de maand langskomen en een emmer geld meenemen, zo'n twaalfduizend dollar contant, en dan praten we wel verder.'

'Contant?'

'Contant.'

'Sorry, maar twaalfduizend contant?'

'Contant. Voor de huisbaas. Je moet het eerste jaar huur contant betalen.'

'Het hele eerste jaar?'

'En je moet bewijzen meenemen dat je netto, let wel *netto*, vierenveertig keer de huur per jaar verdient, en je garanteurs...'

'Mijn wat?'

'Garanteurs... de mensen die garant staan dat de huur wordt betaald, ook al kom je te overlijden, meestal je ouders. Maar ze moeten in de stad wonen zodat hun bezittingen kunnen worden getaxeerd en hun jaarinkomen moet ten minste honderd maal de huur bedragen.'

'Dat lijkt me wat extreem. Ik wil gewoon een kleine studio, niets bijzonders...'

'O gód. Het is juni! Juni! Elke Amerikaan onder de dertig studeert ergens in af en komt naar de stad.'

'Maar alles contant?'

'Schattebout, die beursjongens krijgen geld voor huisvesting van hun bedrijf. Als je die voor wilt zijn, moet je vooruit betalen.'

'O, mijn god.'

Ze haalt diep adem. 'Wat wil je betalen?'

'Ik weet het niet... zes- of zevenhonderd.'

'Per maand?' Ze houdt haar hand over de hoorn en lacht kakelend. 'Schattebout, doe ons allemaal een lol en kijk in de *Voice* voor een kamer.'

'Maar ik wil niet met mensen in een huis.'

'Dan zou ik een appartement in Queens huren en een bus pepperspray meenemen.'

'Nou, heb je misschien iets in Brooklyn?'

'De buitenwijken doen we niet.' Ze hangt op.

Mijn nekharen staan overeind en aan de andere kant van Charlenes kamerscherm hoor ik het geluid van een condoomverpakking die wordt opengescheurd. Getver! Ik gooi mezelf op mijn bed en trek de kussens over mijn oren. Laat dat ontslag maar zitten, tegen de tijd dat ik mijn bul heb, smeek ik Mrs X om bij hen te mogen wonen.

***

HS laat oma nog eens over de dansvloer rondzwieren op de muziek van de salsaband die ze voor vanavond van haar vaste Mexicaanse restaurant heeft gehuurd. Haar appartement wordt verlicht door brandende lampionnen.

'Hij kan ook nog dansen!' roept ze naar ons plekje op haar terras. Haar flamencorok zwiert rond als hij haar laat draaien.

Mam buigt zich naar me toe. 'Wat een schatje.'

'Ja, hè?' zeg ik trots.

'Ho, ho. Cadeautje van papa,' zegt pap voor de grap vanaf zijn zitplaats op de chaise longue naast ons. De avond is zo warm dat oma het eten buiten kon zetten. Om de tafels met kaarsen staan mijn vrienden met die van mijn ouders te praten.

'Die man daar wil mij betalen als ik mijn ellebogen een beurt wil laten geven,' zegt Sarah, die met twee bordjes taart komt aanlopen en er een aan mijn moeder geeft.

'Ja, hoor... Het begint met je ellebogen...' waarschuwt pap haar.

Het nummer is afgelopen en HS en oma klappen voor de band.

'Schat!' Oma komt aan zijn arm naar ons toe. 'Heb je een stukje taart genomen?'

'Ja, oma,' zeg ik.

'Jij.' Mijn oma knipt vermanend met haar vingers naar mijn vader, die bedankt. 'Kom eens van die bank en laat je vrouw eens zwieren.' Mama staat op en steekt haar hand naar mijn vader uit. Op de maat van de muziek schuifelen ze weg. 'Hoe gaat het met mijn schatten?' vraagt oma als zij en HS op de chaise gaan zitten. 'Heeft iedereen genoeg te eten en te drinken gehad?'

'Een fantastisch feest, Frances,' bedankt Sarah haar. 'Als jullie me even willen verontschuldigen, ga ik kijken of onze vriend Joshua zijn paella eraf wil dansen.' Ze verdwijnt richting dansvloer.

Ik leun achterover en kijk omhoog naar de sterren. 'Het is zo raar om helemaal klaar te zijn met school...'

'Het leven is één grote leerschool, lieverd,' verbetert oma me, en ze neemt een vork van papa's restje taart.

'Bovendien dreig ik dakloos te worden,' zeg ik, terwijl ik mijn vork pak en haar een hapje help. 'Als ik terugkom van Nantucket heb ik alleen het weekend om een appartement te vinden en al mijn spullen bij

Chez Charlene weg te halen.'

'Mrs Harige Piloot, bedoel je zeker,' komt HS tussenbeide.

Oma steekt haar met armbanden behangen arm uit en geeft een kneepje in mijn hand. 'Het spijt me dat je niet bij mij kunt slapen, maar ik heb de logeerkamer al voor de draaischijf van Orve gereserveerd.' Dit wordt de tweede zomer dat Orve bij oma logeert. Ze verleent al jaren onderdak aan beginnende kunstenaars van over de hele wereld – ze leren haar hun techniek in ruil voor overdadige kost en inwoning. 'Je vindt wel iets – ik weet het gewoon.'

'Ik ook, schat,' zegt HS die oma's uitbundige toon nadoet.

Als ze opstaat knipoogt ze naar hem, en ik zie iets blauws aan haar hals glinsteren.

'Nieuw collier, oma? Mooi, hoor.'

'Ja, vind je niet? Ik was vorige week bij Bendel's en daar hadden ze van die blauwe email letters.' Ze betast de kleine F en Q die aan een gouden kettinkje om haar nek hangen. 'Ze lagen er helemaal alleen in de etalage, de rest van het alfabet was blijkbaar al verkocht. Ik moest er zo om lachen, snap je 'm? FQ, zeg het eens heel snel.' Ze lacht hartelijk en swingt weer naar binnen. Voor het eerst sinds de ceremonie van vanmiddag ben ik alleen met HS.

'Kom eens,' zegt hij zacht, en hij trekt me aan mijn hand naar de stenen balustrade waar je over het park uitkijkt. 'Ik mag je familie wel.'

'Mij hoor je ook niet klagen,' zeg ik. Ik sla mijn armen om hem heen en we kijken samen uit over de stad.

'Ik zal je ontzettend missen,' zegt hij, en hij klemt me even stevig in zijn armen.

'Ja hoor. Terwijl je in Amsterdam zit, bij alle pornosterren, en lekker ligt te blowen...'

'Ik zit in *Den Haag*. Dat is wel twintig minuten rijden van alle pret. Geen pornosterren. Geen hasj. Alleen arme ik, die zit te smachten naar jou, en een hoop politieke gevangenen met klachten.'

Ik draai mijn hoofd opzij en ga op mijn tenen staan om hem te kussen. 'Arme gevangenen, klaag, klaag, klaag,' mompel ik.

Hij kust het puntje van mijn neus en daarna mijn voorhoofd. 'En jij dan? Op het strand met al die strandwachten, badmeesters, barkeepers...'

'Was het maar waar. Ik ga niet naar de Rivièra – ik ga naar het miezerige Nantucket.' Ik sla met mijn hand op de balustrade. 'Shit. Ik ben vergeten mijn antwoordapparaat af te luisteren!'

Hij rolt met zijn ogen. 'Nan...'

'Nee, nee, wacht even – het duurt maar twee minuten. Ik moet mijn apparaat even bellen en luisteren om wat voor tijd ze me van de boot afhalen. Blijf hier, ik ben zo terug!'

Ik loop mijn oma's slaapkamer in om haar zalmroze telefoon op het nachtkastje te gebruiken en schuif een paar geborduurde kussens opzij, zodat ik op haar satijnen sprei kan zitten. Terwijl ik de code van het antwoordapparaat intoets, doet het zachte licht in de kamer me terugdenken aan de keren dat ik hier als kind logeerde en zij de lampen aan liet tot ik sliep.

De stem van Mrs X komt als een emmer ijswater. 'O, Nanny, goed nieuws – onze vrienden, de Horners, vliegen morgen om negen uur en ze zijn zo vriendelijk om jou mee te laten vliegen. Dus dan kun je om negen uur al in Nantucket zijn. Dit zijn héél goede vrienden, Nanny, en ik reken erop dat je op tijd zult zijn. Je ontmoet hen op Westchester County Airport in de vertreklobby voor de privé-toestellen. Je moet de metro van half acht naar Rye nemen, dan kun je met een taxi of zo naar het vliegveld. Ze hebben drie dochters, dus ze zijn zo te herkennen. Dit doen ze om ons een plezier te doen, dus je mag echt niet te laat komen. Het lijkt me ook handiger als je om half zeven op het centraal station bent om jezelf wat tijd te geven...'

Piep.

'Ik was nog niet klaar. Als je er toch in de buurt bent, wil ik dat je even iets voor me ophaalt dat ik bij James heb laten liggen, iets tegen de Lyme-ziekte. Vreselijk. En je moet spray tegen rendierteken meenemen die geschikt is voor kinderen van vier. Let erop dat het hypoallergeen is, zodat het zijn huid niet irriteert. En ik zou het op prijs stellen als je naar Polo ging en zes paar katoenen kniekousen meenam, wit. Neem een schoen van Grayer meer voor de maat. Ik heb een paar bij James gezet, zodat je die kunt meenemen als je dat medicijn ophaalt en ze gewoon in je tas kunt stoppen. Perfect. Tot morgen!'

Piep.

'Nanny.' Ik heb enige moeite de stem meteen te plaatsen. 'Wat mijn brief met instructies betreft, ik kom morgen in het appartement aan. Ik vertrouw erop dat je geen moeite hebt gehad foie gras te vinden. Veel plezier in Nantucket en doe Grayer de groeten van me.'

Oké. Ik ben opgegroeid en gouvernante geworden.
(Stilte) Ik zou nu graag een gesprek willen aanknopen,
maar er is niemand om een gesprek mee aan te knopen...
Ik heb helemaal niemand.

The Andryeevich Family Governess,
The Cherry Orchard

Tien

En we hebben nog wel haar hele vakantie betaald

'Dag!' roepen de Horners uit hun auto als ze van de parkeerplaats van Nantucket Airport wegrijden. Ze laten me aan de rand van het asfalt achter.

Ik ga op mijn canvas tas zitten en onderdruk de neiging om over te geven. Ik heb net een vlucht van vijfentwintig minuten gemaakt door vreselijke stortbuien, potdichte mist en ziekmakende turbulentie met vier volwassenen, drie kinderen, een goudvis, een cavia en een golden retriever in een zespersoons vliegtuig. Alleen mijn medelijden met de dochters heeft me ervan weerhouden het bij elke druppel uit te gillen.

Ik trek mijn sweater dichter om me heen om me te beschermen tegen de zilte wind en wacht.

En wacht.

En wacht.

O, dat geeft niet, écht niet. Nee, ik heb het niet laat gemaakt op mijn *afstudeerfeest*. Nee, neem alstublieft alle tijd – ik blijf hier wel ik de koude motregen zitten. Nee, het belangrijkste is dat ik hier in Nantucket ben en dat jij je met je gezin lekker kunt ontspannen in de wetenschap dat ik binnen een straal van vijftien kilometer ben. Het belangrijkste, echt het allerbelangrijkste is dat ik geen tijd heb voor een *eigen* leven, niet aanwezig kan zijn bij dingen die ik moet bijwonen, maar op permanente basis in de wacht sta om jou en je kleregezin...

De Rover rijdt de parkeerplaats op en blijft langzaam rijden. Ze gebaren dat ik erin moet springen.

'Nanny!' gilt Grayer. 'Ik heb een Kokichu!' Hij houdt een geel Japans speelgoedje omhoog, terwijl ik de deur open trek. Er ligt een gigantische kano onhandig scheef in de achterbak, zodat hij over de achterbank heen hangt.

'Nanny, pas op voor de boot. Het is een antieke,' zegt Mrs X trots.

Ik wurm me onder de kano, trek mijn tas tussen mijn voeten, buk en steek mijn hand uit om bij wijze van groet op Grayers been te kloppen. 'Hé, Grove. Ik heb je gemist.'

'Je kunt hier geweldige antiek kopen. Ik hoop een nieuw tafeltje voor bij de bank in de tweede logeerkamer te vinden.'

'Grootse plannen, schat,' gromt Mr X binnensmonds.

Ze negeert hem en kijkt me in het spiegeltje van de zonneklep aan. 'Hoe ziet hun vliegtuig er van binnen uit?'

'Eh, bruine leren stoelen...' zeg ik met mijn kin tegen mijn borst gedrukt.

'Hebben ze je nog iets te eten gegeven?'

'Ze vroegen of ik pinda's wilde.'

'Bofkont. Jack Horner ontwerpt beeldige schoenen. Ik ben dol op Caroline. Ik heb meegewerkt aan een benefietconcert voor de campagne van haar broer. Het is jammer dat ze in Westchester wonen, anders waren we dikke vriendinnen geworden.' Ze kijkt in de spiegel of er niets tussen haar tanden zit. 'Ik wil de middag even met jullie doornemen. De barbecue blijkt nogal formeel te worden, dus het leek me leuk voor jullie als je jullie in het huisje blijven om je lekker te ontspannen. Van het huis te genieten.'

'Leuk, dat klinkt goed.' Ik kijk naar Grover in zijn autostoeltje en krijg visioenen van ons languit in ligstoelen op het grasveld.

'Luister, Caroline zou over het diner bellen, dus geef haar het nummer van mijn mobieltje als ze belt. Ik heb het naast de telefoon tegen de muur gehangen.' Dank u. Ik heb altijd negenenhalve maand nodig om een nummer van zes cijfers uit mijn hoofd te leren.

We draaien een weg op die door dicht bos wordt geflankeerd, en tot mijn verbazing zijn er nog heel wat bomen kaal.

'Ze hebben een koud voorjaar gehad.' Mrs X raadt mijn gedachten. De oprit komt uit voor een bouwsel dat alleen kan worden beschreven als een krakkemikkige, vormeloze bungalow uit de jaren vijftig. De witte verf bladdert af, er zit een gat in de hordeur en er hangt een stuk dakbedekking gevaarlijk aan de goot te bungelen.

'Nou, we zijn er. Huize Bouwval,' zegt Mr X terwijl hij uit de auto stapt.

'Schat, we hadden toch afgesproken...' Ze stapt uit en holt achter hem aan. Ik gesp Grayer los en sleep mijn tas uit de auto. Ik hou de overblijfselen van de hordeur open voor Grayer, hoewel hij er waarschijnlijk net zo goed door kan kruipen.

'Schat, ik kan er toch niets aan doen dat de makelaar oude foto's had.'

'Ik vind gewoon dat je voor vijfduizend dollar per week beter had kunnen zoeken.'

Mrs X draait zich met een stralende lach naar ons om. 'Grayer, laat jij Nanny haar kamer maar zien.'

'Kom mee, Nanny, het is echt supercool!' Ik loop achter hem aan de trap op naar een kamertje aan het eind van de gang. Onder het steil aflopende schuine dak staat staan twee eenpersoons bedden dicht tegen elkaar, en op een ervan liggen Grayers spullen. 'Leuk, hè, Nanny? We slapen elke nacht bij elkaar in de kamer!' Hij springt op en neer op zijn bed. Ik buk me om mijn hoofd niet te stoten en haal een dikke trui en een spijkerbroek uit mijn tas. In New York was het namelijk zomer en ik heb heel optimistisch een short aangetrokken.

'Oké, G. Ik ga me even omkleden.'

'Krijg ik je nu in je blootje te zien?'

'Nee, ik ga naar de badkamer. Blijf jij maar hier. Waar is de badkamer?'

'Daar!' Hij wijst een deur aan, aan de andere kant van de gang.

Ik duw hem open. 'Ieieieieiehhh!' En sta oog in oog met een roodharig meisje dat gillend op de wc zit. 'Dit is mijn privacy!'

'Sorry!' Ik gooi de deur weer dicht.

'Grayer, wie is dat?' vraag ik.

'Dat is Carson Spender. Die logeert het weekend hier.'

'Oké.' Juist op dat moment hoor ik een auto remmen op het grind van de oprit. Ik loop naar het raam en zie Mr X de Range Rover naast het huis rijden. Ik loop naar de gang naar een vuil dakraampje dat uitkijkt over de zee en zie de auto stoppen bij vier andere auto's die op het hoog opgeschoten gras staan. Er rennen minstens tien kinderen door het gras.

'Grover?' roep ik, en hij komt de gang op rennen. Ik til hem op zodat hij uit het raam kan kijken. 'Wie zijn al die kinderen?'

'Weet ik niet. Gewoon kinderen.' Ik druk een kusje op zijn haar en zet hem neer. Op dat moment gaat de badkamerdeur open. Carson werpt me een vuile blik toe en marcheert de trap af.

'Grove, ga jij maar vast naar beneden, dan kan ik me even verkleden.'

'Ik wil bij jou blijven,' zegt hij, en hij loopt achter me aan onze kamer in.

'Oké, ga dan maar op de gang staan.' Ik probeer de deur dicht te doen.

'Nanny, je weet dat ik dat niet leuk vind.' Ik doe hem weer open, zodat hij op een kier staat.

'Nanny, kun je me horen?'

'Ja, Grove.'

Hij steekt zijn vingertjes onder de deur door. 'Nanny, probeer mijn vingers dan te pakken! Pak ze dan!' Ik kijk even omlaag, zak door mijn knieën en kietel zijn vingertoppen. Hij giechelt.

'Weet je, Grove,' zeg ik bij de herinnering aan die eerste week waarin hij me had buitengesloten. 'Ik steek mijn tong naar je uit en jij kunt het lekker niet zien.'

'Niet waar, gekkie.'

'Hoe kan jij dat nou weten?'

'Zoiets doe jij niet, Nanny. Schiet nou op, dan laat ik je het zwembad zien. Dat is hartstikke ijskoud!'

Achter het huis staan mannen in zomerpak en vrouwen rillend in cocktailjurkjes als zoutpilaren bij elkaar. De kinderen slalommen chaotisch tussen hen door.

'Mammie! Zij kwam in mijn privacy!' hoor ik Carson tegen haar moeder zeggen.

'O, daar ben je, Nanny,' zegt Mrs X. 'We zijn om zes uur terug. Er zit genoeg in de ijskast voor het middageten. Veel plezier!'

'Veel plezier, jongens!' roepen de volwassenen in koor, en ze lopen naar de auto's die met lege kinderzitjes wegrijden.

Ik kijk neer in twaalf verwachtingsvolle gezichten en visioenen van ligstoelen op het gazon gaan snel in rook op. 'Oké, jongens. Ik ben Nanny. Ik heb een paar basisregels. NIEMAND komt dicht bij het zwembad. Is dat duidelijk? Ik wil dat niemand voorbij die boom daar komt, anders stop ik je de rest van de middag in de bezemkast. Gesnopen?' Twaalf hoofden knikken ernstig.

'Maar als er nu eens oorlog is en het zwembad de enige veilig plek was en...'

'Hoe heet jij?' vraag ik een sproetig, donkerblond jongetje met een bril.

'Ronald.'

'Ronald, geen domme vragen meer. Als er oorlog komt, gaan we naar de schuur. Oké, ga allemaal maar spelen!' Ik ren naar binnen, intussen door alle ramen spiedend of ik iemand naar het zwembad zie sluipen, en zoek Grayers tekendoos.

Ik pak potloden, een stapel vellen papier en plakband en leg alles buiten op tafel. 'Iedereen luisteren! Ik wil dat jullie allemaal een voor een hier komen en zegt hoe je heet.'

'Arden,' zegt een klein meisje met een OshKosh B'Gosh-T-shirtje.

Ik schrijf ARDEN en een grote 1 op het geïmproviseerde naamkaartje en plak het op haar T-shirt. 'Oké, Arden, jij bent nummer één. Als ik roep "Koppen tellen" dan roep jij: "Eén!" Snap je dat? Je hoeft alleen maar "één" te onthouden.' Ze kruipt bij me op schoot en geeft me als mijn assistente beurtelings het plakband en de pen aan.

Daarna rent iedereen rond op het gras. Sommigen spelen met Grayers speelgoed, anderen zitten elkaar gewoon achterna, terwijl ik naar de mistbanken boven de zee kijk. Elk kwartier roep ik 'KOPPEN TELLEN' en dan roepen ze:

'Eén!'

'Twee!'

'Drie!'

Stilte. Ik sta in de startblokken om naar het zwembad te racen.

'Jessy, jij bent vier, dommie.'

'Vier!' piept een stemmetje.

'Vijf!'

'Zes!'

'Zeven!'

'Grayer!'

'Negen!'

'Tien!'

'Elf!'

'Twaalf!'

'Oké, tijd om te eten!' Ik bekijk de troepen. Ik laat ze liever niet buiten terwijl ik kijk wat er in voorraad is. 'Iedereen naar binnen!'

'Aaaahhh!'

'Kom op, we kunnen na het eten nog buiten spelen.' Na nummer twaalf schuif ik de wiebelende schuifdeur dicht.

'Nanny, wat eten we? Ik heb heel erge honger,' zegt Grayer.

'Ik weet het niet. Kom, dan gaan we eens kijken.' Grayer loopt met me mee naar de keuken, en nummer zeven, negen en drie maken van de bank in de woonkamer een fort.

Ik trek de koelkast open. 'Oké, eens zien wat we hebben!' Eh, drie bekertjes magere yoghurt, een pak Cheerio's, een vetarm zuurdesembrood, mosterd, brie, jam en een courgette.

'Oké, jongens! Luisteren!' Elf hongerige gezichten kijken op van hun taak in hun gezamenlijke missie de woonkamer te ontmantelen. 'Je kunt kiezen uit een boterham met jam, maar misschien vind je het brood niet lekker. Of een boterham met brie, maar misschien vind je de kaas niet lekker. Of Cheerio's, maar er is geen suiker om erop te doen. Dus ik wil dat jullie een voor een in de keuken komen om het brood en de kaas te proeven en dan zegt wat je wilt hebben.'

'Ik wil een boterham met pindakaas en jam!' roept Ronald.

Ik draai me om en werp hem een ijzige blik toe. 'Het is oorlog, Ronald. En in de oorlog eet je wat de bevoorrading je stuurt.' Ik salueer. 'Dus we eten als dappere soldaten een boterham met kaas.'

Net als ik de laatste boterham klaarmaak valt de eerste regen, die als een gordijn voor de glazen deuren schuift.

***

'Dag Carson!' roepen Grayer en ik, als de Spenders zondagavond de oprit af rijden.

'Dag Grayer!' roept ze terug vanuit haar autozitje. Dan steekt ze haar rechterduim in haar neus en wappert met haar vingers naar me. Ondanks al mijn inspanningen heb ik het afgelopen weekend niet kunnen goedmaken dat ik 'in haar privacy' was gekomen.

'Ben je klaar, Grayer?' Mrs X komt naar buiten in een groen en crèmekleurige jas, de lentelook van Prada, en doet haar rechteroorbel in.

'Mama, mag ik mijn Kokichu meenemen?' vraagt hij.

We zijn uitgenodigd voor een 'ontspannen zondags diner' bij de Horners en Grayer vindt dat hij iets moet meenemen wat hij kan laten zien, want Ellie, hun dochter van vier, heeft een cavia.

'Dat kan wel, denk ik. Laat hem maar in de auto als we daar zijn, dan zeg ik het wel of je hem eruit kunt halen? Nanny, ga jij maar naar boven om je om te kleden.'

'Ik heb me al omgekleed,' zeg ik, en ik kijk omlaag om te zien of ik mijn schone broek en witte coltrui nog steeds aan heb.

'O. Nou, het zal wel goed zijn. Waarschijnlijk ben je toch de hele tijd met de kinderen buiten.'

'Oké, iedereen in de auto!' Mr X loopt langs, grijpt Grayer en draagt hem als een zak aardappelen onder zijn arm naar de auto.

Zodra we in de auto zitten sluit Mr X zijn mobieltje aan op het dashboard en begint hij instructies te dicteren aan Justines voicemail. Wij zitten er stil bij. Grayer houdt zijn Kokichu in zijn hand geklemd en ik zit opgekruld onder de kano naar mijn navel te staren.

Als Mr X zijn mobieltje uit het dashboard trekt slaakt hij een zucht. 'Deze week komt het me heel slecht uit om niet op kantoor te zijn. Het is een rampzalige timing.'

'Maar je had gezegd dat het begin juli rustig zou zijn...' zegt ze.

'Nou, ik waarschuw je maar vast. Waarschijnlijk moet ik donderdag terug voor een vergadering.'

Ze slikt. 'Nou, wanneer ben je dan weer terug?'

'Dat weet ik niet zeker. Het ziet ernaar uit dat ik het weekend moet blijven om de executives uit Chicago bezig te houden.'

'Ik dacht dat je werk met Chicago klaar was,' zegt ze met een strak gezicht.

'Zo simpel ligt het niet. Nu krijgen we de afvloeiingsregelingen nog, de afdelingen van het gefuseerde bedrijf – de reorganisatie, én we moeten ervoor zorgen dat het allemaal draait.'

Ze geeft geen antwoord.

'Trouwens, dan ben ik toch een hele week mee geweest,' zegt hij, en hij slaat links af.

'Waarom rij je van het water af?' vraagt ze gespannen.

We kunnen het huis maar moeilijk vinden want volgens de aanwijzingen ligt het aan de landzijde van de hoofdweg.

'Ik kan gewoon niet geloven dat ze geen zeezicht hebben,' zegt Mrs X, die ons voor de derde keer over hetzelfde verkeersplein laat rijden. 'Geef die aanwijzingen eens terug.'

Hij frommelt het stuk papier op tot een bal en gooit het naar haar zonder zijn ogen van de weg te halen. Ze strijkt het papier zorgvuldig glad op haar knie. 'Misschien heb je het verkeerd om opgeschreven.'

'Laten we eens iets geks doen en die verrekte aanwijzingen opvolgen en zien waar we terechtkomen,' sist hij.

'Ik rammel. Ik ga dood als ik niets eet,' jammert Grayer.

Als we eindelijk bij het houten huis van de familie Horner stoppen, is het al donker aan het worden. Ferdie, hun golden retriever, ligt vredig te slapen onder de hangmat op de veranda, die om het hele huis loopt. We worden begroet door luid gesjirp van krekels. Jack Horner, die een verbleekte spijkerbroek en Birkenstocks draagt, duwt de hordeur open.

'Doe je das af! Snel!' fluistert Mrs X.

'Zet hem maar ergens neer!' roept hij met een brede grijns vanaf de veranda.

Voordat we mogen uitstappen wordt Mr X ontdaan van zijn blazer, das en manchetknopen.

Terwijl ik naar de kofferbak loop, rek ik mijn verkrampte rug uit. Ik vis de rabarbertaart die Mrs X vanochtend in de supermarkt heeft gekocht uit de koelbox. 'Kom maar, die neem ik wel,' zegt ze, en ze loopt achter Mr X aan, die een fles wijn in zijn hand heeft, waarna Grayer volgt, die zijn Kokichu voor zich uit houdt. Net de drie wijzen uit het Oosten.

'Jack!' De mannen schudden elkaar de hand en slaan elkaar op de schouder.

Ellie gluurt om de hoek van de deur. 'Mama! Ze zijn er!'

Jack brengt ons naar de gezellige woonkamer, waar een muur helemaal is bedekt met kinderkunst en op de salontafel een eigenaardige sculptuur staat.

Caroline komt in een spijkerbroek en een witte bloes de keuken uit en veegt haar handen af aan haar schort. 'Hoi! Sorry, ik kan je geen hand geven – ik was net het vlees aan het marineren.' Ellie wikkelt zich om Carolines been. 'Vonden jullie het moeilijk te vinden?'

'Nee, je aanwijzingen waren super,' zegt Mrs X snel. 'Alsjeblieft.' Ze geeft de doos met de taart af.

'O, dank je. Hé, Ellie, laat Grayer je kamer eens zien.' Ze geeft het meisje een zacht duwtje met haar heup.

'Wil je mijn Kokichu zien?' Hij doet een stap naar voren en houdt de pluizige bal omhoog. Ze kijkt naar het gele bont en rent weg, wat voor Grayer het teken is mee te gaan, en ze stommelen naar boven.

'Nanny, ga jij maar met de kinderen mee,' zegt Mrs X tegen me.

'O, die redden zich wel. Ik heb Ellies Ginsu-messen weggedaan, dus Grayer is wel veilig,' zegt Caroline lachend. 'Nanny, wil je een glaasje wijn?'

'Ja, drankjes. Wat wil jij hebben?' vraagt Jack.

'Heb je whisky?' vraagt Mr X.

'Een glaasje wijn, lekker,' zegt Mrs X met een glimlach.

'Rood? Wit?'

'Wat jij drinkt,' zegt Mrs X. 'Waar zijn de andere meisjes?'

'Die dekken de tafel. Wil je me even verontschuldigen? Ik moet het eten even afmaken,' zegt Caroline.

'Kan ik je helpen?' vraag ik.

'Nou, dat zou best handig zijn, als je het niet erg vindt.'

Jack en Mr X lopen naar buiten om mannendingen bij de barbecue te doen, en wij lopen met Caroline mee naar de keuken, waar Lulu en Katie van acht en zes jaar aan tafel zitten en de servetten oprollen om ze in servetringen te doen.

'Nanny!' Zodra ik binnenkom springen ze op en slaan hun armen om me heen, tot grote ergernis van Mrs X. Ik til Katie op en laat haar snel achterover vallen, waarbij ik haar benen vasthoud. Daarna is Lulu aan de beurt.

'Wil je misschien de salade mengen?' Caroline geeft me de bak salade en een pot met dressing.

'Ja, hoor.' Ik begin de salade om te scheppen en ruik intussen de zoete geur van een taart in de oven.

'Wat kan ik doen?' vraagt Mrs X.

'O, niets. Ik zou je mooie jas niet vies willen maken.'

'Schat?' horen we Jack uit de tuin roepen.

'Lu, ren jij eens naar buiten om te zien wat papa wil.' Het kleine meisje komt een seconde later weer terug.

'Hij zegt dat de barbecue klaar is.'

'Goed, wil jij het vlees naar buiten brengen, maar wel voorzichtig, anders eten we vanavond allemaal geroosterde kaas.'

Lulu pakt het metalen blad en loopt langzaam naar de deur, geconcentreerd naar de berg vlees starend.

'Waar eten de kinderen?' vraagt Mrs X langs haar neus weg.

'Ze eten met ons mee.'

'O, ja, uiteraard,' zegt ze alsof ze niets anders had verwacht.

'Ik wil je om een gunst vragen,' zegt Caroline, en ze loopt om het kookeiland heen om haar hand op Mrs X's arm te leggen.

'Natuurlijk, je zegt het maar.'

'Er komt volgende week een vriendin van mijn studietijd logeren. Ze ligt in scheiding en verhuist terug van LA naar New York. Ik vroeg me af of je haar een beetje onder je hoede kon nemen.'

'Natuurlijk...'

'Ik kan hier vanuit Westchester niet zo veel voor haar doen als ik zou willen. En als je een goede makelaar weet, ze zoekt een huis.'

'Nou, in ons gebouw staat er een appartement met drie slaapkamers te koop.'

'Nee, ze zoekt een studio. Het is echt vreselijk – ook al was haar man degene die v-r-e-e-m-d-g-i-n-g. Maar er stond niets op zijn naam. Het is van zijn bedrijf of zo, en zij heeft nu niets.'

'Wat afschuwelijk,' zegt Mrs X met grote ogen.

'Ja, dus als je iets voor haar kunt doen, dan zou ik dat erg op prijs stellen. Ik bel je wel als ze er is.'

Als we aan tafel gaan, zie ik tot mijn plezier dat de meisjes naamkaartjes hebben gemaakt van boomblaadjes waarop ze met een zilverpen in drie verschillende handschriften onze namen hebben geschreven. Katie en Lulu hebben gevraagd of ik tussen hen in wil zitten, en Mrs X komt tussen Grayer en Ellie te zitten en zit bijna de hele maaltijd vlees te snijden en Ellies vragen over haar jas te beantwoorden.

Ferdie komt aanlopen en begint aan Jacks voeten om restjes te piepen.

'Toen ik klein was, hadden we ook een retriever,' zegt Mr X, mosterd op zijn tweede biefstuk scheppend.

'Ferdie komt van hier,' zegt Caroline. 'Er woont een eindje verderop een topfokker, als je erover denkt een puppy te nemen...'

'Wat een fantastisch huis hebben jullie toch,' zegt Mrs X, die van onderwerp verandert terwijl ze met haar salade speelt.

'Carolines grootvader heeft het gebouwd,' zegt Jack.

'Met zijn eigen handen, zonder spijkers, in de gutsende regen, als je hem mag geloven,' zegt ze lachend.

'Je zou de strandbouwval die mijn vrouw voor een fortuin heeft gehuurd eens moeten zien,' lacht Mr X met maïs tussen zijn tanden.

'En Nanny, ben jij al klaar met je opleiding?' vraagt Jack aan mij.

'NYU – ik ben vrijdag afgestudeerd.'

'Gefeliciteerd!' Hij glimlacht naar me en besmeert intussen nog een maïskolf voor Lulu. 'En, heb je al besloten wat je komend jaar gaat doen?'

'Jij lijkt haar vader wel.' Caroline lacht over de tafel naar hem. 'Daar hoef je geen antwoord op te geve, Nanny.' Ze staat op. 'Wie wil er taart?'

'IK! IK!' gillen de Hornertjes en Grayer in koor.

Zodra de deur achter haar dicht valt, sta ik op om af te ruimen, maar Jack houdt me tegen. 'Vertel eens,' fluistert hij hard. 'Ze is weg. Wat ben je van plan?'

'Ik ga bij een organisatie voor kinderen in Brooklyn werken,' fluister ik keihard terug.

'Schat!' roept hij. 'Het is goed, hoor! Ze heeft een plan!'

Caroline komt terug met een bak ijs en negen schaaltjes.

'Jack, je bent onverbeterlijk.' Ze zet de bak en de schaaltjes neer. 'Lulu, wil jij vragen of iedereen koffie wil?'

Als goede gastvrouw serveert Caroline beide taarten, maar er is niet veel vraag naar de koude rabarbertaart in het aluminium schaaltje.

'Mama, ik wil een cavia,' zegt Grayer slaperig vanuit zijn autozitje. Hij is bijna onmiddellijk onder zeil en terwijl ik onder de kano makkelijk onderuit probeer te zakken, beginnen de X'en de avond door te nemen.

'Hij vertelde me bij de barbecue dat hij naar twaalf nieuwe marktsegmenten heeft weten uit te breiden...' Mr X is onder de indruk van Jacks zakelijk inzicht.

'Weet je,' Ze draait zich half naar hem toe en legt haar hand op zijn arm... 'ik bedacht dat ik donderdag met jou kon meegaan – dan hebben we een weekend gezellig samen in de stad.'

Hij maakt een bocht naar links en trekt tegelijkertijd zijn arm weg. 'Ik zei toch, ik moet de hele tijd die lui bezighouden. Je zou je dood vervelen.' Hij sluit zijn mobieltje weer aan op het dashboard en kiest met zijn vrije hand het nummer.

Zij haalt haar Filofax te voorschijn en bladert door de lege bladzijden. 'Nanny, ik wilde je één ding zeggen...' roept ze bestraffend naar de achterbank.

'Ja,' zeg ik, terwijl ik bijna indut.

'Ik weet niet of het wel zo gepast is dat jij het gesprek aan tafel domineert. Ik wil alleen dat je je daar voortaan beter van bewust bent.'

***

Schat, ik ben op de thee bij de Sterns. Ik ben om vijf uur terug.
Nog even iets – als je weg moet, waarom probeer je dan niet
zondagochtend weer op het eiland te zijn, want de Horners

hebben ons voor de brunch uitgenodigd. Veel succes met het golfen!
Liefs,

Ik hoorde dat het goed ging met golfen. Voor het geval je bang was dat ik me eenzaam voelde: Caroline heeft aangeboden me gezelschap te houden als je weg bent, dus maak je over mij geen zorgen. Iedereen heeft het wel druk, maar ik weet zeker dat er nog andere mensen zijn die aan me denken. Ik zie je om zes uur in de club.
Liefs,

Schat, ik wilde je niet wakker maken uit je dutje – ik ga het dorp in.
Ik heb de makelaar van dit huis gebeld en zij zegt dat het hier best veilig is. Ze zei dat ze er raar van zou opkijken als er hier iets met mij of Grayer gebeurde, als we hier helemaal alleen zitten, dus ga alsjeblieft niet daar in de stad over ons hier zitten piekeren.

***

Woensdagavond, aan de vooravond van het vertrek van Mr X, zitten we met z'n drieën in de Rover op Mrs X te wachten. Het oorspronkelijk plan was dat Grayer en ik thuis zouden blijven om een avond te 'relaxen,' terwijl zij met de Longraces bij Il Cognilo gingen eten. Maar toen ze thuiskwamen om zich om te kleden bleef Grayer hysterisch gillen, tot Mr X er op stond dat ze hem zouden meenemen, zodat hij 'zijn kop' zou houden.

Na vijf volle dagen zo'n beetje kinderdagverblijf te zijn geweest voor alle vrienden van de X'en en maar zes uur slaap per nacht te hebben gehad, begin ik weg te dommelen zodra ik me onder de kano opvouw.

Mr X houdt zijn mobieltje met een bruusk gebaar van zijn hoofd vandaan. 'Zo verloopt de reservering nog. Ga eens kijken waar ze blijft.' Ik doe het portier open, en net op dat moment komt Mrs X het grind op wankelen op voor haar doen torenhoge hakken. Ze heeft een zwarte strapless jurk aan en een rode kasjmier sjaal om haar huiverende schouders. Mr X keurt haar nauwelijks een blik waardig en start de motor.

'Schat, hoe laat wil je dat ik je naar het vliegveld breng?' vraagt ze, terwijl ze haar gordel vastgespt.

'Doe geen moeite – ik neem de vlucht van zes uur 's morgens. Ik bel wel een taxi.'

'Ik wil met papa vliegen.' Grayer, die natuurlijk honger heeft en geen slaapje heeft gedaan, begin in zijn autozitje te draaien.

'Mrs X? Eh, u heeft zeker geen kans gezien om te kijken of u spul tegen muggenbulten bij zich heeft?' echoot mijn stem van onder de kano.

'Nee, word je nog steeds gestoken? Ik begrijp er niets van. Wij hebben worden helemaal niet gestoken.'

'Denkt u dat ik even bij een drogist naar binnen kan rennen om wat AfterBite te halen?'

'Ik denk echt niet dat we daar tijd voor hebben.' In het gele licht van de spiegel op de zonneklep werkt ze haar lippenstift bij

Door mijn broek heen geef ik mijn been nog eens een flinke krabbeurt. Ik sta in brand. De jeuk is zo erg dat ik er wakker van word op de momenten dat Grayer of Mr X niet ligt te snurken. Ik – wil – naar – een drogist.

Naar twintig gespannen minuten in de auto, stoppen we bij de cadeaushop van het beroemde restaurant waarvan het T-shirt met het silhouet van een konijntje een bizar, nationaal statussymbool is geworden. Natuurlijk wil ik er een.

Mrs X gaat ons voor naar het restaurant, meer een reclamewinkel die moet doorgaan voor eetgelegenheid, waar je voor vijfentwintig dollar een bord pasta krijgt aan een piepklein tafeltje.

'Lieverd, hoe gaat het met je?' Er komt een vrouw naast Mrs X lopen met een grote bos blond haar, die eruitziet alsof hij de hevigste Nantucket-stormen zou kunnen doorstaan. 'Jij ziet er zo sjiek uit, mijn hemel, ik voel me net een boerenkinkel.' Ze trekt haar Aqua Scutum-jasje dichter om zich heen.

De mannen schudden elkaar de hand en Mrs X stelt Grayer voor. 'Grayer, je kent Mrs Longrace toch nog wel?'

Mrs Longrace klopt hem afwezig op zijn hoofd. 'Hij wordt zo groot. Lieverd, laten we naar onze tafel gaan.' We worden naar een hoektafel op een tochtige plek gebracht en Grayer krijgt een groene kinderstoel, waar hij zich probeert in te persen.

'Mrs X, volgens mij is hij er te groot voor.'

'Onzin.' Ze kijkt opzij naar zijn pogingen zijn hele lijfje in de stoel te proppen. 'Ga eens kijken of ze een telefoonboek hebben.'

Uiteindelijk weet ik drie smerige telefoonboeken te vinden en schuif die onder zijn billen. Intussen bestellen de volwassenen cocktails. Ik haal potloden uit mijn tas en begin Grayer een verhaaltje te vertellen, waarbij ik illustraties op het papieren tafelkleed teken.

'Nou, ik vind het hier natuurlijk geweldig, maar ik zou niet weten wat ik zonder fax zou moeten beginnen,' zegt Mrs Longrace 'Ik weet niet hoe mensen het voor de fax en de mobiele telefoons hebben gered, echt. Als we terugkomen, organiseer ik een intiem dineetje voor honderd man. Je weet wel, ik heb vorige zomer Shelly's bruiloft ook georganiseerd.'

'Ik weet het, ik wou dat ik eraan had gedacht de onze van thuis mee te nemen,' zegt Mrs X, en ze trekt haar shawl dichter om zich heen. 'Ik wacht tot ik van het beheer hoor of ik een van de studio's op de tweede verdieping mag kopen.'

'Zitten er in jouw gebouw studio's?'

'Nou ja, het waren oorspronkelijk vertrekken voor bedienden en de meesten zijn van mensen die grotere appartementen in het gebouw hebben. Ik zou het heerlijk vinden een plek te hebben waar ik tijd voor mezelf heb, snap je? Als Grayer thuis is wordt er van twee kanten zo aan me getrokken. Ik wil bij hem zijn, maar ik moet ook dingen doen voor mijn commissiewerk.'

'O, daar drink ik op, lieverd! Onze oudste dochter heeft precies hetzelfde gedaan – ze heeft twee kinderen en wilde een plek hebben waar ze haar eigen gang kon gaan, maar waar ze toch nog dicht bij de kinderen zat. Ik vind het een prima idee.'

De serveerster komt met de zes drankjes op een dienblad, en precies op dat moment komt er een klein kind op kniehoogte voorbij scheren, zodat er drie longdrinkglazen bijna boven het hoofd van Mrs X omgekeerd worden.

'Aaandrew... kom eens bij mamaa,' horen we een klaaglijke stam jammeren, terwijl de menselijke voetzoeker tussen benen en onder tafels door stuitert.

De restauranteigenaar kijkt smekend naar de ouders, om hen ertoe te brengen hun kind in bedwang te houden.

'O, schat, zijn dat de Cliftons niet?' Mrs X verontschuldigt zich en gaat luchtzoenen geven.

'Nanny, teken eens een kip voor me,' zegt Grayer, terwijl de mannen hun golfscores met elkaar vergelijken.

'Is het niet geweldig,' zegt ze, als ze weer gaat zitten. 'Ze zijn hier met hun zoon, dus ik zei tegen Anna dat Nanny iedereen mee naar buiten zou nemen tot het eten komt.' Iedereen? Moet ik Mrs Clifton naast de vuilcontainer voorgaan in een rillende *Michael, row your boot ashore*?

Ik hijs me uit mijn stoel en neem Grayer en de wervelende derwisj mee naar de koude, zanderige parkeerplaats om ze te laten spelen. Ze klimmen een paar keer op een stuk drijfhout dat vol olie zit, en dan stelt Andrew voor dat ze 'zandengeltjes' gaan maken.

'Nou, nee. Laten we onze handen gaan wassen voordat het eten komt.' Ik probeer ze weer naar binnen richting damestoilet te dirigeren.

'Nee!' schreeuwt Andrew. 'Ik ben een jongen. Ik ga niet naar de meisjes-wc. Echt niet.'

Mr Clifton komt de hoek om naar de toiletten. 'Ik neem ze wel mee,' zegt hij tegen mij, zodat ik in het toilet twee zalige minuten voor mezelf heb.

Net als ik de deur van de wc op slot heb gedaan, hoor ik Mrs X en Mrs Longrace binnenkomen. Mrs Longrace is het ergens mee eens. 'Precies! Je kunt tegenwoordig niet voorzichtig genoeg zijn. Ken je Gina Zuckerman? Die heeft een zoontje van Grayers leeftijd, Darwin, geloof ik. Blijkbaar heeft de vrouw die voor hem zorgt, zo'n Zuid-Amerikaanse, hem bij de arm gegrepen. Gina heeft het allemaal op de nannycam gezien. Heeft dat mens regelrecht terug gestuurd naar de sloppenwijken waar ze uit is gekropen.'

Ik probeer geen adem te halen en hoor Mrs Longrace naast me plassen.

'Wij hebben onze nannycam een paar weken geleden opgesteld,' zegt Mrs X. 'Ik heb nog geen tijd gehad om de opnames te bekijken, maar het geeft me een gerust gevoel dat ik op die manier min of meer bij mijn zoon kan zijn.'

Hou toch op. Hou toch op!

'Moet jij niet?' vraagt Mrs Longrace als ze uit de wc komt.

'Nee, ik wilde alleen mijn handen wassen,' zegt Mrs X bij de wastafels.

Grayer bonkt op de deur. 'Nanny!'

Mrs X doet de deur open. 'Wa... Grayer? Wat doe jij hier?' Ik hoor haar weglopen en wacht tot Mrs Longrace klaar is met haar handen wassen. Dan doe ik het slot van de deur.

NANNYCAM?! *NANNYCAM???!!!* Wat zal het hierna zijn? Periodieke drugscontroles? Naaktfouilleren? Een metaaldetector in de hal? *Wat zijn dit voor mensen?*

Ik maak mijn gezicht nat met koud water en probeer voor de miljoenste keer in negen maanden mijn volwassen werkgevers uit mijn gedachten te bannen zodat ik me kan concentreren op de kleine werkgever.

Ik loop terug naar de tafel. Mrs X worstelt om Grayer op de telefoonboeken neer te zetten. Ze kijkt op en is openlijk woedend op me. 'Nanny, waar zat je toch? Grayer liep zonder toezicht rond en dat vind ik onaanvaardbaar...'

Een ongekend grote golf van razernij spoelt over mijn gezicht heen, die haar even het zwijgen oplegt. Ik zet Grayer goed op zijn telefoonboeken, snij zijn kip voor hem en neem een hap puree.

'Nou, Nanny. Ik stel voor dat jij met de kinderen naar buiten gaat tot wij klaar zijn,' stelt ze liefjes voor.

En ik breng de rest van de maaltijd door in de vochtige wind en probeer Grayer zanderige kip uit een piepschuim bakje te voeren. Al snel komt Andrew naar ons toe, en daarna nog drie andere kinderen. Ik speel hoofd, schouders, knie en teen. Ik speel tikkertje. Ik speel schipper mag ik over varen.

Maar wat je met vijf kinderen op een donkere parkeerplaats kunt doen, kent zijn grenzen. Daarna kun je ze achter het behang plakken.

Nadat ik Grayer naar bed heb gebracht, haal ik de keuken overhoop op zoek naar ammonia. Ik hang net met mijn hoofd in het gootsteenkastje als ik het klikken hoor van de Manolo's van Mrs X, die de bovenkastjes opendoet. Ze loopt in een ongemakkelijke stilte om me heen.

'Wat doe je daar beneden?' Mr X komt binnen met de krant in zijn hand.

'Ik zoek ammonia om de jeuk van mijn muggenbulten minder te maken,' zeg ik met mijn hoofd tussen de afvoer en een fles chloor op jacht naar deze noodoplossing die ik van de padvinderij heb onthouden.

'En ik zoek een fles whisky zodat ik een slaapmutsje voor je kan inschenken.' Haar voeten draaien zich om zodat ze hem kan aankijken. Haar shawl glijdt langzaam op de grond en komt in een vuurrood hoopje om het kippenvel op haar enkels terecht.

'Ammonia?' vraagt hij. 'Huh.'

Zijn zware voetstappen bewegen zich van het linoleum van de keuken naar het hout van de gang.

'Schat?' zegt ze op subtiel hese toon en ze loopt achter hem aan naar de deuropening. 'Waarom lezen we niet in bed?'

Ik hoor het geritsel als hij haar de krant geeft. 'Ik moet mijn vlucht van morgen bevestigen. Ik kom meteen weer terug. Wacht maar niet op me. Dag, Nanny.' Ik zie de kuitspieren van Mrs X samentrekken.

'Dag, goede reis,' zeg ik. En doe Miss C. de groeten.

Ik hoor dat ze hem door de gang achterna loopt. Ik blijf alleen en doorzoek alle gootsteenkastjes in het huis, maar vind alleen flessen met Mr Clean en een sopmiddel met dennengeur.

Een uur later, net als ik het licht in de badkamer uit doe, zie ik Mr X de slaapkamerdeur zachtjes opendoen, zodat er een streep licht de gang in valt.

'Schat,' hoor ik haar zacht zeggen. De deur klikt dicht.

***

'Papa, je bent er nog!' Grayer springt op van zijn plekje voor *Sesamstraat* als Mr X de volgende dag laat in de ochtend de woonkamer binnenkomt.

'Hallo,' zeg ik onthutst. 'Ik dacht dat u...'

'Hé, jochie.' Hij gaat op de bank zitten.

'Waar is mama?' vraagt Grayer.

'Mama staat onder de douche.' Zijn vader grijnst. 'Heb je al gegeten?'

'Ik wil Cheerio's,' zegt hij, op de bank in het rond springend.

'Nou, laten we dan wat te eten voor je zoeken. Ik kan zelf wel wat eieren en een worstje gebruiken.' Het is toch echt donderdag, hè? Het is toch niet nog steeds woensdag? Want ik heb woensdag al doorgestreept op het kalendertje dat ik boven mijn bed in de muur heb gekerfd.

Mrs X slentert naar binnen in een bikinibovenstukje, sarong en genoeg kippenvel voor een poolexpeditie. Ze ziet er rozig uit en wordt omgeven door een aura van overwinning.

'Morgen, Grayer. En jij ook.' Ze komt achter hem staan, legt zwoel haar handen op zijn schouders en geeft hem een korte massage. 'Schat, zou jij de krant even willen gaan halen?' Hij legt zijn hoofd in zijn nek om haar aan te kijken, en zij grijnst, buigt zich voorover en geeft hem een kus.

'Ja, hoor.' Hij loopt om de bank heen en laat in het voorbijgaan zijn lippen over haar schouder glijden. Nou, nu heb ik officieel het enige scenario ontdekt dat nog erger is om mee te maken dan een van hun ruzies.

'Zou ik met Mr X mee naar de winkel mogen om AfterBite te kopen?' vraag ik in een poging te profiteren van haar postcoïtale roes.

'Nee. Ik heb liever dat je hier blijft om op Grayer te passen terwijl ik me ga aankleden.' Mr X pakt de sleutels van de tafel bij de deur en loopt naar buiten. Als we hem de auto horen starten, vraagt ze: 'Grayer, hoe zou je het vinden een broertje of een zusje te krijgen?'

'Ik wil een broertje! Ik wil een broertje!' Hij rent naar haar toe, maar ze vangt hem op en speelt hem als een hockeybal terug naar mij.

Net als Mr X de oprit af rijdt gaat de telefoon. Mrs X pakt zijn sweater van de bank en trekt hem over haar hoofd voordat ze de zware olijfgroene hoorn oppakt. 'Hallo?' Ze staat op en wacht op antwoord. 'Hallo?' Ze hijst haar sarong op. 'Hallo?' Ze legt neer.

Ze kijkt me aan. 'Ik hoop niet dat je dit telefoonnummer aan anderen hebt gegeven.'

'Nee, alleen aan mijn ouders, in geval van nood,' zeg ik.

Ze is halverwege de trap als de telefoon weer gaat, zodat ze weer naar beneden moet.

'Hallo?' zegt ze voor de vierde keer en ze klinkt nu geërgerd. 'Nee, hij is er niet... Nee, hij heeft besloten vandaag niet te vertrekken, maar hij belt u wel terug als hij terugkomt... Chenowith, hè? Heb ik staan. Bent u in Chicago of in New York?... Oké, dag.'

Geen Teuscher-truffels voor jou, Miss Chicago.

Als Mr X terugkomt, loop ik de keuken in om hem te helpen met uitpakken en haal de gebruikelijke voorraad kankerverwekkende, suikervrije yoghurt, tofu-burgers en vetarme chips te voorschijn.

'Heeft er nog iemand gebeld?' vraagt hij. Voor zichzelf trekt hij een kaastaartje uit een papieren zakje, terwijl Mrs X de keuken in komt.

'Nee,' zegt ze. 'Hoezo, verwacht je een telefoontje?'

'Nee.'

Nou, dat is dan geregeld.

***

Tring. Tring. Tring.

Als er de volgende ochtend een vliegtuig laag over de achtertuin vliegt, word ik wakker van het schrille geluid van een telefoon in huis. Alweer. Ik sla naar de muggen die zich tegoeddoen aan mijn blote benen, hijs me van de plastic latten van de gammele ligstoelen en sta op om op te nemen. Maar het rinkelen houdt abrupt op. Alweer.

Vanmorgen stond ik argwanend te kijken naar een vachtwagen op de oprit en de oude man die drie grote huurfietsen uitlaadde. Ik vroeg me mismoedig af of dat inhield dat ik met Grayer op mijn nek moest fietsen. Ik ben nu zo ver dat ik nog niet met zijn ogen zou knipperen als ze wilden dat ik Grayer in mijn baarmoeder stopte om meer ruimte in de Land Rover te maken.

Grayer heeft zijn vader moeten uitleggen dat hij alleen op de rode fiets met tien versnellingen kon rijden als er zijwieltjes aan zaten. Ik weet nog steeds niet zeker op die man echt geen flauw benul heeft van wat Grayer kan, of dat hij gewoon idioot optimistisch is. In elk geval werd er een volwassen fiets omgeruild voor een kleinere en mocht ik tot mijn grote verrassing voor de excursie bedanken. Ze reden naar het dorp en lieten mij achter met grootse plannen voor een lang eind joggen, een uitgebreid bad en een dutje. Het is me echter alleen gelukt me in sportshort en -beha naar de ligstoel te slepen om mijn sportschoenen aan te doen. Nou ja, een van de drie plannen is gelukt, niet slecht.

Ik graai onder de stoel naar mijn horloge en trek een gezicht als er een splinter hout onder mijn nagel blijft steken. Ik haal het horloge te voorschijn en zuig zachtjes aan mijn gewonde vinger. Ze zijn nu ruim een uur weg.

Ik loop weer naar binnen, draai de warme kraan open en steek mijn hoofd eronder. Krijg ik voor de eerste keer deze week eindelijk een moment voor mezelf, moet ik dit huis uit mijn huid zien te werken!

Tring. Tring. Tring.

Ik neem niet eens de moeite weg te lopen van mijn plek bij het aanrecht. Na de vijfde keer rinkelen geeft ze het op. Ze is steeds minder subtiel aan het worden.

Het warme water heeft geen succes, zodat ik een EHBO-setje moet improviseren, bestaande uit een maïskolfhouder, lucifers en een vergeten fles Smirnoff uit de vriezer. Ik installeer me aan de keukentafel en staar naar het gebarsten linoleum. Ik wou dat ik een vervangende vriendin kon bestellen, zoals een man een stripteasedanseres zou bestellen. Dan zou er een of andere leuke, jonge vrouw aanbellen met nachochips, margarita's en een nummer van *Heathers*. Of in elk geval met wat oude nummers van het tijdschrift *Jane*. Als ik nog een keer *De goede huisvrouw* uit juli '98 moet doorbladeren, verander ik in een appeltaart.

Ik pak de wodka en verstijf als ik het knarsen van grind op de oprit denk te horen, het teken dat ze terug zijn. Ik draai de dop van de fles, schenk een beetje in een glas en laat het over mijn tong rollen. Ik zet het glas weer op tafel en zet het als een cowboy ondersteboven.

Ik kijk naar de oude, afgedankte AM-radio op de sidetable en zet hem aan.

Tring. Tring. Tring.

'Hij is er niet!' roep ik over mijn schouder.

Ik draai aan de knop en laat mijn hoofd op mijn arm zakken, terwijl ik langs flarden nieuws en gouwe ouwe muziek kom die in korte uitbarstingen vol ruis door de antieke luidsprekers schetteren. Ik draai langzaam aan de knop, als een astronaut op zoek naar tekenen van leven, probeer tussen de ruis door Billy Joel te verstaan. Mijn hoofd schiet overeind. Het is niet Billy... maar Madonna!

Ik draai de knop nog een millimeter verder en kom opgewonden overeind bij het horen van het vertrouwde geluid van 'Holiday.' Ik grijp de maïskolfhouder en schuif hem onder de knop om die op zijn plaats te houden, zet de radio zo hard als hij kan en zing mee met het beste alternatief voor de vervangende vriendin. Er is leven buiten deze bouwval, herinnert mijn stoute, blonde vriendin met haar glinsterogen me, leven zonder hén!

'"*If we took a holiday, o yeah...*"' ik swing in mijn strakke lycra door de keuken, mik de wodka weer in de vriezer zodat hij koud wordt en vergeet de splinter in mijn vinger, de muggenbulten en mijn slaapgebrek. Binnen een paar seconden sta ik naast haar en ze staat erop dat ik '*Forget about the bad times (o yeah)*'. Ik draai in jaren tachtig-stijl de woonkamer in, pak Grayers monstertruck en gebruik hem als microfoon en blèr uit volle borst mee.

Net als ik me van de rugleuning van de bank laat glijden, gooit Mr X de hordeur open en loopt in zijn Donna Karan-sportbroek binnen. Ik blijf van schik half door mijn knieën gezakt staan met de truck in mijn hand. Hij ziet me amper, gooit zijn mobieltje in de gammele oorfauteuil en beent naar de trap. Ik kom met een ruk overeind en kijk door de voordeur, waar het silhouet van Mrs X zich van een hoopje Grayer op de oprit naar het huis toe beweegt. Ik spring over Grayers speelgoed, ren naar de keuken, gris de maïskolfhouder weg, draai de radio uit en ren weer naar de woonkamer. Precies op dat moment zwaait de voordeur dicht.

Ze kijkt naar mijn blote middenrif. 'Zorg dat hij klaar is om naar zijn speelafspraak te gaan, Nanny. Hij zegt dat hij zijn knie heeft bezeerd, maar ik zie niets. Zorg dat hij rustig wordt – mijn man heeft hoofdpijn.' Ze loopt met opgeheven hoofd langs me heen naar de trap, intussen over haar eigen slapen wrijvend. 'O, en er is iets mis met zijn mobieltje. Kijk er even naar, wil je?'

Mr X schreeuwt van boven: 'Waar is mijn koffer? Wat heb je met mijn koffer gedaan?'

Grayers snikken zweven door het huis, terwijl ik mijn joggingbroek pak en mijn vinger kloppend weer tot leven komt. Ik pak het mobieltje van Mr X. Volgens de nummerweergave komen alle telefoontjes uit het appartement van de X'en.

***

Tring. Tring. Tring.

Ik krijg met moeite mijn ogen open.

Tring. Tring.

Ik weet niet waarom hij haar niet gewoon belt en zegt dat hij niet terugkomt!

'Nanny!' roept Grayer in het donker. De telefoon heeft hem nu al voor de derde keer wakker gemaakt. Nog één keer, en dan zeg ik tegen haar wat ze met haar telefoon en foie gras kan doen.

Ik steek mijn hand uit om de halve meter tussen onze bedden te overbruggen en knijp in zijn klamme handje. 'Het monster ziet er heel eng uit,' zegt hij. 'Hij gaat je opeten, Nanny.' Het wit van zijn ogen glinstert in de donkere kamer.

Ik rol op mijn zij om hem aan te kijken, zonder echter zijn hand los te laten. 'Denk eens goed na, wat voor kleur had het monster? Dat wil ik even weten, want ik heb een paar monstervriendjes.'

Hij is even stil. 'Blauw.'

'O ja? Dat lijkt me het Koekiemonster van *Sesamstraat*. Probeerde hij me op te eten?' vraag ik slaperig.

'Denk je dat het het Koekiemonster is?' vraagt hij, en zijn hand ontspant zich een beetje.

'Ja. Ik denk dat Koekie met ons wil spelen, maar dat hij jou per ongeluk bang heeft gemaakt en dat hij tegen mij wilde zeggen dat hij er spijt van had. Zullen we schaapjes tellen?' Of keren dat de telefoon gaat?

'Nee. Zing het liedje voor me, Nanny.'

Ik gaap. 'Tien kleine negertjes, die liepen in de regen,' knor ik zachtjes, terwijl ik zijn warme adem tegen mijn pols voel. 'Eentje viel er in een plas, toen waren er nog maar negen. Negen kleine negertjes...' Zijn hand wordt zwaar en bij vijf kleine negertjes is hij in elk geval voor een paar uur weer diep in slaap.

Ik draai me op mijn rechterzij en kijk naar hem. Zijn borst gaat zachtjes op en neer en zijn hand ligt opgevouwen onder zijn kin. Zijn gezicht is voor even ontspannen en vredig. 'O, Grove,' zeg ik zacht.

***

De volgende ochtend, na mezelf te hebben getrakteerd op drie kopjes koffie zonder smaakje, sta ik in de enige telefooncel in het dorp en draai paniekerig de nummers op het plastic telefoonkaartje.

'Hallo?' HS neemt op.

'O, wat een geluk. Ik dacht dat ik je niet te pakken zou krijgen voordat je zou vertrekken.' Ik leun tegen het hokje.

'Hé! Nee, ik was net aan het inpakken – mijn vlucht is pas om acht uur. Waar zit je?'

'Ik sta in een telefooncel. Ze hebben me in de stad afgezet en zijn naar een hondenfokker gereden.' Ik haal een pakje sigaretten dat ik samen met de telefoonkaart heb gekocht uit de plastic zak en scheur het cellofaan eraf.

'Een hondenfokker?'

'Mr X wil een kleine, pluizige plaatsvervanger voor zichzelf kopen. Hij vertrekt vanmiddag. Ik denk dat één week vakantie met het gezin het maximum is van wat hij aankan.' Ik stop een sigaret in mijn mond en steek hem aan, snel in- en uitademend. 'Dit dorp heeft waarschijnlijk een wet waarin de handel in andere dingen dan geurkaarsen, bootjes in flessen en fudge wordt verboden. De hel is een kaars in bootvorm...'

'Nan, kom gewoon naar huis.' Er loopt een gezin langs dat ijsjes in verschillende stadia van verorbering in de hand heeft. Ik draai me naar de telefoon toe en verberg schuldig de sigaret.

'Maar ik moet mijn verhuisgeld bij elkaar zien te krijgen. Bah! Als ik denk aan al die keren dat ik na mijn werk regelrecht naar Barney's ben gegaan om de helft van mijn verdiende geld uit te geven om mezelf wat op te vrolijken, kan ik me wel voor mijn kop slaan!' Ik neem een laatste trek en druk de sigaret uit tegen een hek naast me. 'Ik ben zo ongelukkig,' zeg ik zacht.

'Dat weet ik. Ik kan het horen,' zegt hij.

'Iedereen hier kijkt door me heen,' zeg ik en ik voel de tranen in mijn ogen prikken. 'Je weet niet hoe het is. Ik mag met niemand praten en iedereen doet alsof ik dankbaar moet zijn dat ik in Nantucket ben, alsof het een of ander herstellingsoord is. Ik ben zo eenzaam.' Ik sta nu echt te huilen.

'Ik heb zo'n respect voor je. Je hebt het al zeven hele dagen uitgehouden! Hou het vol, voor de Grayermeister. Wat heb je trouwens aan?' Ik glimlach bij de bekende vraag en snuit mijn neus in de bruine papieren zak.

'Een stringbikini en een cowboyhoed, wat dacht jij dan? En jij?' Ik doe de bovenste knoop van mijn vest dicht en trek de wollen kraag dicht onder mijn kin, want er staat een bijtend koude zeewind.

'Een joggingbroek.' God, wat mis ik hem.

'Luister, ik hoop dat je een goede vlucht hebt. Geen hasj met de pornosterren roken. Ik zeg het nog maar eens: tulpen en het Anne Frank Museum – oké. Pornosterren – niet oké.'

'Begrepen, partner. Hou je hoed op en schiet vanuit je heup...' De telefoon klikt en de kiestoon zoemt in mijn oor. Ik sla de hoorn tegen het plexiglas. Verdomme, verdomme, verdomme.

Ik draai me om en sta op het punt een lading fudge te kopen, en op dat moment begint de oude telefoon in de cel hartstochtelijk te piepen, waardoor ik over de heg struikel en mijn elleboog tegen het houten hek langs het pad stoot.

Ik krijg weer tranen in mijn ogen terwijl ik plechtig naar Annie's Kaarsenschuur loop, de afgesproken plaats. Ik duw het pakje sigaretten diep in mijn broekzak en de Land Rover stopt op de parkeerplaats. Ik hoor geblaf uit de kofferbak komen, maar Grayer zit vreugdeloos uit het raampje te kijken.

'Laten we gaan. Ik wil de vlucht van twaalf uur halen,' zegt Mr X. Terwijl ik me onder de kano opvouw en zware regendruppels tegen de voorruit spatten. Scherp geblaf echoot door de auto.

'Laat hem ophouden, Nanny!' zegt Grayer nors. 'Ik vind hem niet leuk.'

Mr X zet de motor uit en ze rennen allebei het huis in om niet nat te worden in de laatste druppels van de bui. Ik wurm Grayer uit de riemen en draag het jammerende krat naar binnen. Ik zet de houten kist op het vloerkleed, en haal de retrieverpup eruit, en op dat moment komt er een oudere dame met schouderlang, grijs haar de keuken uit lopen.

'Oma!' roept Grayer uit.

'Aha, daar ben je dan. Ik dacht al dat ik in het verkeerde huis was,' zegt ze, en ze knoopt haar sjaal los, waarbij ze voorzichtig beweegt alsof ze de door weer aangetaste muren niet wil aanraken.

'Moeder.' Mr X kijkt alsof hij door een verdovingspistool is geraakt, maar herstelt zich en komt automatisch naar haar toe om haar op de wang te zoenen. 'Wat doe jij nou hier?'

'Wat een manier om je moeder te verwelkomen. Jouw charmante vrouw belde me gisteren en nodigde me uit om te komen genieten van dit vluchtelingenkamp waar je waarschijnlijk een aardig sommetje voor hebt betaald,' zegt ze met een blik op de afbladderende verf. 'Maar eerlijk gezegd begrijp ik niet waarom ik niet morgen kon komen,' zegt ze tegen Mrs X. 'Ik heb de boot van half tien genomen. Ik heb geprobeerd vanaf de boot te bellen, maar jullie waren de hele tijd in gesprek. En hoe leuk ik het ook had gevonden in de regen te wachten en een van die geroosterde broodjes te eten die je in het gezellige stationnetje kunt kopen, ik heb besloten een taxi te nemen.' Ik sta net buiten hun driehoek en observeer deze grande dame die dit gezin heeft voortgebracht. Ik heb vrouwen als Elizabeth X wel ontmoet toen mijn oma me had meegetroond naar een reünie van klas 1892 van Vassar. Dit is de Bostonse kak ten voeten uit, een kruising tussen Katharine Hepburn en Oscar the Grouch.

'Welkom, Elizabeth.' Mrs X zweeft naar voren om haar schoonmoeder een voorzichtige kus te geven. 'Kan ik je jas aannemen?' Bel de bond! Mrs X neemt een jas aan!

Elizabeth laat haar beige Burberry trenchcoat van haar schouders glijden, waaronder een blauw met wit gestippelde jurk met plooirok vandaan komt. 'Schat?' zegt Mrs X tegen Mr X die er nog steeds verdwaasd uitziet. 'Jij zegt altijd dat jullie zo weinig met elkaar kunnen praten, dus ik dacht, ik verras je eens.'

'Dag oma, zei ik,' zegt Grayer ongeduldig.

Ze gaat een fractie door haar knieën en zet haar handen op haar dijen. 'Jij bent net je vader. En nu spelen maar.' Ze komt overeind. 'Wie is dit? En wat is dat?'

'Elizabeth, dit is Nanny. Ze zorgt voor Grayer.'

Ik hevel de pup over naar mijn linkerarm en steek mijn hand uit.

'Goed zo.' Ze negeert mijn hand en haalt een pakje Benson & Hedges uit haar tas.

'Dat is Grayers nieuwe hond,' zegt Mr X joviaal.

'Stomme hond,' zegt Grayer vanaf de bank.

'Wil je een cocktail, moeder?'

'Whisky en soda, graag.'

'O, ik denk dat we alleen wodka hebben, Elizabeth,' zegt Mrs X.

'Stuur... sorry, hoe heet je ook weer?' vraagt Elizabeth aan me.

'Nanny,' zeg ik.

'Ik ga wel, moeder.'

'Ik ben drie uur door stortbuien onderweg geweest om tijd met mijn zoon door te brengen. Mijn zoon, die zo te zien elk moment een hartaanval kan krijgen.' Ze klopt hem op zijn bolle maag. 'Stuur Nanny maar.'

'Nou, moeder, de verzekering dekt geen schade...'

Ze draait zich naar me om. 'Nanny, heb je een rijbewijs?'

'Ja.'

'Heb je het ook bij je en is het geldig?'

'Ja.'

'Zoon, geef haar de sleutels. Hebben we verder nog iets nodig?' vraagt ze Mrs X.

'Nee, ik denk dat we alles hebben, Elizabeth.'

'De Clarks en Havemeyers komen morgen langs, en jou kennende, lieverd, er is alleen konijnenvoer. Nanny, kom mee naar de keuken. Ik maak een boodschappenlijst.'

Gehoorzaam volg ik haar naar de avocadogroene keuken en sleep het krat met de hond mee. Ik zet het onder de tafel en zet de pup zachtjes terug op haar handdoekje. Zodra ik het krat dichtdoe, begint ze weer hoog te blaffen.

Elizabeth trekt een paar kastjes open en ik pak een stuk papier van het blok bij de telefoon. 'Wat een bouwval,' mompelt ze. 'Oké.' Ze begint te dicteren. 'Whisky, gin, tonic, Clamato, tomatensap, tabasco, Worcestershire sauce, limoenen, citroenen.' Ze trekt de koelkast open en klakt misprijzend met haar tong. 'Wat is sojamelk in vredesnaam? Heeft een sojaboon een uier? Ben ik iets vergeten? Carr's watercrackers en meer brie. Kun je nog iets bedenken?'

'Eh, macadamianoten, zoute koekjes en chips?'

'Perfect.'

Mijn oma heeft me geleerd dat als je WASPs op bezoek krijgt, het de truc is van alles alleen een minuscuul zilveren schaaltje te presenteren, dan zijn zelfs Pringles ineens sjiek. 'Zoon! Kun je die verrekte hond alsjeblieft in de garage zetten?! Ik krijg migraine van dat geblaf!' roept ze.

'Kom eraan, moeder.' Mr en Mrs X komen de keuken binnen.

'Dat ben ik helemaal met je eens, Elizabeth. Nanny, help Mr X dat krat in de garage te zetten,' instrueert Mrs X me.

Ik pak de voorkant van het krat en probeer geruststellende geluiden tegen de pup te maken, terwijl we haar de koude garage in dragen. Haar bruine ogen kijken naar me op en ze probeert zich in evenwicht te houden. 'Stil maar, brave hond,' murmel ik.

Mr X kijkt me aan alsof hij maar niet begrijpt tegen wie ik het heb.

Mrs X loopt achter ons aan de wankele houten trap af en we zetten het krat op de vochtige betonnen vloer. 'Nanny, hier heb je de sleutels.' Ze houdt ze omhoog terwijl ze naar me toe loopt. 'O, goed.' Ze kijkt met een vies gezicht omlaag. 'Ik denk dat hij het hier veel beter...'

Mr X grijpt haar bij de elleboog en stuurt haar naar de hoek bij de boiler. 'Hoe durf je haar uit te nodigen zonder het eerst aan mij te vragen?' gromt hij tussen opeengeklemde kaken door. Omdat ik nog steeds de sleutels niet heb, ga ik op mijn hurken zitten om de handdoek van de pup recht te trekken en probeer ik mezelf zo onopvallend mogelijk te gedragen.

'Maar schat, het was een verrassing. Ik probeerde alleen maar...'

'Ik weet precies wat je probeert te doen. Nou, ik hoop dat je er gelukkig van wordt. Dat hoop ik echt.' Hij draait zich op zijn instappers om en stormt de keuken weer in.

Ze staat in de hoek met haar rug naar me toe en haar gezicht naar de roestige vuilnisemmers. 'O ja, hoor.' Ze brengt haar hand omhoog en strijkt met haar vingers over haar voorhoofd. 'Ik ben zo gelukkig. Zo verdomde gelukkig,' zegt ze zacht in het donker.

Beverig loopt ze langs me heen, de trap weer op naar de keuken, met de autosleutels nog steeds in haar hand geklemd.

'Eh, Mrs X?' zeg ik, en ik sta op als ze bij de deur is.

Ze draait zich met samengetrokken mond om. 'Wat?'

'Eh, de sleutels,' zeg ik.

'Juist.' Ze smijt ze naar me toe en stapt de keuken door om zich bij haar familie te voegen.

Hij was vastbesloten te laten zien wie de baas in huis was, en toen Nana niet met bevelen uit haar hok te krijgen was, lokte hij haar eruit met zoete woordjes, en greep haar toen ruw beet, sleepte haar de kinderkamer uit. Hij schaamde zich dat hij het deed, maar toch deed hij het.

Peter Pan

Elf

Finale

Seconden nadat ik me eindelijk aan de slaap heb kunnen overgeven, word ik wakker van gesnik. Ik sleep mezelf uit bed en ga naast Grayer liggen die om zich heen slaat en de monsters bevecht die ons uit onze slaap hebben gejaagd.

'Sshhh. Sshhh.' Ik probeer hem in mijn armen te nemen, maar krijg eerst een van zijn zwaaiende armen in mijn oog. 'O, shit.' Ik kom overeind.

'Ik zou het op prijs stellen als je dat soort taal niet in het bijzijn van Grayer gebruikte.' Ik kijk op en zie het silhouet van Mrs X in haar nachtpon met pofmouwen zich in de deuropening aftekenen. 'Wat is er nu?' vraagt ze, geen aanstalten makend om dichterbij te komen.

'Ik denk dat hij naar heeft gedroomd.'

'Oké. Probeer hem alleen rustig te houden. Mr X heeft vandaag een tennistoernooi.' Ze verdwijnt de gang op en laat ons alleen.

'Sshhh, ik ben bij je, Grove,' fluister ik, terwijl ik zijn nek streel.

Hij trilt en draait zijn gezicht in mijn nek. 'Nee, niet waar. Jij gaat toch weer weg.' Hij begint tegen mijn schouder te huilen.

'Grove, ik ben bij je. Vlak bij je.'

Hij trekt zich een stukje terug, komt overeind op een elleboog en legt zijn vingertjes tegen mijn wang om mijn gezicht naar het zijne te draaien. In het zwakke licht van het Grover-lampje kijkt hij me recht in de ogen. Ik kijk terug, onthutst door de intensiteit van zijn blik, alsof hij me zich probeert in te prenten. Als hij klaar is gaat hij liggen. Ik krul me op hem en zijn lichaam ontspant zich langzaam als ik onze monsters fluisterend wegjaag.

***

Niet in staat weer in te slapen, blaas ik de laatste rook van mijn sigaret uit in de schuur, druk hem uit in het natte gras en kijk naar het huis dat zich tegen het maanlicht aftekent.

'Woef!' Het nog steeds naamloze huisdier X nestelt zich tegen mijn enkels.

'Stil, joh,' zeg ik en ik pak haar op alsof ze een baby is. Haar gladde pootjes vegen langs mijn kin. Voorzichtig loop ik door het natte gras naar de achterdeur, trek hem open en krimp bij het onvermijdelijke piepen in elkaar. Ik stap uit mijn klamme tennisschoenen in de keuken.

Als ik haar in haar krat zet wringt ze zich uit mijn handen. Ik sta te trillen door de stress en vermoeidheid en staar naar de koelkast. Ik sluip erheen en doe de deur van de vriezer open om de wodka te pakken. Ik snak ernaar me bewusteloos te drinken. Maar bij het licht van het koelkastlampje zie ik dat mijn survivaldrankjes een behoorlijke aanslag op de reserves hebben gedaan. Ik hou de fles onder de kraan en leg hem dan terug op zijn plekje onder de vegaburgers. Ik vind het vreselijk waar mijn verblijf hier me toe heeft verlaagd. Ik zweer het, nog een week hier en ik sta in de badkamer coke te snuiven.

Op weg naar boven zie ik dat iemand in de woonkamer eindelijk de hoorn ernaast heeft gelegd. Dat werd tijd. Ik kruip onder de kriebelige wollen deken, en wachtend op de slaap, waakdroom ik over Miss Chicago die met een parachute voor het huis landt.

Ik word wakker van Grayer die over me heen probeert te kruipen om naar de wc te gaan.

'Nanny, het is tijd om te eten.'

'Waar? In Frankrijk zeker.' Ik ben zo uitgeput dat ik amper kan zien. Onderweg naar de badkamer zoek ik steun tegen de muur en help hem zijn pyjamabroek te laten zakken. Terwijl hij staat te plassen, trek ik het gordijn open en knipper tegen het oranje licht.

Ik trek een sweater over mijn pyjama aan en we schuifelen naar beneden.

'Wat wil je voor ontbijt?' vraag ik, voorover buigend om de pup op te tillen.

'Nee, Nanny. Laat hem nou staan,' jammert hij, en hij draait zijn rug naar het krat toe. 'Laat hem nu in zijn krat.'

'Grayer, wat wil je voor ontbijt?'

'Weet ik niet. Froo Loops?' mompelt hij, terwijl ik de pup op mijn schouder til. Ze likt mijn gezicht.

'Sorry, vriend, maar je weet dat we alleen sojavlokken hebben.'

'Ik vind sojavlokken vies. Ik wil die andere!'

'Ik wil een appartement met lage huur, Grove. We krijgen niet altijd wat we willen hebben.' Hij knikt. Ik geef hem sojavlokken, waarin hij begint te prikken, terwijl ik de pup naar buiten laat om te plassen.

Om acht uur word ik wakker door het geluid van voetstappen op de trap. Mrs X komt naar beneden, weer in een nieuwe Nantucket-outfit die ze bij Searle heeft gekocht, en ze legt de telefoon nonchalant op de haak. 'Grayer, zet de tv maar uit. Wat wil je voor ontbijt?'

'Hij heeft al...' begin ik.

'Ik wil Froo Loops! Alleen Froo Loops, maar Nanny wilde ze niet geven.'

'Nanny, waarom heb je Grayer geen eten gegeven?' vraagt ze, en ze schakelt de tv uit.

'Ik wil Froo Loops! Ik wil de tv aan!' schreeuwt hij als een baby naar het donkere scherm, waardoor de hond ontbrandt in fel geblaf.

'Schei uit,' zeg ik rustig, en daar is hij een seconde stil van, tot hij zich herinnert dat ik niets in te brengen heb. Er volgt een luidkeelse brulpartij die pas ophoudt als hij zijn tweede chocolade donut zit te eten en de tv weer aan staat. Ik gaap en vraag me af of ze een hoertje voor hem zouden bestellen als hij maar hard genoeg brulde.

'Ik geloof dat ik duidelijk heb gezegd, Nanny,' zegt ze, op de retriever neerkijkend alsof het ongedierte is. 'Dat ik het niet goed vind dat de hond in de woonkamer is. Zet hem alsjeblieft weer in de garage.' Ik til het hondje op. 'Heb je Grayers tas al ingepakt voor de club?'

'Nee, ik heb hem gezelschap gehouden.'

'Nou, het lijkt me dat hij nu genoeg te doen heeft,' zegt ze.

Ik knik en pak de tas met mijn vrije hand op.

'En heb je nog doekjes gehaald?' Wat, met die privé-chauffeur die jullie voor me geregeld hebben? Ik kom niet eens naar de drogist, idiote stressnicht.

'Eh, heeft Mr X ze meegenomen toen hij in de winkel was?' vraag ik, en op dat moment gaat de telefoon.

Mrs X neemt op. 'Hallo?' Ze staart mij aan en klemt de hoorn stevig vast. 'Hallo!' Ze gooit de hoorn er met een dreun weer op. Het bamboe tafeltje staat ervan te trillen. 'Ik weet niet of hij ze heeft meegenomen. Heb je het op het boodschappenlijstje gezet?' Ze zet haar hand op haar heup.

'Ik heb nooit een boodschappenlijst gezien.'

'Ze zucht. 'Schat?' roept ze naar boven. 'Heb jij nog doekjes meegenomen?'

Stilte. We staren allemaal vol verwachting naar het plafond. Eindelijk horen we trage voetstappen op de trap. Hij komt naar beneden in zijn tenniskleren en loopt linea recta naar de keuken.

'Heb je nog doekjes meegenomen?' vraagt ze aan zijn rug. 'Schat? Je weet wel... die kleine doekjes die ik gebruik om Grayer mee schoon te maken?'

Hij blijft lopen, staat stil bij de deur en draait zich dan om naar *mij* en zegt: 'Zeg tegen mijn vrouw dat ik heb gekocht wat op de lijst stond,' en hij verdwijnt de keuken in. Ik hoor Mrs X achter me langzaam uitademen. Fan-tas-tisch. Dames en heren, voor de rest van de voorstelling wordt de rol van pispaal gespeeld door Nanny!

'Wat is dit in hémelsnaam voor herrie?' Mrs X senior staat in een Pucci-badjas met rits in de deuropening en ze wappert met een met juwelen behangen hand naar de tv. 'Kunnen we die vreselijke paarse dinosaurus uitzetten?'

'Nee!' Grayer sproeit chocoladekruimels op de bank.

'Het spijt me, Elizabeth,' zegt Mrs X die over haar slapen wrijft. 'Wil je een kopje koffie?'

'Inktzwart, graag.' Geen van beide vrouwen komt in beweging, wat inhoudt dat het mijn taak is de inktzwarte koffie te gaan zetten.

'Elizabeth, waarom ga je niet op de veranda zitten, dan brengt Nanny je daar je koffie.'

'Wil je soms dat ik een longontsteking oploop?'

'En de keuken dan?' vraagt Mrs X, die haar vest dichtknoopt.

'Ik neem aan dat die luie zoon van me de krant nog niet heeft gehaald?'

'Nee, maar de krant van gisteren ligt op tafel.'

'Nou, dat zou gisteren erg handig zijn geweest. Eerlijk, ik weet niet waarom je je vakantie per se hier in deze... *hut* wil doorbrengen, terwijl je bij mij op de Cape had kunnen logeren. Dan had Sylvia nu eieren voor ons kunnen bakken.'

'Volgend jaar, Elizabeth, dat beloof ik je.'

Nadat ik de hond weer in haar krat op de keukenvloer heb gezet, sta ik gemalen koffie in het filter te scheppen als Mrs X binnenkomt. Mr X staat abrupt op van de plek aan de keukentafel waar hij *The Econiomist* heeft zitten lezen en loopt de achterdeur uit.

Ze ademt nog eens lang uit en bijt op haar onderlip. Ze trekt de koelkast open, pakt een bakje yoghurt, houdt het een seconde vast en zet het dan terug. Ze pakt een brood, draait het om om de informatie over de voedingswaarde te lezen en legt het dan weer op de plank. Ze doet de deur dicht en pakt de doos met sojavlokken van de koelkast, en bekijkt de verpakking.

'Hebben we grapefruit?' vraagt ze.

'Volgens mij heeft Mr X die niet gekocht.'

'Laat maar. Ik eet wel op de club,' zegt ze, en ze zet de doos weer terug.

Ze loopt langzaam naar me toe en laat haar vingers over het aanrechtblad glijden. 'O, er heeft een paar dagen geleden een jongen voor je gebeld. Maar de verbinding was zo slecht...'

'Echt? Wat jammer...'

'Het is toch niet die knul die op de negende verdieping woont, hè?' vraagt ze.

'Eigenlijk wel.' Ik pak een kopje uit de kast en dwing haar in stilte het onderwerp te laten voor wat het is.

'Ik herkende de naam wel, maar het duurde een paar uur voor ik me kon herinneren waarvan. Ik vroeg me af hoe je hem had leren kennen. Ben je hem in het gebouw tegengekomen? Was Grayer erbij?' Het vunzige beeld van HS en mij die in haar bed liggen hangt tussen ons in, wat we bovendien mogelijk hebben gemaakt door Grayer een dutje te laten doen. Moeilijk te zeggen wat ze erger zou vinden.

'Ja... Grappig...'

'Nou, dat is zeker een goeie vangst voor je.' Ze loopt naar het raam en kijkt naar Mr X die in de tuin staat, waar de mist optrekt. 'Zijn moeder vertelde me over zijn vorige vriendinnetje – dat was een schoonheid. Als ik haar in de lift tegenkwam dan zei ik tegen haar dat ze fotomodel moest worden. En ze zag er altijd zo goed gekleed uit.' Ze draait zich om en laat haar blik over mijn pyjama gaan. 'Maar goed, ze is naar Europa vertrokken met een Fulbright-beurs. Ik neem niet aan dat jij je ooit voor zo'n beurs zou willen inschrijven? Ik betwijfel ook of

NYU-studenten in aanmerking komen voor beurzen van dat kaliber.'

'Nou... ik wilde werken na mijn afstuderen... ik bedoel, ik ben niet echt geïnteresseerd in stages in het buitenland, dus...' Maar ze is al naar buiten gelopen. Ik leun tegen het avocadogroene aanrecht. Mijn mond hangt open. Het koffiezetapparaat achter me klikt.

'Beste Mrs X, wat ben je toch een kreng.'

'Pardon?' Ik draai me met een ruk om. Mr X staat achter me en stopt een donut in zijn mond.

'Niets. Eh, kan ik u helpen?'

'Mijn moeder zei dat je koffie aan het zetten was.'

Nog steeds strak staand van de recente Fulbright-aantijging pak ik nog een kopje. 'Geen suiker en melk in de koffie, hè?'

'Nee, zwart, zwart, zwart.'

'Had ik geen filter moeten gebruiken?'

Hij lacht, en even lijkt hij precies op Grayer.

'Nanny! Waar blijft die koffie?'

Ik haast me terug naar de woonkamer en probeer niet te morsen.

'Dus ik zei tegen hem, als hij denkt dat hij me kan naaien, dan kent hij me nog niet!' Mrs X heeft een gekwelde uitdrukking op haar gezicht, terwijl Elizabeth haar trakteert op de beproevingen die zij doorstaat om haar zwembad te laten onderhouden.

'Nanny, wil je hem aankleden? We gaan naar de club. Schatje, mama en jij gaan de hele dag naar papa kijken. Papa gaat tennissen.' Grayer kijkt nauwelijks om en blijft verdiept in de tv.

Ik ga op mijn knieën zitten om hem voor *Sesamstraat* aan te kleden.

'Nee, Nanny. Ik wil het Poeh-shirt aan. Die vind ik stom,' zegt hij als ik het Power Ranger-shirt omhoog hou.

'Poep-shirt. Walgelijk!' roept Elizabeth X uit, terwijl ze opstaat om naar boven te gaan.

'Het is van Winnie de Poeh,' leg ik uit als ze voorbij loopt.

Ik stop het gewraakte shirt in zijn short.

Tring.

Mrs X tilt de hoorn een paar centimeter op en legt hem dan weer met een klap neer. 'Nee, dat vind ik niets.' Ze gebaart naar mij. 'We gaan naar de club. Trek hem een van die Lacoste-shirts aan die ik voor hem heb gekocht.'

'Nee! Ik wil deze aan!' Hij maakt zich op voor een nieuwe driftbui.

'Grayer, dat shirt kun je niet naar de club aan,' zegt ze beslist. Ze pakt haar handtas en wacht op ons, terwijl ik hem in zijn nieuwe shirt wurm en zijn haar weer borstel.

'Nanny, zijn short is helemaal verkreukeld. Nou ja, waarschijnlijk komen er in de auto toch kreukels in.' Ik vraag me af of ze overweegt hem onderweg naar de Nantucket Yaught Club te laten staan en zich aan de voorstoel vast te houden.

'Grayer, blijf bij de auto tot mama en Nanny onze strandspullen hebben gepakt,' roept Mrs X hem achterna als hij vast de golfbaan oprent, die naast de parkeerplaats van de club ligt. Ze zucht, doet de kofferbak open en begint me met tassen te beladen. Mr X en Elizabeth zijn al naar de tennisbanen vertrokken voor zijn eerste game.

'Alsjeblieft.' Ik heb een rieten tas met reservekleren voor iedereen aan mijn rechterarm hangen, een canvas tas met flessen lotion, speeltjes en sportkleren aan mijn andere arm, en een enorme stapel stranddekens en badhanddoeken in mijn armen, waar ze nog twee opgeblazen zwembandjes bovenop stapelt. Gehoorzaam til ik mijn kin op zodat het oranje plastic veilig vast zit.

'Grayer Addison X, WACHTEN, ZEI IK!' gilt ze in mijn gezicht en over mijn schouder. Ze schuift haar gele Kate Spade-tasje naar de knik van haar arm en slentert hand in hand met Grayer naar de club, met de gele zijden sarong wapperend in de koele bries. Ik klem mijn armen om de stapel en probeer niet te struikelen op mijn tocht in haar kielzog. Ze begroet de hele club en kent de namen van alle moeders en kinderen uit haar hoofd. Ik kom achter haar aan, blij dat ik mijn hoofd door de zwembandjes zo ver achterover moet houden dat niemand kan zien dat ik met mijn ogen rol. En dat doe ik. De hele tijd. We trappen onze sandalen uit en lopen over de houten plankieren naar het zand.

Zij laveert tussen parasols door en maakt dan aan hoofdbeweging naar een leeg stuk strand om aan te geven waar ik ons mag installeren. Grayer danst om de deken heen terwijl ik hem uitspreid.

'Kom nou! Laten we gaan zwemmen! Nu. Nu meteen.'

Terwijl ik de deken vastzet met een tas, kijk ik naar Mrs X, maar die is alweer verdiept in een gesprek.

'Eerst je zwembroek aan, Grover.' Ik pak zijn hand en loop naar het strandhuisje dat iemand die Bens broer heet ons deze week leent, terwijl hij zelf in Parijs zit. Ik doe de houten deur dicht, en we staan in het vochtige halfdonker, dat wordt onderbroken door strepen licht dat tussen de planken door op de witte vloer valt. Zodra zijn andere voet in de tweede pijp van zijn short steekt, trekt hij de deur open.

'Wachten, Grove! Insmeren!' Ik hou de Chanel Bébé SPF 62 omhoog, waarmee ik hem altijd moet insmeren.

'Dat vind ik vies spul!' Hij probeert ervandoor te gaan, maar ik grijp zijn arm vast.

'Jij mag het op mijn gezicht smeren, dan doe ik het op jouw gezicht,' stel ik voor.

'Ik eerst.' Hij geeft toe. Ik knijp de witte crème uit de tube op zijn vingers en hij smeert mijn neus in. Ik smeer de zijne zacht in en probeer meteen zijn wangen mee te nemen, zodat we het huisje voor zonsondergang nog kunnen verlaten.

'Nanny, we doen het om de beurt! Niet voordringen,' zegt hij vermanend, een gulle lik op mijn oren smerend.

'Sorry, Grove. Ik wil alleen maar opschieten en je met dit spul insmeren, dan kunnen we gaan zwemmen.' Ik smeer zijn oren en borst in.

'Dan doe ik het wel zelf.' Hij smeert zijn handen af aan zijn armen en benen, zodat er een vijfde van zijn blote huid is bedekt. In de deuropening buig ik me over hem heen en probeer ik het uit te smeren, maar hij rent over het zand weg. Tien gepedicuurde tenen staan vlak voor me stil.

'Nanny, vergeet niet hem in te smeren. O, en er zijn kwallen in zee, dus je kunt alles beter meenemen naar het zwembad. Tot straks.'

Ik zeul de spullen naar het zwembad en zie daar dat het water er wordt uitgepompt omdat een kindje er een 'ongelukje' in heeft gehad. We wijken uit naar de Piratenspeeltuin, wat een groot woord is voor een roestige schommel in een omheind stuk zand zonder schaduw. De zon brandt ongenadig neer op Grayer, die probeert te spelen met de zeven kinderen, die geen van allen ook maar een beetje van zijn leeftijd zijn. We doen samen met de strandspullen, en mogen om beurten zonnebaden, met de bal gooien en uit onze neus eten.

Als Grayer een meisje van de schommel dreigt te gooien omdat hij haar pakje sap wil hebben, laat ik onze spullen achter en neem Grayer mee naar de tennisbanen om Mr X om geld te vragen voor drinken. Ruim twintig minuten strompelen we in de bloedhitte langs tribunes op zoek naar zijn tennismatch. Maar ik vind het moeilijk hem tussen de vele middelbare mannen met zonnebrillen uit te halen.

'Daar is hij! Dat is mijn vader!' blijft Grayer hoopvol roepen, en hij wijst diverse mannen in witte tenniskleren aan, waarna die zich omdraaien en we onthutsend onbekende gezichten zien.

Als we hem eindelijk op de laatste baan zien staan, werpt Grayer zich tegen het hek en kromt zijn vingers om het ijzerdraad, net als Dustin Hoffman in *The Graduate*.

'Paaaapaaahh!!!'

Elizabeth sist afkeurend naar ons en Mr X komt met een moordzuchtige blik in zijn ogen op ons af lopen. Blijkbaar past 'politiek gevangene' Grayer niet in het image dat hij de hele ochtend al probeert op te houden.

'Kom op, jochie. Niet huilen,' bast hij zo hard dat de hele baan het hoort. Ik leg mijn handen zacht op Grayers schouders om hem naar achteren te trekken. 'Haal hem hier weg!' fluistert hij fel, zodra hij zo dichtbij is dat hij niet door anderen wordt gehoord. 'Hier.' Hij trekt zijn mobieltje van zijn riem en steekt die door het hek heen. 'Neem dit verrekte ding mee.'

Nog voordat ik hem om geld kan vragen, beent hij weer naar zijn game. Ik kijk op naar Elizabeth, maar die staart recht voor zich uit en blaast haar rook nonchalant naar opzij. Ik steek de telefoon diep in mijn zak en til de schreeuwende Grayer op en sleep hem naar de parkeerplaats, want ik heb geen idee waar we anders heen kunnen.

Als ik op het punt sta Grayer te leren hoe je uit gazonsproeiers kunt drinken, zien we eindelijk Mrs X op de golfbaan lopen.

'Ben je daar?!' roept ze uit, alsof ze al uren naar ons loopt te zoeken. 'Grayer, heb je honger?' Hij laat zijn hoofd hangen en blijft mijn hand vasthouden.

'Ik denk dat hij eerder dorst heeft...'

'Nou, de Benningtons hebben een paar gezinnen uitgenodigd om bij hen thuis te komen barbecuen. Wat leuk, hè?' Zwetend en met een rood gezicht laat hij zich op het gazon vallen, wat mij noopt hem op te pakken en achter haar aan te lopen als ze van haar Perrier nippend terugloopt naar de auto.

Als we de oprit van de Benningtons oprijden, is het eerste wat ik zie een Filippijnse man in een wit jasje die een poedel om de fontein uitlaat. Het tweede is dat er minstens vijftien auto's op het grind staan geparkeerd. Hoe regel je een geïmproviseerde barbecue voor vijftien gezinnen terwijl de Benningtons maar vijf minuten eerder weggingen dan wij? Als we onder de witte poort naast het huis door naar het zwembad lopen, wordt het antwoord duidelijk. Je pakt je mobieltje en mobiliseert je personeel.

Ik sta daar en laat het besef tot me doordringen dat mijn bruiloft er bij lange na niet zo mooi zal uitzien als dit informele barbecuepartijtje. Het is niet alleen het onberispelijk geschoren gazon dat helemaal tot aan het water afloopt, of dat alles in bloei staat, of dat er nog een man in een wit jasje achter de bar staat en ijsblokjes serveert waar een druif in zit en een derde filet-mignonburgers staat te grillen; het is zelfs niet dat overal tafels met gesteven, gebloemde tafelkleden op het gras staan; wat me uiteindelijk nog het meest treft zijn de watermeloenen die zijn uitgesneden in de vorm van bustes van vroegere presidenten.

Ik schrik op van Grayer, die helemaal is opgekikkerd door een meevaller in de vorm van een afgedankt blikje cola dat zijn vader hem afwezig in handen heeft gestopt, waarbij hij een hotdog op mijn voet liet vallen. Hij heeft overal ketchup zitten, ook op zijn Lacoste-shirt. Daar ben ik erg tevreden over.

'Kom op, Grover, we gaan nog een hotdog voor je halen.' Hij en ik eten onze lunch en ik ga met een wodka-tonic zitten, terwijl hij met de andere kinderen over het gras rondrent. Ik weet inmiddels dat ik geen gesprek met de gasten hoef aan te knopen.

Ik zie de Horners aankomen met een aantrekkelijke blonde vrouw. Caroline loopt met haar mee om haar aan Mrs X voor te stellen, terwijl Jack met de meisjes naar de barbecue gaat. Ik kijk nieuwsgierig toe hoe Mrs X omschakelt, haar handen naar haar parelsnoer brengt en een gezicht vol medeleven trekt. Dat zal Carolines gescheiden vriendin uit Californië zijn. Na een paar minuten raakt het medeleven van Mrs X uitgeput en houdt ze haar lege glas omhoog om aan te geven dat ze toe is aan een drankje, en ze vertrekt.

Jack komt bij de twee vrouwen staan en heeft een hotdog en Mr X meegenomen. Het viertal staat een poosje geanimeerd te praten, tot Lulu komt aanrennen en haar ouders mee trekt. Mr X en de blondine komen lopend naar de plek waar ik zit. Snel laat ik me in de stoel achterover zakken en doe mijn ogen dicht. Niet dat Mr X me uit een rijtje nanny's zou kunnen halen.

'Nou,' hoor ik hem zeggen als ze langs lopen, 'ik heb seizoenskaarten, dus als je mee wilt...'

'Wil je vrouw niet mee?' vraagt ze.

'Vroeger wilde ze wel, maar ze gaat tegenwoordig zo op in onze zoon...'

Jullie wie?

Ik ga weer rechtop zitten en kijk of Mrs X haar mans wandeling naar het water heeft gezien, maar ze is diep in gesprek met Mrs Longrace. Mijn zak begint te trillen.

'Wat krijgen we...?' Ik haal het mobieltje van Mr X eruit, probeer hem uit te zetten zonder met mijn drankje te knoeien en druk lukraak wat koppen in.

'Hallo?' hoor ik een stem vanuit mijn hand roepen.

'Hallo?' Instinctief breng in het ding naar mijn oor.

'Met wie spreek ik?' vraagt een vrouwenstem op hoge toon.

'Nanny,' zeg ik. Ik hoef niet te vragen met wie ik spreek.

'Nanny?' Ze klinkt alsof ze huilt. 'Is hij er ook?'

'Nee,' zeg ik en ik rek me uit om naar het water te kijken, maar Mr X en de blondine zijn verdwenen. 'Het spijt me. Luister, ik moet ophangen...'

'Nee. Niet ophangen. Alsjeblieft. Vertel alsjeblieft waar hij is,' smeekt ze beverig.

Ik kijk rond. 'Wacht even.' Ik hou de telefoon bij mijn heup en loop snel naar het huis en ga bij de eerste de beste schuifdeuren naar binnen. Ik trek ze achter me dicht en hou Grayer in het oog. Ik haal diep adem voordat ik de telefoon bij mijn oor hou. 'Luister, ik weet niet goed wat ik tegen je moet zeggen. Ik wil niet te bescheiden klinken, maar ik ben de nanny maar.'

'Wat doet hij daar nog? Hij neemt zijn telefoon niet op, hij...'

'Hij is...' Ik weet niet wat ik moet zeggen. 'Hij is aan het tennissen en donuts aan het eten, waarschijnlijk.'

'Maar hij kan haar niet luchten. Hij vindt het vreselijk om met haar op vakantie te gaan. Hij zal er toch geen plezier in hebben...'

'Nou ja, nee, hij heeft er niet bepaald plezier in.'

'Meen je dat?' vraagt ze.

Ik kijk uit het raam naar het feestje zoals ik het voor me zie: kalende mannen met hun tweede of derde vrouw, die van manicure naar algenpakking rennen, die geen van allen oog hebben voor hun kinderen die over het gras heen en weer hollen en genieten van een paar minuten vrij van hun monsters. En de nanny's zitten allemaal zwijgend op het gras op het volgende bevel te wachten.

'Nee,' zeg ik, 'niemand heeft plezier.'

'Wat? Wat zei je daar?'

'Luister, ik moet het je gewoon vragen, want je schijnt zo vastbesloten te zijn om hier te zijn. Wat van dit alles wil je nu zo graag? Wat trekt er je zo in aan?' Ik gebaar naar de tuin.

'Je weet niet waar je het over hebt. Hoe oud ben je eigenlijk? Achttien?' Haar toon verandert, nu ze bijkomt van haar huilbui. 'Ik zie niet in wat jij hiermee te maken hebt.'

'O, o, weet je wat? Ik denk ook dat ik er niets mee te maken wil hebben!' Ik wil het mobieltje zo door het raam in de Perrier van Mrs X gooien. '*Jij* bent naar mijn huis gekomen. Dan ben je al een flink eind op weg om mij erin te betrekken! Een geheime affaire hebben, hoor je me, houdt in dat *niemand* ervan weet. Dan krijg je geen legertje helpers.' Ik staar naar de telefoon. 'Ben je er nog?'

'Ja.'

'Nou, ik zeg het je maar, ik zit hier al negen maanden, zo dichtbij als je maar kunt komen, en ik kan je wel vertellen: er is hier niets leuks te halen...'

'Maar ik...'

'En denk nou niet dat het helemaal aan haar ligt, want zo is het niet. Zij is ooit net als *jij* geweest. Dus je kunt voor Cole Porter spelen zo veel als je wilt, het zo spannend maken als maar kan, maar uiteindelijk zul je niets anders doen dan hem najagen, net als iedereen in dat appartement.' Ik kijk weer uit het raam naar de kinderen die tikkertje spelen op het gazon.

'Kijk eens aan,' zegt ze, 'wat een indrukwekkende morele analyse van het meisje dat achthonderd dollar van me heeft gestolen...'

Opeens struikelt Grayer en vliegt hij door de lucht. Mijn adem stokt in mijn keel en het lijkt uren te duren voor hij neerkomt.

'Luister je?' vraagt ze. 'Hallo, Nanny. Ik zei dat ik verwacht alles...'

'Wat? Moet ik het in het Spaans zeggen? Zet een punt achter deze relatie nu je nog warm bloed in je aderen hebt! En dit advies is veel meer waard dan die achthonderd dollar, dus we staan quitte.' Ik klik het mobieltje uit. Er valt een eindeloze stilte en dan klinkt er een bloedstollende kreet. Het hele gazon valt stil, niemand beweegt.

Ik ren over de veranda het gazon op. Ik slalom tussen de onbeweeglijke linnen jurkjes en pantalons door en signaleer onmiddellijk Mrs X in uiteen wijkende menigte.

'Nannyyyy!' roept hij. Mrs X is er het eerst. 'Nannyyyy!' Ze probeert zich over hem heen te buigen, maar hij mept naar haar en slaat zijn bloedende arm om mijn benen. 'Nee! Ik wil Nanny!' Ik ga op het gras zitten en trek hem op schoot. Mrs Bennington komt met de EHBO-koffer aanlopen, en de andere volwassenen staan toe te kijken.

'Hier, laat mama er maar even naar kijken,' zeg ik. Hij steekt zijn arm uit en staat toe dat ze hem verbindt, maar draait zijn gezicht tegen mijn schouder, van haar af.

'Zing je het lied van de negertjes?' vraagt hij bibberig, terwijl Mrs X onhandig jodium op zijn arm doet.

'Tien kleine negertjes,' zing ik zachtjes en ik wrijf over zijn rug. 'Die liepen in de regen...'

'Eentje viel er in een plas,' mompelt hij tegen mijn schouder.

'Waar is mijn man?' vraagt ze plotseling, en ze zoekt de hele groep af. Net op dat moment komt Mr X om de heg heen lopen met zijn arm om Carolines vriendin heen geslagen. Ze zien er allebei rozig uit en hadden duidelijk niet verwacht dat alle ogen op hen zouden zijn gericht als ze terugkwamen.

***

Ik hou Grovers verbonden arm vast als hij ronddraait in bad en probeer zijn Batman-pleister droog te houden. Hij leunt met zijn hoofd tegen mijn hand. 'Als ik groot ben, koop ik een boot. Een blauwe boot met een zwembad erop.'

'Hopelijk is het warmer dan het zwembad op de club.' Met het washandje in mijn vrije hand was ik zijn rug.

'Ja, man. Heel warm! Net zo warm als dit bad! En jij mag met mij komen zwemmen.'

'Bedankt voor je uitnodiging, Grove. Weet je, als jij helemaal groot bent, heb je een heleboel vrienden en dan ben ik heel oud...'

'Te oud om te zwemmen? Nee, hoor, Nanny. Jokkebrok.'

'Je hebt gelijk, Grove. Dat is niet waar. Ik ga met de cruise mee.' Ik laat mijn kin naast zijn hoofd op het koele porselein van het bad rusten.

'Je mag Sophie meenemen! Dan is er een apart zwembad voor haar.

Een zwembad voor de dieren. En Katie mag haar cavia meenemen. Goed, Nanny?'

'En je puppy dan, Grove? Heb je al een naam voor haar bedacht?' vraag ik, hopend dat als ze een naam krijgt ze niet weer de hele dag buiten wordt achtergelaten.

'Ik wil een cavia, Nanny. Ellie mag de hondje hebben.'

'Ze hebben al een hond, Grove.'

'Oké, geen honden op de boot. Alleen cavia's. En we blijven voor altijd samen zwemmen.' Hij tjoekt met zijn plastic vliegdekschip in rondjes over het water.

Ik druk mijn neus in zijn haar en doen mijn ogen dicht, terwijl hij zijn boten parkeert. 'Afgesproken.'

Ik wacht tot Grayer diep in slaap is en Elizabeth naar haar kamer is, voor ik naar de woonkamer ga. Mr en Mrs X zitten de krant te lezen. Ze zitten aan weerszijden van de bank in versleten fauteuils en houden in de donkere kamer hun stuk van de krant naar het flakkerende licht van de schemerlampen. Ik ga midden op de lege bank zitten, maar geen van de X'en neemt de moeite op te kijken.

Ik haal diep adem en zeg zo smekend als ik mezelf kan aandoen: 'Eh, ik vroeg me af of ik, in plaats van zaterdag terug te gaan...'

Mrs X laat haar krant zakken. 'Ik ben zwanger,' zegt ze met vaste stem.

Zijn krant blijft waar hij is. 'Wat zei je?' vraagt hij.

'Ik ben zwanger,' zegt ze op koele, vlakke toon.

Zijn krant zakt. 'Wat?'

'Zwanger.'

'Weet je het zeker?' Hij kijkt haar met wijdopen ogen aan en zijn stem trilt.

'Als je een keer zwanger bent geweest herken je de tekenen.' Ze glimlacht traag naar hem en legt haar troefkaart op tafel.

'Mijn god,' zegt hij. Er verschijnen zweetdruppels op zijn voorhoofd.

'En morgen zeggen we het tegen je moeder.'

Ze kijken elkaar aan, in stilzwijgende erkenning van de plot die zij voor hen heeft bedacht. Ik bid in stilte tussen de kussens van de bank te mogen verdwijnen.

'Nanny, zegt het eens.' Ze wendt zich met haar koude glimlach naar mij. 'Wat kan ik voor je doen?'

Ik sta op. 'Weet u? Het is niet zo belangrijk. We kunnen het er later wel over hebben. En gefeliciteerd nog,' voeg ik eraan toe, alsof het net bij me is opgekomen.

'Nee, het komt juist goed uit, nietwaar, schat?' Ze glimlacht naar hem.

Hij staart haar alleen maar aan.

'Ga zitten, Nanny,' zegt ze.

Ik slik. 'Nou, ik moet dit weekend een nieuw appartement zien te vinden, dus als u me vrijdagavond op weg naar uw feestje bij de veerboot zou kunnen afzetten... Op zaterdag is er zo veel verkeer en ik moet nog inpakken en alles op maandag in dozen hebben staan en ik dacht, als het niet te veel moeite is... Maar als u me nodig heeft, kan ik natuurlijk blijven. Ik dacht alleen...'

Mrs X kijkt me met een staalharde blik aan. 'Ik heb een beter idee, Nanny. Waarom ga je vanavond niet vast weg? Mr X kan je naar de veerboot brengen. Elizabeth is er, dus wij redden ons wel.'

'O, nee, ik hoef echt vanavond niet weg. Ik dacht alleen, snapt u, op zaterdag is er zo veel verkeer op de weg. Ik wil best blijven hoor, ik blijf wel...' Mijn hart bonkt, want ik word me ten volle bewust van wat er op het spel staat. Ik word verlamd door het beeld van Grover, die over een paar uur doodsbang en alleen wakker wordt.

Mrs X valt me in de rede. 'Doe niet zo gek. Schat, wanneer gaat de volgende veerboot?'

Hij schraapt zijn keel. 'Weet ik niet precies.'

'Nou, je kunt Nanny gewoon naar de aanlegplaats brengen – ze gaan vrij frequent.'

Hij staat op. 'Ik ga mijn jas halen.' En loopt weg.

Ze kijkt mij weer aan. 'Ga jij maar naar boven om te spullen in te pakken.'

'Echt, Mrs X, ik hoef vanavond niet weg. Ik wilde alleen voor maandag mijn appartement uitruimen.'

Ze glimlacht. 'Eerlijk gezegd merk ik dat je minder enthousiast bent, Nanny, en ik weet zeker dat Grayer dat ook merkt. We hebben iemand nodig die zich helemaal aan Grayer kan wijden, vind je niet? Voor het geld dat we je betalen en nu de nieuwe baby op komst is, moeten we echt iemand hebben die professioneler is.' Ze staat op. 'Ik zal je even helpen, zodat je Grayer niet wakker maakt.'

Ik loop voor haar uit de trap op en doe koortsachtige pogingen een scenario te verzinnen die me de kans geven afscheid te nemen van

Grayer. Ze komt de kleine kamer in, gaat met over elkaar geslagen armen tussen onze bedden in staan en kijkt nauwlettend toe hoe ik mijn spullen haastig in mijn tas prop, onhandig in de krappe ruimte om haar heen manoeuvrerend.

Grayer kreunt in zijn slaap en rolt op zijn andere zij. Ik wil hem zo graag wakker maken.

In haar schaduw pak ik de laatste dingen in en slinger mijn tas over mijn schouder. Ik kan mijn ogen niet afhouden van Grovers gebalde vuist die over de rand van zijn bed hangt, met de Batman-pleister die onder de mouw van zijn pyjamajasje uit steekt.

Ze gebaart dat ik langs haar heen naar de deur moet lopen. Voor ik er erg in heb, steek ik mijn hand uit om het vochtige haar van zijn voorhoofd te strijken. Ze grijpt mijn hand voordat die zijn gezicht kan aanraken en fluistert tussen opeengeklemde tanden door: 'Niet wakker maken.' Ze dirigeert me naar de trap.

Op de trap vullen mijn ogen zich met tranen, zodat de treden onder me beginnen te zwemmen en ik de trapleuning moet vastpakken om mijn evenwicht te bewaren. Ze botst tegen de achterkant van mijn tas.

'Ik... ik... ik wilde alleen...' Mijn stem komt met horten en stoten. Ik draai me om en kijk haar aan.

'Wat?' sist ze, zich dreigend voorover buigend. Ik deins terug, en het gewicht van mijn tas trekt me uit balans, zodat ik begin te vallen. Instinctief steekt ze haar hand uit en grijpt ze mijn arm. Terwijl ik mijn evenwicht hervind drijft ze me tegen de trapleuning. We staan tegenover elkaar, oog in oog op dezelfde tree. 'Wat?' vraagt ze uitdagend.

'Ze is in het appartement geweest,' zeg ik. 'Ik vond gewoon dat u het moest weten. Ik bedoel, ik...'

'Rotmeid.' Ze komt binnen de driekwart meter ruimte voor me staan en belaagt me met de kracht van jarenlang onderdrukte woede en vernedering. *'Jij. Hebt. Geen flauw idee. Waar je het over hebt.* Is dat duidelijk?' Elk woord voelt als een vuistslag. 'En ik zou maar oppassen. Als ik jou was. Met je ideeën over ons gezin...'

Mr X toetert op de oprit, waardoor het pupje wakker wordt en in de keuken fel begint te blaffen. Als we onder aan de trap zijn, is Grayer wakker geworden van het lawaai. 'Nanny!' roept hij. 'NAAANNNYYY!'

Mrs X haalt me in. 'Die hond,' moppert ze, naar de keuken lopend. Ze duwt de klapdeur open en het hondje springt de keuken uit, fel blaffend naar haar, en rent dan naar mij. Ik til haar op.

'Neem haar maar mee,' zegt ze, en ze beent naar de voordeur.

'Dat kan ik niet...'

'NANNY, KOM HIER. IK WIL HET LICHT AAN. NANNY, WAAR BEN JE?'

'Ik zei, neem mee.' Ze doet de voordeur open, pakt haar portefeuille van de sidetable. Ze haalt haar chequeboek te voorschijn en begint er furieus op te krabbelen, terwijl ik naar de trap kijk. 'Hier.' Ze heeft me de cheque.

Ik draai me om en loop langs haar heen, de oprit op. Grayers steeds hysterischer wordende kreten klinken door de nacht.

'NAAAANNNYYY! KOM NOU BIJ ME!!!'

'Goede reis!' roept ze vanuit de deuropening, als ik bibberig over het pad loop dat wordt verlicht door de koplampen van de Land Rover, en ik hoop uit alle macht dat mijn knieën het niet begeven.

Ik ga voorin zitten en als ik de gordel omdoe en de puppy op schoot neem, probeer ik mijn handen stil te houden.

'O,' zegt Mr X als hij haar ziet. 'Ja, Grayer is waarschijnlijk nog een beetje jong. Over een paar jaar misschien.' Hij start de motor en trekt op. Voor ik kan omkijken om me het huis te kunnen herinneren, wordt het aan het zicht onttrokken door bomen. De auto raast over de lege landwegen.

Hij stopt voor de verlaten aanlegplaats van de veerboot en ik duw het portier open om uit te stappen. 'Nou,' zegt hij, alsof het net bij hem is opgekomen. 'Veel succes met de toelatingstest voor medicijnen. Moeilijk, hoor!'

Zodra het portier dicht slaat, trekt hij op en rijdt weg. Langzaam loop ik de bijna lege vertrekhal in en zoek naar een dienstregeling. De volgende veerboot gaat pas over een uur.

De pup wriemelt onder mijn arm en ik kijk rond in de wachtkamer om iets te zoeken dat als mand kan dienen. Ik loop naar de man die de balie van Dunkin' Donuts aan het sluiten is en vraag hem om een paar plastic tassen en een stuk touw om een hondenriem mee te improviseren. Ik haal al mijn kleren uit mijn tas, stop ze in de plastic tassen, bekleed mijn tas met het laatste paar en zet de hond er bovenop.

'Alsjeblieft,' zeg ik. Ze kijkt naar me op en blaft nog een keer voordat ze gaat liggen en op het plastic begint te kauwen. Ik laat me op een afbladderende oranje stoel vallen en kijk op in het neonlicht.

Ik hoor hem nog steeds om me schreeuwen.

Maar niemand wist ooit wat Mary Poppins ervan vond, want Mary Poppins vertelde niemand ooit iets.

Mary Poppins

Twaalf

Het was me een waar genoegen

'Hé, dame!' Ik schrik wakker. 'Laatste halte – Port Authority!' roept de chauffeur vanaf zijn plaats achter het stuur. Haastig pak ik mijn spullen. 'Geen dieren meer proberen mee te smokkelen, meisie. De volgende keer kun je teruglopen naar Nantucket,' zegt hij, over zijn stuur naar me loerend.

Het hondje gromt verontwaardigd en ik steek mijn hand in de tas om haar rustig te houden.

'Bedankt,' mompel ik. Vetzak.

Ik stap de stank van het busstation in en knipper met mijn ogen tegen het felle licht in de oranje betegelde hal. De Greyhound-klok geeft 4.33 aan en ik heb een paar minuten nodig om bij mijn positieven te komen. Mijn adrenaline is uitgeput, en ik zet de tas tussen mijn voeten op de grond om mijn sweater uit te trekken. De klamme zomerhitte zit al vast in de tunnel en heeft zich vermengd met de stank van forenzenzweet.

Ik loop snel de trap op naar straatniveau om een taxi aan te houden en kom langs gesloten bakkerijen en krantenkiosken. Vlak bij het einde van de Eighth Avenue wachten hoertjes en taxichauffeurs op hun volgende klant, en ik laat de puppy uit aan haar touw, zodat ze bij een vuilnisbak kan plassen.

'Waarheen?' vraag de chauffeur als ik met mijn tassen in de taxi ga zitten.

'Second en Ninety-third,' zeg ik, en ik draai mijn raampje open. Ik rommel in de plastic tassen op zoek naar mijn portefeuille, en haar donszachte bruine kop komt hijgend uit mijn tas omhoog. 'We zijn er bijna, kleintje. Nog even.'

Als ik mijn portefeuille opendoe, fladdert de cheque van Mrs X naar de vloer van de taxi. 'Verdorie.' Ik buk om het in het donker op te rapen.

'Te betalen aan: Nanny. Vijfhonderd dollar.'

Vijfhonderd dollar. *Vijf*honderd dollar?

Tien dagen. Zestien uur per dag. Twaalf dollar per uur. Dat is dus zo'n zestienhonderd dollar – nee, achttienhonderd – nee, negentienhonderd!

VIJFHONDERD DOLLAR!

'Wacht even, rij maar naar Park Avenue 721.'

'Oké, dame.' Hij maakt een bocht van honderdtachtig graden. 'Jij betaalt.'

Je moest eens weten.

Ik steek de sleutel in het slot van de X'en en duw de voordeur open. Het appartement is donker en stil. Ik zet mijn tas neer, en terwijl ik de plastic tassen op de grond laat vallen wurmt het hondje zich eruit. 'Plas maar raak.'

Ik steek mijn hand uit naar de dimmer op het lichtknopje in de gang en laat de tafel in een scherpe cirkel van licht baden. De spot overgiet de geslepen kristallen schaal met prachtige, koude lichtrimpelingen.

Ik leun naar voren en zet mijn handen op de glazen plaat die het bruin fluwelen kleed beschermt. Zelf nu, zelfs nu het zo uit de hand is gelopen, word ik van mijn gedachten over de X'en afgeleid door de intriges van de X'en. Maar is dat niet waar het allemaal om draait?

Ik trek mijn handen terug en zie de twee perfecte handafdrukken die ik op het glas heb achtergelaten.

Terwijl ik vastberaden van de ene kamer naar de andere loop, knip ik de koperen lampen aan, alsof het verlichten van hun huis licht kan werpen op het raadsel hoe ik zo hard heb kunnen werken en toch zo gehaat kan zijn.

Ik doe de deur naar de werkkamer open. Maria heeft de post van Mrs X zorgvuldig op haar bureau opgestapeld, precies zoals ze het wil hebben: enveloppen, catalogi en tijdschriften op afzonderlijke stapeltjes. Ik blader door de post en sla bladzijden van haar kalender om.

'Manicure, Pedicure, Shiatsu, Binnenhuisarchitect, Lunch.'

'Adjunct directeur over nonsens en trivia,' mompel ik.

'Maandag 10.00 Gesprek met Nannies Are Us.'

Nannies Are Us? Snel blader ik terug door de afgelopen weken.

'28 mei: gesprek Rosario, 2 juni: gesprek Inge, 8 juni: gesprek Malong.'

Ze beginnen de dag nadat ik heb gezegd dat ik niet kon meerijden naar Nantucket vanwege mijn buluitreiking. Ik krijg een droge mond als ik de notities lees die in de kantlijn van die middag zijn gekrabbeld.

'Niet vergeten: morgen problem consultant bellen. N's gedrag is onaanvaardbaar. Volkomen egocentrisch. Levert slechte zorg. Heeft geen respect voor professionele plichten. Buit situatie volledig uit.'

Ik doe het boek dicht en voel me alsof ik een stomp tegen mijn plexus solaris heb gekregen. Er flitst een beeld door mijn hoofd van Mrs Longraces krokodillenhandtas die naast haar voeten staat in het hokje van het toilet bij Il Cognilio en er knapt iets.

Ik loop naar Grayers kamer, gooi de deur open en zie hem meteen staan – de knuffelbeer die de dag na Valentijnsdag om onverklaarbare redenen een plekje op Grayers plank had gekregen.

Ik pak het ding, draai hem om, trek het paneeltje open en zie een kleine videocamera met bedieningsknoppen zitten. Ik spoel het bandje terug terwijl de pup door de kamer naar Grayers kast rent.

Ik druk op de opnameknop en zet de beer op Grayers ladekast. Ik schuif hem heen en weer tot ik denk dat hij goed staat.

'Dus *ik* ben volkomen egocentrisch bezig? En *mijn* gedrag is onaanvaardbaar?' roep ik tegen de beer.

Ik haal diep adem, probeer mijn woede te kanaliseren en begin opnieuw. Vijfhonderd dollar. Wat is dat voor jou? Een paar schoenen? Een halve dag bij de schoonheidsspecialiste? Een bloemstuk. Geen sprake van, mevrouwtje. Nu weet ik dat je kunst hebt gestudeerd, dus misschien is het een beetje ingewikkeld voor je, maar voor tien hele dagen in een regelrechte, onvervalste hel, heb je me drie dollar per uur betaald! Dus voor je een jaar van mijn leven afsluit en als grap opdist bij de volgende expositieopening moet je eens bedenken dat ik jouw hoogstpersoonlijke slaaf ben! Je hebt een handtas, een mink *en* een *slaaf*!

'Dus ik buit de situatie uit?'

'Jij hebt. Geen enkel idee. Wat ik. Voor jou doe.' Ik ijsbeer voor de beer langs en probeer negen maanden van ingeslikte replieken in een samenhangende boodschap te formuleren.

'Goed. Luister. Als ik "twee dagen per week" zeg, dan moet jouw antwoord zijn: "Oké, twee dagen per week." Als ik zeg: "Ik moet om drie uur weg want ik heb college," dan betekent dat dat je – waar je ook bent – alles laat vallen, al die belangrijke manicures en die essentiële cappuccino's, en naar huis *vliegt*, zodat ik om drie uur precies, en niet na het eten, niet *de volgende dag*, weg kan. Als ik zeg: "Tuurlijk kan ik een hapje voor hem klaarmaken," Dan betekent dat *vijf minuten* in die verrekte keuken van je. Dat betekent magnetron. Daar hoef ik niet voor te stomen, snijden, sauteren, en al helemaal geen soufflé in elkaar te draaien. Jij zei: "We betalen op vrijdag." Nou, luister goed, slimmerik, dat betekent elke vrijdag. De laatste keer dat ik je zag was je nog steeds geen Julius Caesar, je kunt de kalender niet opnieuw uitvinden. Iedere week. Altijd.'

Ik ben nu goed op dreef. 'Oké – de deur in het gezicht van je kind dichtgooien: doe je niet. De deur op slot doen om je zoon buiten te sluiten als we allemaal thuis zijn: dat doe je ook niet. Een studio kopen in het gebouw om "tijd voor jezelf" te hebben: dat doe je helemaal niet. O, o, en dan nog een: eh, naar een kuuroord gaan als je zoon een oorontsteking heeft en veertig graden koorts heeft? Nieuwsflits: dat maakt van jou niet alleen een slecht mens, maar ook nog een *verschrikkelijk slechte* moeder. Ik weet het niet, ik heb geen kinderen gebaard, dus ik ben misschien geen expert, maar als mijn kind als een seniele hond het meubilair onder plaste, eh, dan zou ik een ietsepietsie ongerust zijn. Ik zou, o, je weet wel, gewoon een gekkigheidje, minstens een keer per week 's avonds samen met hem eten. En, daar kijk je echt van op, de mensen hebben de pest aan je. De huishoudster *haat* je – het misschien-vermoordt-ze-je-wel soort haat.'

Ik ga langzamer praten om er zeker van te zijn dat ze ieder woord begrijpt. 'Laten we het eens doornemen: daar liep ik nietsvermoedend door het park. Ik *ken* je niet eens. Vijf minuten later was ik je ondergoed en ga ik naar de "familiedag" met je zoon. Wat ik maar wil zeggen, is, hoe speel je het klaar, dame? Dat wil ik wel eens weten – waar haal je het lef vandaan om een wildvreemde te vragen een surrogaatmoeder voor je kind te zijn?

En je werkt niet eens! Wat *doe* je de hele dag? Ben je daar bij de Parents League een ruimteschip aan het bouwen? Ben je in de geheime kamer van Bendel's de burgemeester aan het helpen een nieuwe opzet te bedenken voor het openbaar vervoer? Ik weet het al! Je bent achter die gesloten slaapkamerdeur een oplossing voor het conflict in het

Midden-Oosten aan het uitbroeden! Nou, ik zou zeggen, ga zo door – de wereld zit met smart te wachten op jouw innovaties die de eenentwintigste eeuw inluiden met een ontdekking die zo fantastisch is dat je geen moment vrij kunt maken om je zoon even te knuffelen.'

Ik buig me voorover en kijk de beer diep in de ogen. 'Er is nogal wat "verwarring" geweest, dus ik zal het even duidelijk zeggen: deze baan – jawel b-a-a-n, baan die ik doe, is hard werken. Jouw kind opvoeden is hard werken! Wat je zou weten als je het langer dan vijf minuten achter elkaar zou doen!'

Ik doe een stap achteruit, kraak mijn knokkels en maak me op voor de finale. 'Oké, Mr X, wie *ben* je eigenlijk?' Ik zwijg even om dat te laten bezinken. 'En nu we toch aan het voorstellen zijn, je zult je wel afvragen wie ik ben. Ik zal je een hint geven. Ik hoor (a) niet bij het appartement en (b) kom ook niet omdat ik zo'n goeierd ben aan je vrouw vragen of ze nog klusjes te doen heeft. Wat denk je, X – één keer raden!'

Ik kijk naar mijn nagels en zwijg dramatisch voor extra effect.

'IK WAS JE ZOON AAN HET OPVOEDEN! Ik heb hem leren praten. Ik heb hem geleerd hoe hij een bal moet gooien, hoe hij je Italiaanse toilet moet doortrekken. Ik ben geen student medicijnen, economie, actrice of fotomodel en ik ben zeer zeker geen "vriendin" voor die stressnicht met wie je bent getrouwd. Of die je hebt gekocht, of wat dan ook.' Ik ril van afschuw.

'Ik zal je even bijpraten, stoere jongen. Dit is het Byzantijnse Rijk niet – je krijgt geen kameel en een harem bij elk stuk land dat je verovert. Waar is de oorlog waarin je hebt gevochten? Waar is de dictator die je hebt afgezet? Met je dikke reet in een stoel een bedrag van zeven cijfers per jaar verdienen is niet heroïsch, en je wint er misschien een mooie vrouw of twee, of vijf mee, maar voor het vaderschap verdien je nog geen troostprijs! Ik zal het in termen brengen die je begrijpt: je zoon is geen accessoire. Je vrouw heeft hem niet uit een catalogus besteld. Je kunt hem niet te voorschijn halen als het je uitkomt en hem daarna in de kelder bij je sigaren opbergen.'

Ik las een pauze in om op adem te komen en kijk om me heen naar alle speeltjes waar hij voor heeft betaald, maar waar hij nooit met zijn zoon van heeft genoten. 'Er wonen mensen – hier, bij jou thuis, ménsen – die bijna ziek zijn van verlangen naar een blik uit jouw ogen. Jij hebt dit gezin gesticht. Je hoeft alleen je gezicht maar te laten zien en hen leuk te vinden. Zoiets heet "contact." Dus verwerk je jeugd met ouders van het soort afwezig-zijn-maar-liefde-kopen die je zelf hebt gehad en kom thuis, man, want dit is je *LEVEN*, en jij doet er niets mee!'

'Woef!'

De pup duwt de deur van de kast open, met de buskaarthouder in haar bek. 'Hé, geef eens hier,' zeg ik vriendelijk, en ik buk om hem van haar af te pakken. Ze laat hem vallen en rolt op haar rug om te spelen. Ik staar naar de vieze snippers papier in het plastic. Meer is er niet over van Grovers visitekaartje.

Ik knipper met mijn ogen, kijk rond in Grayers kamer, zo vertrouwd dat het voelt als mijn eigen kamer. Ik zie hem over de denkbeeldige catwalk van onze Kerstmodeshow paraderen, in de badkamer zijn hart uit zijn longen zingen en tegen me aan in slaap vallen terwijl ik *Goodnight Moon* voorlees.

'O, Grover.' En dan zit ik opgekruld aan het voeteneind van zijn bed te huilen. Bij het nieuwe besef dat ik hem nooit meer zal zien trekken er schokgolven van verdriet door me heen. Dat was het dan voor ons, voor Grayer en mij.

Als ik eindelijk in staat ben gewoon te ademen kruip ik naar de ladekast en druk op stop. Ik zet de beer op de grond en leun tegen het bed, terwijl ik het zachte buikje van de pup aai. Ze rekt zich uit en legt haar pootje op mijn arm. Uit haar warme bruine ogen straalt dankbaarheid om zo veel aandacht.

En dan weet ik het.

Niets van wat ik tot nu toe heb gezegd, zal ervoor zorgen dat ze hem de liefde geven die hij verdient.

Of dat ik met waardigheid afscheid kan nemen.

Ik hoor Grayer zeggen: 'Slim zijn, Nanny. Je moet slim zijn.'

Ik spoel de band terug naar het begin. Ik druk de opnameknop in en zet de beer weer op het vloerkleed voor me.

'Hallo, ik ben het, Nanny. Ik zit hier in jullie appartement en het is...' Ik werp een blik op mijn horloge. 'Vijf uur 's morgens. Ik ben binnen gekomen met de sleutel die jullie me hebben gegeven. En ik heb alle bezittingen die jullie zo belangrijk vinden binnen handbereik. Maar daar gaat het niet om. Ik wil jullie geen kwaad doen. Al was het alleen maar om de reden dat jullie Grayers ouders zijn.' Ik knik, want ik weet dat het waar is. 'Ik stond op het punt te vertrekken. Maar ik kan het niet. Ik kan het gewoon niet. Grayer houdt van jullie. Ik ben getuige geweest van zijn liefde voor jullie. En het kan hem niet schelen wat je aan hebt of wat je voor hem hebt gekocht. Hij wil dat jullie er zijn. Van hem houden. En jullie tijd raakt op. Hij zal niet zo lang meer onvoorwaardelijk van jullie houden. En al snel zal hij helemaal niet meer van jullie houden. Dus als ik vannacht iets voor jullie zou kunnen doen, dan zou ik jullie de wens geven hem te leren kennen. Het is zo'n bijzonder persoontje – hij is grappig en slim – een genot om mee om te gaan. Ik heb hem echt in mijn hart gesloten. En dat gun ik jullie. Jullie allebei, want het is gewoon, nou ja, onbetaalbaar.'

Ik steek mijn hand uit naar de beer en druk op stop. Ik hou hem even in mijn hand. Als ik naar de onderste plank van de boekenkast kijk, zie ik een ingelijst fotootje van Caitlin achter de Playskool-garage staan.

Juist.

Ik druk de opnameknop in en zet de beer neer.

'En als jullie dat niet willen, dan zijn jullie mij, of wie je dan ook zover kunt krijgen het te doen, verdomme minstens wat respect verschuldigd!'

Ik pak de beer en haal het bandje eruit.

Op weg naar de hal knip ik alle lichten uit. Het pupje komt de hal in huppelen, terwijl ik daar weer bij de glazen tafel sta. Ik leg het bandje tussen mijn handafdrukken neer en leg hun sleutels boven op het witte etiket.

Ik pak mijn tassen en trek voor de laatste keer de voordeur van de X'en open.

'Grover,' zeg ik zacht, met alle intensiteit die ik in mijn hart kan vinden, alsof ik boven mijn verjaardagstaart sta en de belangrijkste wens van mijn leven doe. 'Je moet gewoon onthouden dat je bijzonder en fantastisch lief bent. En ik hoop dat je op de een of andere manier zult beseffen dat, waar ik ook ben, altijd bij je ben, oké?' Ik knip de laatste lamp uit en til het hondje op. 'Dag, Grayer.'

Als ik door het park loop, komt de zon net op. Ze trekt haar touw strak en we lopen over het ruiterpad naar het reservoir. De eerste joggers lopen al hun gestage rondjes om het water, terwijl de hemel lichter wordt en de laatste ster verdwijnt. Boven de boomtoppen baden de gebouwen aan de westkant van het park in het roze ochtendgloren.

Het water likt aan de stenen en ik leun tegen het hek om de schoonheid van dit uitzicht midden in de stad in me op te nemen.

Ik steek een hand in een van de plastic tassen en haal het mobieltje van de X'en te voorschijn. Ik weeg het even in mijn hand en gooi het dan met een boog over het hek. De pup springt op, zet haar voorpoten tegen het hek en blaft naar de bevredigende plons die het ding maakt.

Ik kijk op haar neer. 'Hoe vind je dat? Die kunnen mij nooit meer bellen.' Ze blaft instemmend, heft haar kop naar me op en kijkt met haar bruine ogen vol genegenheid aan.

'Bellen.'

Ze blaft.

'Belle,' zeg ik nu.

Ze blaft weer.

'Ik snap het. Kom, Belle, dan gaan we naar huis.'